O Pastor e seu Ministério

Anísio Batista Dantas

O Pastor e seu Ministério

Manual do Obreiro

7ª impressão

Rio de Janeiro
2025

Todos os direitos reservados. Copyright © 2005 para a língua portuguesa da Casa Publicadora das Assembleias de Deus. Aprovado pelo Conselho de Doutrina.

É proibida a duplicação ou reprodução deste volume, no todo ou em parte, sob quaisquer formas ou meios (eletrônico, mecânico, gravação, fotocópia, distribuição na web e outros), sem permissão expressa da Editora.

Preparação de Originais: Patrícia Almeida
Revisão: Gleyce Duque
Capa e projeto gráfico: Eduardo Souza
Diagramação: Flamir Ambrósio

CDD: 250 - Congregações cristãs, prática e teologia pastoral
ISBN: 978-85-263-1256-2

As citações bíblicas foram extraídas da versão Almeida e Corrigida, edição de 1995, da Sociedade Bíblica do Brasil, salvo indicação em contrário.

Para maiores informações sobre livros, revistas, periódicos e os últimos lançamentos da CPAD, visite nosso site: https//www.cpad.com.br

SAC — Serviço de Atendimento ao Cliente: 0800-021-7373

Casa Publicadora das Assembleias de Deus
Av. Brasil, 34.401, Bangu, Rio de Janeiro - RJ
CEP: 21.852-002

7ª impressão: 2025
Impresso no Brasil
Tiragem: 300

Dedicatória

A meu pai, José Ferreira Batista (*in memoriam*);
À minha mãe, Maria Batista;
À minha esposa, Maria Magdalena;
A meus filhos, David, Jairo e Lídia;
A meu genro, José Wellington Jr.;
À minha nora, Dayse;
E a meus netos: José Wellington Neto (Netinho), Aline, Renato, Patrícia e Leonardo.

Apresentação

É com muita satisfação que fazemos a apresentação da obra *O Pastor e seu Ministério*, de autoria do Pr. Anísio Batista Dantas. Neste trabalho, o autor estuda cuidadosa e sistematicamente, de acordo com o ensino fundamental da Palavra de Deus, as múltiplas funções do ministro do evangelho, abrangendo a administração da igreja, principalmente agora, que aumentou e melhorou esta nova edição.

Muitos escritos circulam em nossas livrarias, ora enfatizando um ponto, ora outro; nesta obra, o autor trata de maneira minuciosa e sistemática a chamada ou vocação do obreiro para a obra ministerial, as suas atividades no santo ministério e suas funções como administrador da comunidade cristã. Seu relacionamento com a igreja em geral e com a sociedade é visto de maneira magistral, não pairando qualquer dúvida.

É surpreendente o número de assuntos abordados pelo autor. A linguagem é escorreita e o vocabulário, não rebuscado, possibilitando fácil leitura e compreensão. Parece a obra mais completa do gênero em língua portuguesa, o que a torna recomendável a todo obreiro que deseja melhor servir ao Senhor Jesus. Este trabalho facilitará os estudos e as pesquisas sobre atividade e ética pastoral ou ministerial e administração de igreja.

Outrossim, pela distribuição da matéria e metodologia, torna-se obra profundamente didática, útil a qualquer estudioso ou leitor despretensioso e interessado em saber mais. É boa para o leigo; é excelente para o obreiro.

Que o Senhor Jesus abençoe o irmão Anísio, esta obra e os leitores. Amém.

São Paulo, outubro de 2000

Pr. José Wellington Bezerra da Costa

Prefácio à Segunda Edição

Há muitos e bons livros sobre atividade ministerial cristã; há outro tanto sobre ética ministerial ou pastoral, e alguns sobre administração eclesiástica. Nosso modesto trabalho não significa mais um, porque é mais completo do que muitos; tampouco temos a pretensão de dizer ser ele o melhor, pois não esgota o assunto. Entretanto, é trabalho que abrange as atividades múltiplas do ministro do evangelho (pastor e evangelista; consideramos o missionário como um deles), alcançando outros oficiais da igreja, como presbítero e diácono, e o obreiro de modo geral. Abordamos assuntos desde a chamada ou vocação até os mais delicados relacionamentos do ministro com a igreja, membros em particular, e também a sociedade. Não nos ativemos a definições longas, por não ser isto muito producente. Nossa intenção é oferecer ao obreiro um manual ou uma coletânea de informações úteis ao trabalho do ministro do evangelho ainda não convencido de saber tudo. Inclusive, sugerimos providências que possam ser tomadas para aplicação de corretivos disciplinares, em forma de roteiro, a fim de se evitar a aplicação de corretivo no inocente, a impunidade do culpado, ou ainda o tratamento inadequado de assunto que mereça acurada sindicância ou averiguação.

Com este trabalho, desejamos colaborar com os amados obreiros do Senhor, especialmente pastores, no sentido de padronizar os nossos procedimentos à luz da Palavra de Deus, sem ferir a liberdade e autonomia que cada um possui na direção da igreja que o Senhor entregou a seus cuidados.

Não podemos negar que muitos obreiros não sabem efetuar um batismo de maneira solene. Outros há que não sabem dirigir um culto de mocidade; outros que até reprovam cultos especiais, dizendo que "todo culto é especial". Nem todos fizeram um curso teológico; nem todos os cursos teológicos são bons; nem todos aceitam cursos teológicos; nem todos se dedicam a estudos sistemáticos da Palavra de Deus. Esperamos que nosso trabalho venha preencher algumas lacunas existentes em nosso meio.

Nesta segunda edição ampliada e melhorada, tivemos o cuidado de aprimorar certos conceitos que eu chamaria de preconceitos sobre cargos eclesiásticos, como o de presbítero e de diácono. Procuramos analisar essas funções na Igreja do primeiro século, à luz da Bíblia, e sua evolução através dos séculos até nossos dias, de acordo com as necessidades atuais na Igreja do Senhor Jesus Cristo.

Entre as dezenas de assuntos, procuramos salientar a necessidade de melhor honrarmos uns aos outros, refletindo esse sentimento até na aplicação da disciplina ou de corretivos disciplinares. Mostramos que o pastor é um servo do Senhor Jesus a serviço de sua amada Igreja aqui na terra.

São Paulo, outubro de 2000
Anísio Batista Dantas

Sumário

Apresentação 7
Prefácio à Segunda Edição 9

1. DA OBRA MINISTERIAL E SUAS CARACTERÍSTICAS GERAIS 19
   1 Da Variedade de Atividades à Semelhança das Atividades do Senhor e de sua Igreja 19
   2 Da chamada e Separação de Obreiros para o Trabalho do Senhor 25
   3 Da Consagração para o Ministério ou Separação para a Obra do Senhor 26
   4 Da Inabilitação para as Funções 27
   5 Da Habilitação do Homem para o Ministério 27
   6 Do Ministério no Antigo Testamento 28
   7 Do Ministério no Novo Testamento 29
   8 O Pastor e suas Funções ou Atividades Pastorais 29

2. DA VOCAÇÃO MINISTERIAL 39
   1 Da Vocação 39
   2 Da Vocação Particular 41
   3 Dos Dons Ministeriais e seu Propósito 41
   4 Das Qualidades Naturais do Pregador 44
   5 Da Dedicação ao Trabalho Cristão 45
   6 Da Consagração para a Obra do Senhor 45
   7 Do Compromisso Assumido diante de Deus e da Sociedade 46
   8 De sua Preparação 47
   9 Das Exigências Formais de Preparação para o Ministério 47

3. DA CHAMADA PARA PREGAR 51
   1 Da Chamada Universal 51
   2 Da Chamada Específica ou Especial 53

3 Da Variedade de Ministérios 54
4 Dos Ministros meramente Profissionais 55
5 Das Aptidões 58
6 Da Sensibilidade Espiritual 60
7 Do Reconhecimento de nossa Chamada por Outros 60

4. DA PREPARAÇÃO DO OBREIRO PARA O MINISTÉRIO 63
1 Da Experiência 63
2 Da Educação 71
3 Métodos de Estudo da Bíblia 74

5. DA CULTURA E DO CAMPO DE ESTUDOS DO PREGADOR DO EVANGELHO OU MINISTRO 77

6. DO CARÁTER DO MINISTRO IDEAL 81
1 Das Qualidades Naturais do Ministro do Evangelho 81
2 Da Coragem do Ministro do Evangelho 82
3 Da Discrição 82
4 Da Diligência 83
5 Da Pontualidade 83
6 Do Asseio Pessoal 84
7 Do Tacto no Trato 84
8 Da Dignidade do Ministro do Evangelho 85
9 Da Liderança 85
10 Das Qualidades Espirituais do Ministro do Evangelho 86
11 Das Ocupações Secundárias 90

7. O PASTOR E OS PROBLEMAS ECLESIÁSTICOS 93
1 Da Atitude do Ministro diante de Convite de uma Igreja 93
2 Da Ética do Pastor e da Igreja 95
3 Da Fidelidade Mútua — Pastor e Igreja 96
4 Da Liderança do Pastor na Igreja 97
5 Das Funções do Pastor 98
6 Da Sucessão do Pastor 99

8. DO PREGADOR DO EVANGELHO E SEU DEVER DE CONHECER A DEUS E O HOMEM 101
1 Do Conhecimento de Deus 101
2 Do Conhecimento do Homem 103

9. DAS PRERROGATIVAS ESPECIAIS DO PREGADOR 107
1 Do Pregador como Educador 107
2 Do Espírito Missionário do Pregador 108
3 Da Atualização do Pregador com sua Época 110
4 Do Relacionamento do Ministro com Obreiros de outras Denominações 112

Sumário

10. DO MINISTRO DO EVANGELHO E SUA VIDA PARTICULAR 115
  1 Da Conveniência do Casamento para o Ministro 115
  2 Das Vantagens do Casamento para o Ministro 117
  3 Do Casamento do Ministro 118
  4 Da Prudência e Cautela na Vida Conjugal 120
  5 Do Lar-padrão 121
  6 Dos Filhos no Lar 122
  7 Dos Cuidados Pessoais 123
  8 Do Planejamento de Atividades 124
  9 Do Descanso 125
  10 Do Tempo para Oração e Estudos 125
  11 Da Leitura Bíblica Programada 127
  12 Das Visitações Pastorais 127
  13 Da Escala Semanal de Serviços 128
  14 Das Múltiplas Tarefas do Ministro do Evangelho 129

11. O MINISTRO CASADO E A FAMÍLIA 131
  1 O Pregador e sua Família 131
  2 Da Sujeição da Esposa e Liderança do Ministro 132
  3 Do Mau Exemplo e da Influência Maléfica 134
  4 Da Piedade da Esposa do Ministro 135
  5 Das Obrigações da Esposa Junto à Família 136
  6 Das Responsabilidades da Esposa do Pastor na Igreja 136
  7 Do Ministério de Mulheres 137
  8 Das Relações do Pastor com as Famílias de sua Igreja e da Sociedade 138

12. DO MINISTRO DO EVANGELHO E SUAS RELAÇÕES 141
  1 De suas Relações como Servo de Deus e da Igreja 141
  2 De suas Relações como Cooperador de Deus 142
  3 De suas Relações como Despenseiro dos Ministros de Deus 142
  4 De suas Relações como Depositário do Evangelho 143
  5 De suas Relações como Intercessor 143
  6 De suas Relações como Atalaia 144
  7 De suas Relações como Pastor Subordinado ao Sumo Pastor 145
  8 De suas Relações como Dirigente 145
  9 De suas Relações como Provedor 146
  10 De suas Relações com o Presbitério 146
  11 Da Função de Diácono e de Presbítero-Pastor 147
  12 Do Presbitério na Igreja Local 148
  13 Do Conceito de Oficiais da Igreja 150
  14 Dos Títulos: "Bispos", "Presbíteros" e "Pastores" 150
  15 Da Escolha de Presbíteros e Diáconos 151
  16 Da Responsabilidade do Diácono em suas Funções 152
  17 Do Relacionamento do Diácono com o Pastor 153

18 Do Mandato de Presbítero ou de Diácono 154
19 De suas Relações com os Não-crentes 154
20 Da União Fraternal entre o Ministro e a Igreja 155

13. DO MINISTRO DO EVANGELHO E SEU MINISTÉRIO 157
1 Da Pregação da Palavra de Deus 157
2 Do Ensino Paralelamente à Pregação do Evangelho 158
3 Dos Propósitos da Pregação da Palavra e do Ensino 158
4 Da Direção do Culto na Igreja 159
5 Da Unidade Cristã na Igreja 161
6 Da Obra Aperfeiçoadora do Pastor 161
7 Da Mensagem por meio da Cura Divina 162
8 Da Visão Espiritual como Base para a Vitória 163
9 Do Ministério Pastoral e o Crescimento da Obra 164

14. DO MINISTRO DO EVANGELHO E A POLÍTICA 165
1 Das Relações do Pastor ou Ministro do Evangelho com a Política 165
2 Das Inconveniências e Incompatibilidades da Função
de Ministro e de Político 166
3 Da Responsabilidade do Ministro com Relação à Política 167

15. DO MINISTRO DO EVANGELHO E O EXERCÍCIO DE OUTRAS ATIVIDADES .. 169
1 Da Situação Financeira do Ministro 171
2 Da Obrigação da Igreja para com o Ministro 172
3 Dos Cuidados Especiais do Obreiro com a Situação Financeira 173
4 Dos Cuidados para com o Dinheiro da Igreja 174

16. DO PASTOR, DA IGREJA E DE CONVENÇÕES — SUA COOPERAÇÃO 175

17. DO MINISTRO DO EVANGELHO E OS PROBLEMAS DO MINISTÉRIO 177
1 Da Direção do Culto 177
2 Dos Dois Lados da Vida e do Pastor ou Ministro do Evangelho 179
3 Da Necessidade de o Ministro Orar 180
4 Da Queda e Reabilitação do Ministro do Evangelho 182

18. DA AUTORIDADE DO PASTOR 187

19. DA IGREJA E SUA ORGANIZAÇÃO 191
1 Dos Objetivos da Organização Eclesiástica 191
2 Do Material Humano que Compõe a Igreja 193
3 Do Controle de Membros da Igreja 194
4 De como Tornar-se Membro da Igreja Local 195
5 Dos Cooperadores da Igreja 197

20. DA ADMINISTRAÇÃO DA IGREJA 199
1 Da Administração Patrimonial 203
2 Das Finanças da Igreja 204

Sumário

21. DA APLICAÇÃO DE DISCIPLINA 207
    1 Da Disciplina na Igreja 207
    2 Da Apuração da Falta Cometida 208
    3 A Aplicação de Corretivo 209
    4 A Natureza das Faltas 210
    5 Do Salário do Pastor 210
    6 Da Casa Pastoral 211
    7 Da Administração e Diretoria 212
    8 Da Eleição ou Escolha do Pastor como Presidente 213
    9 Da Gestão e do Mandato de Diretores 214
    10 Das Reuniões ou Assembléias Periódicas da Igreja 215

22. DO SISTEMA DE ARQUIVO E CONTROLE 217
    1 Dos Departamentos e Atividades da Igreja 219
    2 A Igreja e a Escola Dominical 219
    3 A Escola Dominical e seus Departamentos 220
    4 Da Escola Bíblica de Férias 221
    5 Da Escola Bíblica (Conferências Bíblicas) 221
    6 Dos Cultos de Crianças 222
    7 Das Instruções Religiosas nas Escolas Públicas ou Particulares 223
    8 Do Relacionamento do Pastor com a Mocidade 223
    9 Do Grupo Juvenil 224

23. DOS IMÓVEIS, MÓVEIS E UTENSÍLIOS OU EQUIPAMENTOS DA IGREJA 225
    1 Do Planejamento para o Templo 226
    2 Dos Móveis, Utensílios e Equipamentos do Imóvel
    e sua Manutenção 226

24. DOS PRESBÍTEROS E DIÁCONOS 229
    1 Da Orientação Bíblica 229
    2 Dos Fatores não Influentes na Separação 229
    3 Do Padrão Bíblico para as Funções de Presbítero e Diácono 230
    4 Do Bom Relacionamento entre o Pastor e seus Auxiliares 232
    5 Dos Meios de Comunicação e Propaganda do Evangelho 234
    6 Da Necessidade de um Planejamento Anual 235

25. DA IGREJA COMO INSTITUIÇÃO DE ENSINO — UMA ESCOLA 237
    1 Do Ensino e da Educação 237
    2 Do Sistema Educativo Judaico 238
    3 Da Importância do Ensino 239

26. DO PASTOR E OFICIAIS DA IGREJA 241
    1 Dos Diáconos como Auxiliares do Pastor 241
    2 Da Hierarquia na Igreja 243

27. DAS SESSÕES OU ASSEMBLÉIAS DA IGREJA 245
    1 A Sessão ou Assembléia 245

28. DAS CERIMÔNIAS RELIGIOSAS 249
1 Da Cerimônia de Casamento 250
2 Da Cerimônia Fúnebre 251
3 O Batismo e a Ceia do Senhor como Ordenanças de Deus 251
4 Do Batismo nas Águas 252
5 Da Cerimônia do Batismo nas Águas 253
6 Da Ceia do Senhor 255
7 Da Celebração da Ceia do Senhor 256
8 Da Admissão de Membros 258
9 Da Apresentação de Crianças 259
10 De outras Cerimônias 260

29. DO MINISTRO DO EVANGELHO E SEU GABINETE DE TRABALHO 261
1 Do Período Devocional ou de Preparação Especial Diária 262
2 Do Dever de Estudar 262
3 Do Pregador do Evangelho e os Eventos Seculares 263
4 Da Preparação de Sermões 263

30. DO SERVIÇO DE VISITAÇÃO PASTORAL 265
1 Da Prática de Visitação no Antigo Testamento 265
2 Da Prática de Visitação no Novo Testamento 266
3 Do Propósito da Visitação Pastoral 266
4 Da Motivação do Membro da Igreja 267
5 Dos Resultados Esperados 267
6 Da Discrição do Pastor 268
7 Do Desempenho do Ministro em sua Visitação 269
8 Da Duração da Visita Pastoral 270
9 Da Prudência do Ministro 270

31. DA ÉTICA MINISTERIAL 273
1 Do Comportamento do Pastor com relação a seu Antecessor 274
2 Do Comportamento do Pastor com relação a seu Sucessor 275
3 Das Relações entre Pastor e Evangelista 277
4 Do Tratamento entre Evangelista e Pastor 279
5 Do Pastor e Ministros Visitantes 280
6 Do Pastor e Colegas de Ministérios na Comunidade Cristã 281
7 De alguns Cuidados Especiais Dentro da Ética Pastoral ou Ministerial 282

32. DAS FESTAS NA IGREJA E FORA DELA — PARTICIPAÇÃO 285
1 Das Festas na Igreja e Fora dela 285
2 Das Instituições de Caráter Social Fora da Igreja ou Denominação 287

33. DA IGREJA E SUAS ORGANIZAÇÕES 291
1 Da Sociedade de Jovens ou União de Mocidade 291
2 Da Sociedade de Senhoras 294
3 Do Ministério do Ensino na Igreja 295
4 Da Importância do Treinamento para Professores 296
5 Do Pastor como Professor-mor 296
6 Do Modo e Tempo do Ensino 296
7 Do Departamento de Escola Dominical 297

8 Do Departamento Musical 298
9 O Poder da Música 302
10 A Música Instrumental 303
11 A Música e o Louvor 304
12 Da Música na Igreja 304
13 Do Cântico Congregacional 304
14 Da Relação da Música com a Profecia 305
15 Do Coro ou Coral 306
16 Técnica Vocal 307
17 De Hinos Especiais 307
18 Da Execução de Acompanhamentos 307
19 Acompanhamentos Orquestrais Gravados 308
20 Da Modéstia do Ministro 308
21 Do Pastor e as Crianças 309

34. DA IGREJA COMO TEMPLO DE ADORAÇÃO 311
1 Da Presença de Deus entre os Homens 311
2 Do Perigo do Formalismo 312
3 Da Qualificação da Casa de Deus 312
4 Da Adoração em Espírito 313
5 Do Testemunho Público 314
6 Do Exercício dos Dons Espirituais 314
7 Da Leitura das Escrituras 315
8 Da Adoração mediante Dízimos e Ofertas 315
9 Da Importância da Pregação no Culto 316
10 Dos Resultados da Pregação 316
11 Dos Anúncios 317

Apêndice - DIREITOS E OBRIGAÇÕES DO MINISTRO
DO EVANGELHO 399
   Direitos dos Ministros do Evangelho de nosso Senhor Jesus Cristo 319
   Deveres dos Ministros do Evangelho de nosso Senhor Jesus Cristo 323

I

DA OBRA MINISTERIAL E SUAS CARACTERÍSTICAS GERAIS

1 Da Variedade de Atividades à Semelhança das Atividades do Senhor e de sua Igreja

O apóstolo Pedro diz: "Cada um administre aos outros o dom como o recebeu, como bons despenseiros da multiforme graça de Deus" (1 Pe 4.10). São várias as maneiras, realmente, de manifestar-se a graça de Deus ao homem. Quando o homem abre seu coração para a operação do Espírito do Senhor, a graça de Deus encontra lugar propício nesta vida. Se ministro (como em qualquer outra atividade na obra), o próprio Deus toma as providências para que esse homem se torne transparente e a beleza de Cristo seja perceptível. A graça de Deus e a glória de nosso Senhor e Salvador Jesus Cristo tornam-se evidentes nas atividades do homem de tal maneira que todos percebem algo diferente nele, em várias facetas de sua trajetória na terra e de seu trabalho. Por isso, as várias designações ou títulos do ministro servem para traduzir as múltiplas atividades, a exemplo dos designativos de Cristo. Daí, podemos indagar: qual deles é mais precioso? Não é possível responder tal pergunta. Todos têm alto significado, de acordo com o campo de atividade que queremos abordar ou prisma por que se olha a atividade. Apenas para exemplificar, indicamos alguns títulos: "Alfa, Belo entre dez mil, Bom Pastor, Cabeça da Igreja, Conselheiro, Cordeiro de Deus, Cristo, Deus Conosco, Emanuel, Filho de Deus, Filho do Homem, Filho Unigênito, Jesus, Jesus Cristo, Lírio do Vale, Ômega, Palavra, Palavra de Deus, Profeta, Redentor, Rosa de Sarom, Sumo-Pastor, Sumo-Sacerdote", e tantos outros. Quanto conhecemos a Deus? Quanto conhecemos a Jesus? Só na eternidade chegaremos a conhecê-lo em toda a sua plenitude. Entretanto, é possível prosseguirmos aumentando nosso conhecimento de Deus por meio de nosso relacionamento estreito com Ele ainda aqui. A Igreja é apresentada na Bíblia mediante designações figurativas que traduzem sua enorme e valiosíssima tarefa a ser executada na terra: "Corpo de Cristo, Noiva do Cordeiro, Família de Deus, Rebanho, Casa de Deus, Templo, Sal da Terra, Luz do Mundo, Reino". Todos esses títulos traduzem apenas palidamente o que Deus oferece a ela para capacitá-la e o que dela exige como operação.

1.1 Dos títulos e das figuras bíblicas referentes ao obreiro

a) *Homem de Deus*. Paulo, o apóstolo, chama seu companheiro, Timóteo, de "homem de Deus" (1 Tm 6.11). É interessante notar que é Paulo que o chama de "homem de Deus" e não Timóteo a Paulo; Timóteo é de Paulo "filho na fé", seu auxiliar, pertencente à segunda geração de pregadores do evangelho de Jesus Cristo. Essa expressão é altamente significativa. Dá ao obreiro consciência de sua alta responsabilidade diante de Deus e dignifica a obra que ele realiza na terra junto aos homens. Quando lemos essas palavras, ficamos deveras impressionados e sentimos o peso da enorme responsabilidade que o Senhor Deus impôs sobre nossos ombros perante a Igreja, perante outros ministros e perante o mundo. Todos devem ver em nós o amor, a bondade, a fé, a mansidão, a misericórdia e a justiça como verdadeiros atributos de Deus.

b) *Mensageiro*. Deus fala por Malaquias, dizendo: "Porque os lábios do sacerdote guardarão a ciência, e da sua boca buscarão a lei, porque ele é o anjo do SENHOR dos Exércitos" (Ml 2.7). O mensageiro é encarregado de entregar a mensagem recebida tal qual a recebeu. Não cria ele sua própria mensagem; recebe-a de Deus, e sua transmissão deve ser fiel. Deus diz assim: "... Ai dos profetas loucos, que seguem o seu próprio espírito e coisas que não viram!" (Ez 13.3). Jesus não falava como os escribas, mas com autoridade, porque sua mensagem era recebida diretamente de Deus (Mt 7.29). Estamos vendo hoje homens criadores de mensagens próprias e pregadores de suas próprias filosofias. As igrejas e a humanidade estão precisando de homens que sejam verdadeiros mensageiros do Senhor e decodificadores de sua santa vontade. O pregador ou mensageiro de Jesus Cristo tem o dever de ser testemunha dEle (At 22.15).

c) *Pastor*. O vocábulo é de origem bucólica, portanto, humilde em sua significação material. Posto na igreja, o pastor (Ef 4.11), no sentido espiritual, é dom de Deus, dádiva de Jesus. Inspira-se nos cuidados que os criadores de ovelhas ou pastores rurais têm para com seus rebanhos, conduzindo-os a bons pastos e límpidas e quietas águas. Em várias passagens bíblicas, o povo é chamado de "ovelhas", e aqueles que dele cuidam, de "pastores" (Sl 23; 100.3; Jo 10.1-29; At 20.28; 1 Pe 5.2-5). O pastor tem o dever de alimentar, guiar, proteger e ajudar o rebanho em suas necessidades. Ele ama as ovelhas, segue à frente delas ou coloca-se à retaguarda, conforme a ocasião. Com o cajado ou uma vara, ajuda-as e protege-as, disciplinando as mais rebeldes, se for o caso, mas com terno amor. É um belo exemplo para o ministro ou pastor do povo de Deus.

d) *Supervisor*. "Bispo" (*episkopos*) ou "presbítero" (*presbyteros*) têm o sentido de supervisor. O ministro do evangelho é isto (1 Tm 3.1; At 20.28). A palavra está ligada a sua função de administrador da vida do povo de Deus ou Igreja de Deus, em suas várias atividades, em seus mais complexos departamentos e fases da obra pastoral em que o pastor deve funcionar como supervisor ou superintendente. Pela natureza de seu trabalho, presta ele relevante serviço à causa. Daí a orientação de Paulo a Timóteo, no sentido de transmitir as instruções e funções a homens fiéis, conforme recebera do velho apóstolo, a fim de que pudessem eles ministrar a outros em sucessão santa e eficaz na obra do Senhor (2 Tm 2.2).

e) *Atalaia*. O profeta Ezequiel foi colocado como atalaia sobre Israel. Isto quer dizer que lhe cabia advertir o ímpio acerca do erro por que estava trilhando. Como atalaia, era responsável caso negligenciasse dar o sinal de alerta. De igual maneira, Deus estabeleceu os pastores evangélicos como verdadeiros atalaias ou vigias sobre o rebanho, tanto quanto os profetas, para que os homens sejam alertados do erro e tomem o caminho certo (Ez 3.17; At 20.28-31).

f) *Embaixador*. A Palavra de Deus coloca os ministros do evangelho como embaixadores de Cristo no mundo, mas que não são do mundo (Jo 17.16). Isto significa que estamos, como ministros de Cristo, em país estrangeiro, e que somos representantes da Pátria celeste (2 Co 5.20). Como representantes de outro país, em função diplomática, nossa palavra deve ser reputada como da nação santa que representamos. Jesus é o Rei do País que representamos; nossa Pátria é a celestial; somos seus embaixadores.

g) *Ancião*. O ministro de Deus é considerado ancião, não pela idade, mas pela função, pelo valor e peso de seus conselhos, por seu valor moral e sua maturidade espiritual (1 Pe 5.1). Daí a tradução de *presbyteros* por "ancião". O termo possui o sentido de "pai" ou "aquele que provê sustento ou manutenção para a família, orientação e conselho para todos". O pastor deve ser um homem cujo coração arde de amor por todos, inclusive pelas almas perdidas. É como um pai amoroso que tudo faz pela família, não medindo dificuldades (ver "presbítero" ou "bispo").

h) *Dirigente*. O pastor é chamado por Deus para ser dirigente da igreja local (ou setorial, ou regional). Exerce tal função e ocupa essa posição por vocação divina (Hb 13.17). É raro ter o pastor de exercer autoridade sobre a igreja, pois normalmente o povo de Deus reconhece que ele está investido de autoridade divina para o exercício ministerial de guia e mestre do povo. De outro lado, mesmo consciente de que o Senhor o tornou líder de sua igreja, isto não deve impressioná-lo em demasia, nem lhe permite dominar com severidade a herança de Deus (1 Pe 5.3). Permanece como verdade o dever de tomar decisões finais em questões controvertidas, de ser mediador entre partes litigantes e de conduzir tudo a bom termo.

i) *Profeta*. O profeta é um homem de Deus especialmente escolhido para transmitir a admoestação do Senhor, consolar os abatidos e fortalecer os fracos. É um dos mais importantes títulos que o homem pode alcançar. É um porta-voz do Senhor; portanto, fala em seu santo nome com toda a autoridade. Lembremos a mensagem de Elias a Acabe, rei de Israel, em uma das piores épocas espirituais por que estava passando o povo e o reino: "Vive o SENHOR, Deus de Israel, perante cuja face estou, que nestes anos nem orvalho nem chuva haverá, senão segundo a minha palavra" (1 Rs 17.1). Que mensagem terrível! Que ousadia do homem de Deus! Outro homem de Deus parecido com Elias, tão corajoso, tão temido e ousado quanto o profeta tesbita, foi João Batista. Enfrentava, com sua mensagem, até rude, mas poderosa e edificante, os escribas, os fariseus, os publicanos, e mesmo Herodes. Deus lhe dava a mensagem e ele a entregava com fidelidade, doesse a quem doesse, custasse sua própria vida, como realmente custou.

j) *Artista*. O título de "mestre" é dado pela função que exerce o homem de Deus, o pastor ou ministro do evangelho. Está baseado em 1 Coríntios 12.28 e Efésios 4.11, e traduz uma realidade no exercício ministerial, pois deve o homem consagrado ao santo ministério ter o dom do ensino, habilidade para transmitir a outros aquilo que aprendeu e cumprir a ordem de Jesus (Mt 28.19). O obreiro deve exercer essa atividade pelo domínio do Espírito de Deus. É útil para a Igreja: é útil para compreensão da verdade divina.

l) *Servo*. O servo desempenha serviço muito importante no seio da família de Deus. Está ali para servir ao Senhor e à família do Senhor. Cumpre as determinações do Senhor em tudo para o que for designado. E faz somente o que lhe é ordenado. A Bíblia qualifica o obreiro como servo (2 Co 4.5). Observamos que é termo de significação oposta à de "bispo" ou "guia". Mas interessante é compreender que o Senhor Deus quer que o ministro seja tanto servo como superintendente, exercendo ambas as atividades com submissão e humildade.

m) *Soldado*. A ocupação de soldado é sempre perigosa e requer muita coragem daquele que se alista para tal função. O covarde nem deve pensar nisso. O terrível adversário de nossas almas tem muitos outros a seu serviço, prontos a lutar contra o soldado de Cristo. O soldado do Senhor não pode desistir, não deve desanimar e nem dar sinal de fraqueza, a fim de não ensejar oportunidade ao inimigo para atacar outros, valendo-se daquele caso. Deve empenhar-se por lutar e vencer pela fé e pelas armas de Deus. Paulo diz: "... havendo feito tudo, ficar firmes" (Ef 6.13, ver 2 Tm 2.3,4).

n) *Trabalhador*. É uma palavra de significação aparentemente tão simples quanto "servo". Trabalhador — aquele que trabalha. Só? Não! É respeitável o trabalho; é respeitável o trabalhador, e mais ainda o ministro do evangelho de Jesus Cristo, que se empenha na execução de tarefas que lhe foram impostas pelo próprio Deus. Quantas vezes o obreiro levanta-se bem cedo e vai até altas horas da noite, sem descanso, sem repouso, sem alimentação. Os autênticos soldados de Cristo, os verdadeiros trabalhadores, os fiéis pastores, carregam os problemas de seu povo, ajudando-o por meio de visitas pastorais, ensino nas igrejas, pregação, oração com enfermos e fracos na fé, noites em vigília lendo, meditando, preparando mensagens ou estudos bíblicos, escrevendo e viajando.

o) *Outras atividades*. Poderíamos ainda mencionar muitas outras atividades do obreiro, tais como *pescador* (Mt 4.19), *guia* (Rm 2.19), *construtor* (1 Co 3.10), *ama* (1 Ts 2.7), *semeador* (Mt 13.3), *ceifeiro* (Jo 4.35-38), etc., tudo para caracterizar as diversas e complexas atividades e funções do ministro do evangelho de nosso Senhor Jesus Cristo.

p) *Cooperador de Deus (1 Co 3.9)*. É aquele que opera junto a Deus ou com Deus. Diz respeito ao trabalho com espontaneidade ou voluntariedade na obra.

q) *Ministro da Palavra (Lc 1.2; At 6.4)*. "Ministro" significa "servo". Possui a incumbência de distribuir o mantimento ou sustento da Palavra de Deus: pregar.

r) *Ministro do Evangelho (Ef 3.5,7; Cl 1.23)*. É sinônimo da expressão anterior. Por outra faceta, é aquele que prega ou anuncia boas novas ou notícias alegres (Rm 10.15; Hb 4.2; Is 40.9).

s) *Evangelista (At 21.8; 2 Tm 4.5)*. A própria palavra indica: é o mensageiro das Boas Novas: o pregador do evangelho de Jesus Cristo.

t) *Discípulo (Mt 9.9; Jo 1.35-51)*. É aquele que está aprendendo com alguém; aluno-mestre famoso. Somos todos discípulos de Jesus (Mt 28.18-20).

u) *Obreiro (Mt 9.38; Lc 10.2; 2 Tm 2.24; 1 Pe 2.16)*. É alguém designado para realizar uma obra, um operário. No caso, operário de Deus, incumbido de fazer um grande trabalho (Mt 9.37,38; 2 Tm 2.15). É semelhante a "trabalhador" (letra "n").

2 Da Chamada e Separação de Obreiros para o Trabalho do Senhor

A chamada para o ministério cristão ou do evangelho de Jesus Cristo é ato exclusivamente divino, embora reconheçamos a diversidade de critérios adotados pelos líderes das igrejas evangélicas ou cristãs. Não podemos admitir outro conceito. Deus não usa método único ou critério preestabelecido para chamar o homem para sua obra. Ele age como quer. Ele é soberano! Podemos destacar várias formas registradas na Bíblia pelas quais Deus chamou e nomeou para sua obra.

2.1 Visões ou revelações extraordinárias

Conforme aconteceu com o apóstolo Paulo, Moisés e muitos profetas.

2.2 Chamada íntima (ou subjetiva)

É a chamada em que o Espírito do Senhor fala, silenciosamente, ao coração do homem, da pessoa que almeja o serviço, inspirando-lhe na alma ardente o desejo de pregar a Palavra de Deus, ou ensinar a sã doutrina e a justiça de Deus, ou despertando em seu coração profundo amor pelas almas perdidas a quem deseja levar a mensagem de salvação. A iniciativa é divina, mesmo não estando o candidato disposto (a princípio).

2.3 Perfeito entendimento da chamada

O obreiro entende quando é realmente chamado por Deus. É necessário que haja perfeito entendimento da vontade de Deus, pois há visões do próprio interessado — a sua vontade de ser ministro — e visões falsas. A visão verdadeira, que é a chamada de fato, tem a confirmação de Deus. Além do mais, ninguém colocaria no ministério uma pessoa simplesmente porque esta declarou ter recebido chamado ou tido uma visão a seu próprio respeito relativa ao ministério. No entanto, o Senhor pode também perfeitamente revelar a outra pessoa. De qualquer maneira, deve haver compreensão ou percepção da soberana vontade de Deus.

2.4 A visão e a perfeita compreensão

Há, pelo menos, três tipos de visões indispensáveis e respectiva compreensão:

a) *Visão da glória de Deus*. Tal como vemos nos casos específicos de Isaías e Ezequiel (Is 6.1-5; Ez 1.1-4). Essas visões mostram não apenas coisas extraordinárias referentes ao supremo Criador, como também a indescritível grandeza de Deus e sua magnífica obra. É diante de extraordinária grandeza que o homem vê quase nada e então Deus é exaltado pelo homem, pela natureza e pelos seres celestiais.

b) *Visão da incapacidade pessoal*. Para a pessoa exercer função tão alta e agradar a Deus, que é tão grande: "ai de mim!" (Is 6.5); "Eis que não sei falar; porque sou uma criança" (Jr 1.6); "Quem sou eu...?" (Êx 3.11); "Ai, Senhor meu, com que livrarei a Israel?" (Jz 6.15); "... sou ainda menino pequeno, nem sei como sair, nem como entrar" (1 Rs 3.7).

c) *Visão da perdição em que o mundo se encontra (Mc 6.34; Mt 14.14; 9.36-38)*. Esta visão faz o homem sentir ardente desejo de ganhar almas para Cristo. Seu desejo maior não é posição, mas a salvação das almas perdidas para o Reino de Deus.

3 Da Consagração para o Ministério ou Separação para a Obra do Senhor

Obviamente, a separação para o ministério ou consagração é sempre posterior à chamada. A consagração ou separação é o ato solene do ministério ou presbitério, mediante a imposição de mãos de ministros de Deus, com reconhecimento e aquiescência da igreja local ou setor ministerial, ou ainda geral. Mas a escolha daquela vida Deus já fez. A consagração não depende do tempo de conversão, nem de atividade prática na obra do Senhor. Entretanto, não se deve consagrar neófitos ou inábeis. Para que a igreja e o ministério reconheçam a chamada, é necessário haver uma folha de atividades considerável. Deus não tem dúvida, mas nós temos. Trabalho realizado é fato, e contra fatos não há argumentos. Moisés esperou quarenta anos; Paulo esperou quatorze para se efetivar nas funções. O tempo de Deus é princípio imutável. Ele é o Senhor!

4 Da Inabilitação para as Funções

Não estão habilitados para as funções ministeriais os que desejam ingressar na obra com:

a) *Intenção de obter meios de ganhar dinheiro (1 Tm 3.4)*
b) *Desejo de poder ou mando (Jz 11.9)*

"Se eu for pastor!" Foi o que disse Jefté a seu irmão quando foram procurá-lo, pedindo-lhe auxílio nas lutas contra os amonitas. Ele condicionou sua ajuda à posse do cargo de chefe ou comandante. E fracassou.

c) *Espírito de grandeza (2 Sm 15.4)*

"Ah! quem me dera ser juiz!" Este foi o desejo de Absalão, filho de Davi, o qual iludiu o povo em detrimento dos interesses do reino e do próprio pai. Foi levado pela inveja e pelo desejo de obter glória e poder, procurando enganar o povo para depor seu pai. Absalão fracassou.

5 Da Habilitação do Homem para o Ministério

Para ser pregador do evangelho, não é necessário que o homem seja separado oficialmente como pastor, evangelista ou outro cargo eclesiástico. Precisa, sim, ser convertido, ter amor pelas almas, ter disposição para pregar a mensagem de Deus e ter apoio dos ministros já consagrados e da igreja a que pertence. Entra na luta e espera, sem desistência, até que o Espírito Santo complete a obra. Lembremos a chamada de Moisés, Davi, Isaías e Paulo. Davi foi ungido rei de Israel nos primeiros anos de reinado de Saul (1020 a.C.?). Entretanto, só veio a tomar posse depois da morte do rei (Saul), que governou quarenta anos (At 13.21). E teve Davi oportunidade de depor Saul à força! Esperei no Senhor — disse ele (Sl 40). Davi esperou pelo tempo de Deus. Também todos conhecemos a conversão de Paulo (At 9.3-9). Conforme seu próprio depoimento, no entanto, Paulo só foi separado e enviado oficialmente quatorze anos depois. Ele fora discípulo de Gamaliel; não obstante, teve de adquirir novos conhecimentos e experiências no deserto da Arábia, pregando o evangelho. Voltando de Damasco para Jerusalém, a sede do ministério apostólico da Igreja Primitiva, Paulo não foi bem recebido pelos discípulos e apóstolos. Foi-lhe necessária a apresentação de Barnabé, obreiro bem conceituado no meio apostólico, para que fosse recebido e aceito na comunidade da igreja-mãe (Gl 1.18-22). Se não bastasse, enviado que fora Barnabé a Antioquia, lá encontrou boa e fervorosa congregação. Lembrando-se de Paulo e considerando-o útil para a obra, foi buscá-lo em Tarso. Ficaram em Antioquia um ano trabalhando na obra, pregando e ensinando a Palavra de Deus (At 11.23-26). Após esse período de espera e prova, e após oração e jejum, o Espírito Santo usou alguém em profecia, mandando separar Barnabé e Saulo para a obra missionária. É daí que parte a primeira comitiva missionária, chamada pela Bíblia de "primeira viagem missionária", e a igreja de Antioquia se torna a primeira Igreja Missionária (At 13.1-4).

6 Do Ministério no Antigo Testamento
6.1 Sacerdotal (Lv 8.12)

Entre os hebreus, Arão e seus filhos foram os primeiros a serem consagrados para o ministério sacerdotal oficialmente. Com Arão, exerciam o sacerdócio, portanto, Nadabe, Abiú, Eleazar e Itamar (Êx 6.23). Os sacerdotes eram ungidos com azeite (Lv 8.12).

6.2 Real

Os reis eram também ungidos com óleo (1 Sm 10.1). Saul foi o primeiro rei de Israel, em substituição a Samuel, que foi profeta, sacerdote e juiz.

6.3 Profético

A Bíblia registra que Elizeu foi ungido profeta quando Jeú foi ungido rei (1 Rs 19.16). O óleo, ou azeite, não tinha em si mesmo virtude; era um símbolo da operação do Espírito Santo, e significa que ninguém deve ser separado para o ministério ou serviço devido se não for batizado com o Espírito Santo. O Senhor Jesus preencheu todos os requisitos, podendo exercer os três ministérios: profeta (Dt 18.15; Lc 13.33; At 3.23), sacerdote (Hb 4.14; 5.6; 9.11) e rei (Zc 9.9; Jo 12.15; 19.14).

7 Do Ministério no Novo Testamento

No Novo Testamento, ou Nova Aliança, são três as categorias de obreiros oficialmente consagradas para o serviço do Senhor ou do evangelho.

7.1 Ministros

Assim são qualificados pastores e evangelistas.

7.2 Presbíteros

Normalmente servem ao Senhor como auxiliares dos pastores nas igrejas.

7.3 Diáconos

Obreiros que auxiliam diretamente os pastores em várias atividades nas igrejas locais.

8 O Pastor e suas Funções ou Atividades Pastorais

Já vimos que o pastor é escolhido por iniciativa de Deus, capacitado pelo dom e dado à igreja como servo do Senhor à serviço da comunidade cristã. Sua função principal é governar a igreja como Casa de Deus, cuidar do rebanho de Deus por meio da pregação e ensino da Palavra. É consagrado ao serviço do Mestre para dedicar sua vida especialmente ao ministério. A chamada de Deus não depende basicamente de preparo intelectual ou profissional, como veremos adiante. Essas qualidades são boas, úteis, mas não essenciais. Só o Espírito do Senhor forma pastores. Outros preparos "adubam", "fertilizam" a formação e influem na vida e no trabalho daquele que de Deus recebeu vocação.

8.1 Funções

As funções do pastor são muito variadas. Entretanto, há serviços que lhe são obviamente peculiares, como apascentar o rebanho de Deus. Deve ele cuidar carinhosamente do povo de Deus sob sua responsabilidade, sabendo que tal missão lhe foi confiada pelo próprio Deus (At 20.28), para que possa defender a igreja do Senhor de doutrinas falsas, espúrias e danosas por meio da Palavra, com exemplo pessoal e oração, no poder do Espírito Santo (1 Pe 5.2-4; Tt 2; 8; 1 Tm 4.12).

8.2 Sacerdotal

A função sacerdotal, na dispensação da graça, com relação à Igreja, não existe como ministério. No Antigo Testamento, o sacerdote exercia uma função de mediação entre os homens e Deus (Hb 5.1), tipificando o futuro sacerdócio de Cristo. O pastor é um representante dos homens em sua função intercessora e é um representante de Cristo perante os homens em sua função de porta-voz da Palavra e intérprete da vontade de Deus.

8.3 Diaconal

Diante do Senhor Deus, o pastor é sempre um diácono, pois esta palavra significa "servo". O pastor é servo de Deus para servir aos homens na igreja, que pertence a Ele. Por essa razão, precisa dedicar-se inteiramente à obra, no ministério da Palavra, em visitações e aconselhamentos, ajudando órfãos, viúvas, necessitados, casais e famílias desajustadas, e a outras atividades que lhe são peculiares. Jesus foi o Servo exemplar (Mc 10.45). O pastor exerce um cargo de confiança de Deus (2 Tm 2.2; 1 Co 4.1,2).

8.4 Evangelística

É ministerial a função do evangelista. É dom de Deus. Aparece a palavra no Novo Testamento três vezes: a primeira em Atos 21.8, referente a Filipe; a segunda em Efésios 4.11, como dádiva de Deus à Igreja; e a terceira em 2 Timóteo 4.5, relativo a Timóteo. Não entendemos ser o evangelista um ministro inferior ao pastor; suas funções é que são diferentes. Dependendo das atividades, tanto o pastor pode ser auxiliar do evangelista como pode ser o evangelista auxiliar do pastor. O pastor pode dirigir igrejas e o evangelista, campanhas de evangelização. O pastor vai apascentando as almas que o evangelista ganhar. O evangelista vai desbravando os campos da seara, semeando e colhendo os frutos, enquanto o pastor pode regar a plantação e cuidar dos cereais. Não existe hierarquia entre pastor e evangelista; são dons diferentes, como disse. Um grande problema é que, com o mau uso do termo e a má interpretação da Bíblia, vai se criando na mente dos obreiros e do povo esse conceito de subordinação do evangelista ao pastor, contrariando os princípios da Palavra de Deus. Existem homens de Deus que são extraordinários evangelistas, famosos pregadores conceituados internacionalmente, os quais foram separados para o ministério como pastores; outros há que foram separados para evangelistas mesmo. Não se discute quem é maior. Maior é o que Deus fizer crescer mais, e não o que eu, pelo meu próprio entendimento, quiser considerar maior, distinguindo-o na consagração. Quantos homens há que foram separados para evangelista e são pastores de comprovada atuação e próspera atividade na obra do Senhor!

8.5 A palavra "evangelista"

Como já vimos, esta palavra significa "pessoa que prega, que anuncia boas novas". Assim, o termo é amplo demais, chegando mesmo a abranger todos os crentes que a isso se dedicam. Pode-se até dizer que Deus foi o primeiro Evangelista — anunciou boas novas a Adão e Eva (Gn 3.15). Deus pregou a Abrão (Gl 3.8); sim, "anunciou o evangelho a Abrão". Isaías é considerado pelos expositores da Bíblia o profeta evangelista do Antigo Testamento. João Batista também foi evangelista (não confundir com João, o escritor do Evangelho que leva seu nome). Jesus foi o maior Evangelista do mundo em todos os tempos (Mc 1.14; Lc 20.1). Os apóstolos foram incumbidos de pregar o evangelho (Mc 16.16). O ideal é cada um respeitar a vocação que Deus lhe deu e a do seu companheiro.

8.6 Os presbíteros na igreja (ou presbiterato)

As palavras "presbítero", "bispo" e "ancião" são empregadas em sinônimo em muitas passagens da Bíblia, embora apareçam, em diferentes denominações, com empregos distintos. Em Atos 20.17, encontramos a palavra "presbíteros" com o sentido de anciãos da igreja, e em Atos 20.28, as mesmas pessoas são chamadas de bispos. Em 1 Timóteo 3.2, encontramos bispos, e em 5.17-19, há presbíteros. Não nos parece ter havido distinção no emprego das palavras nos primeiros anos de vida da Igreja. Essa diferença foi se acentuando no decorrer dos tempos. Há denominações que consideram oficiais da igreja apenas pastores e diáconos; outras formam hierarquia (ascendente): diácono, presbítero, evangelista e pastor. Alguns ensinam que os presbíteros são auxiliares diretos dos pastores e também supervisores ao lado destes. Não há respaldo na Bíblia para tal afirmação. Isto é prática de muitas igrejas hoje, e que vem de muito tempo, mas não que a Bíblia o ensine.

a) Se analisarmos bem os termos de Atos 20.28, vemos que os "presbíteros" chamados por Paulo de Mileto a Éfeso (v. 17), são chamados de "bispos", constituídos com a finalidade de "pastorear" a igreja de Deus, *i.e.*, para serem "pastores" da igreja de Deus. Entendemos que houve evolução de funções e atividades, com o crescimento da igreja e as novas necessidades; e os homens de Deus que eram presbíteros, ou bispos, ou superintendentes, exerciam essas funções com mais ou menos carga funcional. Naturalmente, não se pensa num conservadorismo, a ponto de se exigir que a igreja de nossos dias permaneça no mesmo estado orgânico da igreja do primeiro século. Admitimos que houve evolução e essa evolução de nomenclatura é exigência das múltiplas atividades da igreja.

b) Melhor é entendermos que havia presbíteros que exerciam o pastorado e presbíteros que auxiliavam. Ou ainda, presbíteros que podiam e se dedicavam ao ministério da Palavra e ao ensino e os que se dedicavam a outras atividades seculares, e dentro de suas disponibilidades de tempo e capacidade cooperavam na igreja ou com os superintendentes principais da igreja.

c) Há igrejas na outra América onde presbítero é o pastor-presidente, o que condiz com o título de "superintendentes". A importância não está propriamente no título, mas na função. O termo "pastor", na Igreja Metodista, é inferior ao de "bispo".

8.7 A importância do cargo de presbítero

É inegável que a função de presbítero é importante e sempre o foi, como podemos ver em algumas passagens da Palavra de Deus:

a) *Trabalho de Paulo e Barnabé*. "E, promovendo-lhes em cada igreja a eleição de presbíteros, depois de orar com jejuns, os encomendaram ao Senhor em quem haviam crido"(At 14.23, ARA).

b) *Conselho de Tiago, irmão do Senhor*. "Está alguém entre vós doente? Chame os presbíteros da igreja, e orem sobre ele, ungindo-o com azeite em nome do Senhor" (Tg 5.14).

c) *Recomendação de Paulo a Tito*. "... de cidade em cidade, estabelecesses presbíteros, como já te mandei" (Tt 1.5). No versículo 7 do mesmo capítulo, Paulo chama-os de "bispos". Muitos estudiosos do assunto não vêem nos termos bíblicos a evolução da igreja e a situação atual. Querem apenas defender a generalização do uso da palavra "presbítero", esquecendo-se de que, obrigatoriamente, todo pastor é presbítero, na acepção da palavra, ainda hoje, mesmo não sendo verdadeira a recíproca. Dizem que não se pode ditar que presbíteros podem ser chamados de pastores. Aceitamos assim, mas é bom esclarecer que não era assim. Aceitamos também que está certo como agimos hoje, em face das circunstâncias atuais e da expansão da igreja, até porque a palavra "pastor" é a mais humilde delas, pois é de origem campesina ou bucólica. Hoje, nas Assembléias de Deus e em outras denominações brasileiras, os presbíteros são auxiliares dos pastores, podendo substituí-los em eventuais necessidades. João, o apóstolo, chama-se de "presbítero"(2 Jo 1.1, ARA). O mesmo faz Pedro (1 Pe 5.1). A distinção entre presbítero e pastor tornou-se necessária em face das muitas atividades da igreja que se expandiu por todo o mundo, criando departamentos de natureza diversa.

d) *A origem do cargo*. Reporta-se ao Antigo Testamento, em Êxodo. A palavra é de origem grega, e significa "superintendente" (*presbyteros*). Também é traduzida por "ancião", *i.e.*, mais velho. No Antigo Testamento, preenchia os dois sentidos, porque os chefes de turma, que eram auxiliares de Moisés, eram homens idosos: "Vai, e ajunta os anciãos de Israel" (Êx 3.16). Embora esses anciãos tenham ajudado no serviço do tabernáculo, na administração da direção do povo, não exerciam o ministério levítico. O presbítero hoje exerce a função do pastor, que é ministério semelhante ao do sacerdote levita. Apenas o presbítero não é titular. Evocar-se a exigência de ser cheio do Espírito do Senhor, os diáconos da Igreja Primitiva também o eram (At 6.3,5).

e) *As exigências para o presbiterato*. São as registradas em 1 Timóteo 3.1-7 e Tito 1.6-8.

8.8 Os diáconos na igreja

A função dos diáconos e sua origem advêm das necessidades da Igreja Primitiva, nos dias apostólicos. Com o crescimento da igreja, cresceu, obviamente, o número de problemas, requerendo providências urgentes para situações surgidas. A solução achada foi criar um corpo de auxiliares dos apóstolos para fazer frente a tais problemas, com solução adequada para cada caso. Enquanto os apóstolos, que eram ministros da Palavra, dedicavam-se à pregação e à oração, os novos auxiliares, os diáconos ou servos (*diakonai*), dedicavam-se paralelamente aos trabalhos administrativos, a princípio assistenciais.

8.8.1 A Igreja Primitiva

A Igreja Primitiva exigiu em seus dias mais do que exigimos hoje. É certo que a função se revestia de alta responsabilidade, visto terem eles que trabalhar com o povo, com pessoas de várias nacionalidades, com viúvas e famílias de colônias gregas, mas de descendência judia, terem de lidar com víveres e dar aquele respaldo que o trabalho do Senhor merecia, cooperando com os ministros da Palavra de Deus.

Qualidades Exigidas

a) *Ter boa reputação*. Isto é, ter um nome limpo na sociedade; dar bom testemunho (1 Tm 3.8).

b) *Ser cheio do Espírito Santo*. Entendemos a expressão "cheio do Espírito Santo" como batizado com o Espírito Santo e que conserva acesa a chama do Espírito na vida. É condição *sine qua non* para o exercício do diaconato.

c) *Ser cheio de sabedoria*. Ou seja, a sabedoria de Deus — conhecimento especial ou discernimento profundo das coisas em forma de dom do Espírito do Senhor. Tiago diz que Deus dá essa sabedoria (Tg 1.5).

8.8.2 Definição de função

O serviço do diácono é basicamente material, mas com muita afinidade com o espiritual. Naturalmente, ao serem separados os primeiros diáconos, a Igreja não tinha as atribuições e atividades que possui hoje. Mesmo assim, as exigências são como que uma previsão para a Igreja do futuro. Hoje, os encargos da Igreja são tantos que, além dos espirituais, arca com os de uma empresa e, dependendo da igreja local, uma grande empresa. Entretanto, não cabe dizer que o trabalho do diácono seja espiritual porque ajuda na Ceia, prega, etc. A distribuição da ceia é material; ajudar na ordem do culto, conduzir visitantes, olhar e controlar crianças no templo, nada disto constitui atividade espiritual. No entanto, é atividade de relevante valor social tanto na igreja, quanto para a sociedade. Prega-se, não por ser diácono, mas por ser crente. Há tantos que pregam e não são diáconos! Pregar é testemunhar de Jesus. O cargo de diácono é de confiança da igreja local e do pastor (1 Tm 3.13).

Funções precípuas

a) Ajudar o pastor na distribuição da ceia;
b) Ajudar o pastor (ou presbítero) na coleta ou levantamento de ofertas e dízimos;
c) Ajudar na tesouraria, contando dinheiro, conferindo ofertas e donativos e escriturando talões de dízimos e ofertas;
d) Ajudar na limpeza do templo, na conservação do prédio, das instalações, e fiscalizar o funcionamento de aparelhos sanitários, de som e outros;
e) Cooperar na ordem do culto, assistindo as pessoas que vêm ao templo;
f) Visitar e levantar necessidades de membros da igreja local;
g) Fazer levantamento de locais de instalações de meios de evangelização;

h) Ajudar a fazer cotação de preços de mercadoria ou material para a igreja local;
i) Averiguar com o pastor ou presbítero as necessidades do trabalho;
j) Fiscalizar, no horário de culto, a segurança do templo e de veículos estacionados nas imediações, pertencentes ao povo congregado;
l) Zelar pelo templo e órgãos anexos;
m) Assessorar o pastor ou presbítero ou dirigente da igreja local nas atividades relativas ao trabalho;
n) Auxiliar o pastor no controle de patrimônio da igreja local;
o) Zelar pela segurança pessoal do pastor em sua atividade eclesiástica;
p) Ajudar o pastor ou diretoria da igreja local na guarda e conservação ou arquivamento de documentos, tais como escrituras, contratos, correspondência, fichário de rol de membros;
q) Zelar pelos aparelhos de som, instalações, móveis e utensílios do templo e órgãos anexos;
r) Atender às convocações do pastor ou dirigente local para trabalhos da igreja;
s) Dedicar-se a uma vida espiritual digna que lhe ofereça possibilidade de crescer na confiança e conquista de outros cargos na igreja.

8.9 Diaconisa

A única passagem bíblica que dá a entender a existência de diaconisa é 1 Timóteo 3.11, em que se lê: "Da mesma sorte as mulheres sejam honestas, não maldizentes, sóbrias e fiéis em tudo". Não obstante estar implícita a idéia, a passagem é isolada. Dá a entender, também, tratar-se de esposa de presbíteros e diáconos, visando a um comportamento digno, a fim de que seus maridos obreiros não encontrem empecilhos no desempenho das funções. Por outro lado, não encontramos nada na Bíblia que proíba a mulher de ser diaconisa ou serva do Senhor e da igreja, pois, *lato sensu*, todas as irmãs são servas. Por que não servas reconhecidas pela comunidade cristã local, a igreja?

A mulher como cooperadora

a) O apóstolo Paulo menciona vários nomes de irmãs cooperadoras da obra, conforme lemos no capítulo 16 da Epístola aos Romanos.

b) Hoje, na igreja, há um grande número de irmãs cooperadoras que trabalham dirigindo reuniões de senhoras ou sociedade de senhoras, cultos de oração (do círculo de oração), em visitas a enfermos, a hospitais, a fracos na fé, a novos convertidos, na evangelização, como dirigentes de corais, orquestras, conjuntos de mocidade, professores da escola dominical, na secretaria das igrejas, no provimento dos elementos da Ceia do Senhor e muitas outras atividades, além das atividades seculares que são inúmeras.

c) Existem igrejas que possuem diaconisas, e o trabalho do Senhor vai bem com elas; existem até pastoras, e a obra cresce em todos os sentidos.

d) Os que não aprovam o ingresso de mulheres no diaconato dizem que não devemos nos preocupar com os títulos, mas sim com as pessoas, para evitar que haja exaltação, no caso das mulheres. Parece brincadeira de mau gosto! Só as mulheres se exaltam? Será que é motivo de tanto temor a separação de uma irmã para o diaconato, porque ela pode exaltar-se? Por acaso dirigir o círculo de oração de uma grande igreja não é mais motivo para exaltação? No entanto, via de regra, essas irmãs se conservam em seus lugares de auxiliares na obra do Senhor e de seus pastores.

2

DA VOCAÇÃO MINISTERIAL

1 Da Vocação

A palavra "vocação" (lat. *vocatio, onis*), da mesma raiz do verbo *vocare*, significa tendência, inclinação natural a alguma coisa, propensão, queda, chamada divina para alguma obra, missão ou vida religiosa. Mediante essa tendência, cada um se dedica a alguma atividade de seu gosto. Por meio da vocação é que se descobrem as muitas profissões. São em número tão grande as profissões que se estabelece entre as pessoas uma grande concorrência que leva os órgãos governamentais e as empresas a realizarem concursos, além daquelas liberais em que os concorrentes se confrontam pela prestação de serviços mais ou menos eficientes. É a variedade de inclinações que produz a variedade de profissões, junto com as necessidades sociais. Isto cria um verdadeiro confronto psicológico e sociológico, tão complexo que forçou o surgimento de testes psicotécnicos vocacionais, a fim de orientarem o homem profissionalmente. Sim, todos temos alguma vocação; há os que possuem mais de uma ou mais de duas vocações. Entretanto, não está neste esquema a vocação para o serviço divino ou ministerial evangélico. Embora a orientação psicotécnica vocacional indique uma categoria afim como a de pregar o evangelho, que é a relacionada à persuasão, *i.e.*, que usa a palavra para convencer mediante argumentos – a chamada para a obra de Deus é algo mais importante, mais excelente, por ser, de fato, sobrenatural. Todavia, os pendores do homem são aproveitados por Deus para seu serviço, não há dúvida. Servem eles como guia psicológico e social em sua chamada ao trabalho do Senhor. Sem a chamada divina, porém, fracassará por certo. Por essa razão, Paulo ensina que alguns pregam por inveja e por outros motivos — interesse próprio. Mais cedo ou mais tarde, esses deixarão transparecer suas intenções que refletirão negativamente em sua obra, e o trabalho se desfará.

1.1 Da chamada em si

Às vezes, a pessoa vocacionada vem desenvolvendo aquele potencial gradativamente até chegar a uma posição definida. Há casos que contrariam esse princípio, como daqueles homens que foram vocacionados por Deus para tarefas que não estavam em suas cogitações, como por exemplo: Moisés, Isaías, Jeremias e Amós, no Antigo Testamento; Barnabé, Paulo e outros, no Novo Testamento.

1.2 Da participação da igreja

É de extremo valor a participação da igreja e a cooperação ou aprovação do Espírito Santo. É desnecessário dizer que o apoio do Espírito de Deus é condição *sine qua non* para o exercício ministerial. Sem ele, não temos o obreiro do Senhor. Mas é de grande valor a participação da igreja. Seu concurso é tão importante que poderíamos até dizer que, sem esta, ficaria difícil a chamada de um homem para o ministério da palavra. Ela tem de concorrer para a concretização dessa vocação. É ela a fonte mais importante na escolha. A conversão do candidato, sua regeneração, seu amor ao trabalho, sua dedicação, seu zelo à igreja local serão facilmente percebidos. Daí o obreiro dever participar e ter autoridade para fazê-lo. A igreja local é testemunha da vida do obreiro. Por outro lado, o Espírito Santo fala ao coração, inspira amor aos perdidos, dá convicção, apela a seu espírito e fá-lo sentir sua pequenez. Lembremos a visão de Isaías: "... eis-me aqui, envia-me a mim" (Is 6.8). Não deve haver precipitação; nem por parte do ministério local ou geral, nem pela igreja, nem pelo candidato ou vocacionado. A vida do obreiro e o apoio de Deus a seu trabalho confirmarão a chamada e todos reconhecerão sua vocação ministerial.

1.3 Da participação do Espírito Santo

Cremos fielmente na participação e no interesse do Espírito de Deus na separação de obreiros desde sua vocação, pois é o Espírito do Senhor que chama os verdadeiros obreiros. Lembremos o maravilhoso acontecimento na Igreja de Antioquia: "E servindo eles ao Senhor, e jejuando, disse o Espírito Santo: Apartai-me a Barnabé e a Saulo para a obra a que os tenho chamado" (At 13.2). "Então, jejuando, e orando, e pondo sobre eles as mãos, os despediram. E assim estes, enviados pelo Espírito Santo, desceram a Selêucia e dali navegaram para Chipre" (At. 13.3,4).

2 Da Vocação Particular

Vimos, em sentido geral, a chamada para a obra do Senhor. Mas, dentro do ministério e dos raios de ação das atividades do obreiro do Senhor, há muitas especialidades que são verdadeiros atributos oferecidos por Jesus, os quais devem ser seguidos pelo ministro. Os indivíduos são diversos e os atributos também o são. Paulo ensina aos irmãos de Éfeso assim: "E ele mesmo deu uns para apóstolos, e outros para profetas, e outros para evangelistas, e outros para pastores e doutores, querendo o aperfeiçoamento dos santos, para a obra do ministério, para edificação do corpo de Cristo, até que todos cheguemos à unidade da fé e ao conhecimento do Filho de Deus, a varão perfeito, à medida da estatura completa de Cristo" (Ef 4.11-13). O apóstolo nos aponta cinco aspectos distintos do ministério, ou cinco atividades diferentes do obreiro do Senhor, os quais têm como finalidade precípua aperfeiçoar e edificar a igreja, comparada a um corpo, o Corpo de Cristo. Entendemos pela simples leitura do texto acima que aquele obreiro chamado para uma função só irá bem naquela; em outra só se Deus o mudar.

3 Dos Dons Ministeriais e seu Propósito

3.1 Dos apóstolos

Os apóstolos foram testemunhas oculares de Jesus ressuscitado e de seu ministério neste mundo. Eles viram a Jesus Cristo. Andaram com Ele, comeram com Ele, presenciaram seus milagres, viram-no ressuscitado durante cerca de quarenta dias e foram por

Ele mesmo escolhidos para o apostolado depois do discipulado. Temos de fazer exceção a Paulo, que não teve contato com Ele em sua vida terrena; entretanto, viu-o ressuscitado e dEle recebeu ordens. Somente doze foram chamados para esse tão sublime ministério e ninguém mais podia arrogar para si tão elevada missão sem chamada definitiva e particular de Jesus. O número de apóstolos corresponde às doze tribos de Israel, para as quais se destinava sua missão especial. Quanto a Paulo, que é o décimo terceiro, foi enviado especialmente aos gentios (Mt 19.27,28; Gl 2.7-9; At 22.17-21). Há os que defendem a idéia de que Paulo foi o verdadeiro substituto de Judas Iscariotes, visto ter sido chamado pelo próprio Jesus, uma vez que as condições para o apostolado eram uma comissão especial de Cristo pessoalmente (At 9.3-6; Gl 1.1) — missão pessoal dEle por ter recebido o evangelho sem intervenção humana, mas do Senhor, e instrução direta e pessoal de Cristo (Gl 1.11-20). Era outra exigência o poder sobrenatural para rogar ao Senhor ressuscitado que conferisse à igreja dons do Espírito Santo (At 8.14-17), com reflexo em suas ordenanças e forma de governo eclesiástico. Somos de opinião que realmente Paulo exerceu mais o apostolado que Matias, sem, contudo, desmerecer o trabalho deste (At. 1.22-24). Não importa: o plano de Deus se cumpriu neles, cada um recebendo conforme sua capacidade, o ministério santo para exercê-lo com sublimidade e valor para crescimento e fortalecimento da obra e Glória de Deus.

3.2 Dos profetas

Missão elevadíssima a do profeta! É uma tarefa deveras grande, delicada, espinhosa e cheia de exigências de Deus. É uma das tarefas do pastor. O profeta tinha um duplo ofício: predizer acontecimentos para, desta maneira, confirmar a origem divina da mensagem do evangelho de Jesus Cristo e contribuir para a complementação da mensagem revelada contida nos livros do Novo Testamento (At 21.10,11; 1 Co 14). Assim, os livros do Novo Testamento que registram discursos orais dos apóstolos e seus ajudantes, seus depoimentos e as cartas enviadas a particulares ou a igrejas careceram da inspiração especial, de acordo com as necessidades surgidas em cada setor do cristianismo, para explicação ao povo das grandes verdades prometidas por Deus por intermédio dos profetas do Antigo Testamento. O dom de profecia não cessou. Não houve mudança. Nada nos autoriza a dizer que isso foi para a Igreja Primitiva. Cremos que existirá enquanto a Igreja estiver na terra (1 Co 14.1).

3.3 Dos evangelistas

Os evangelistas foram homens dotados de um dom especial de pregar o evangelho, com pendor para trabalho de evangelização. Sabem e podem persuadir os homens com a mensagem salvadora e conduzi-los a Cristo Jesus. Têm eles poder e qualidades especiais, virtude e graça, discernimento e sabedoria, verdade e luz, atração e vida em sua mensagem. Tanto na evangelização pessoal quanto na coletiva, no púlpito ou nas praças públicas, são competentes, eficientes e abençoados. Podemos exemplificar com Filipe, Gunnar Vingren, Daniel Berg e outros.

3.4 Dos pastores

Somente Deus pode julgar qual função é mais importante. Não é possível fazer um paralelo entre os dons ministeriais e afirmar com segurança qual o mais valioso ou de maior responsabilidade. Entretanto, temos de reconhecer o valor e o peso da tarefa que foi entregue por Deus ao pastor. Infelizmente, nem todos compreendem o alto significado de ser pastor de almas e nem todos que foram investidos neste cargo desempenham a contento a árdua missão. Só mesmo aqueles que Deus chamou para cuidar de seu rebanho são capazes de compreender e aquilatar o peso que está sobre seus ombros. A eles compete guiar o rebanho de Deus aos "verdes pastos", "às águas tranqüilas", "às veredas da justiça". O pastor é aquele homem escolhido por Deus para aperfeiçoar os santos, edificar a igreja de Deus, apascentar o rebanho do Senhor e zelar pela causa de Cristo. Quem pensa que é fácil ser pastor não está bem informado. Ser pastor não é ser dirigente de culto; é ser dirigente de vida e transmitir tudo aquilo que o Doador da vida deseja que os homens recebam. Até mesmo aqueles que pensam que ler a Bíblia, falar um pouco de linguagem bíblica e levantar voz de pregoeiro é qualificativo essencial para o pastor, estão muito enganados. Ser pastor não é falar bonito, não é ser bom orador. Ser pastor é ter paixão pelas almas, é amar profundamente o Senhor Deus, é dar a vida e seus esforços pela igreja do Senhor, é cuidar do bem-estar moral e espiritual dos membros da Igreja, é não descuidar dos interesses dos servos de Deus, é ter uma vida digna do nome de cristão, é viver em íntima comunhão com Deus para dEle receber a orientação. Ser pastor é estar à altura de ensinar as verdades divinas ao povo de Deus, como alguém que maneja bem a Palavra da verdade. É ter capacidade de enfrentar as terríveis investidas dos falsos ensinadores que procuram assaltar a fé cristã e a igreja. Ser pastor ainda é ser bom organizador, administrador exemplar dos bens do Senhor, como fiel mordomo. Ser pastor é possuir muita paciência e resignação, fé e amor; é saber chorar e rir no momento próprio, ser otimista e ter visão, primar por uma vida de santidade, em alto nível espiritual, sem contudo cair no erro do fanatismo.

3.5 Dos mestres

Mestre é aquele obreiro dotado especialmente de capacidade para ensinar as grandes verdades divinas. É homem capaz de entender os mistérios da Palavra de Deus e transmitir aos outros com facilidade de compreensão. É um teólogo que concatena, sistematiza as doutrinas da Palavra de Deus e assim ensina aos homens. É reconhecido como sábio nas Escrituras Sagradas ou como grande ensinador e doutrinador, versátil na filosofia da doutrina cristã. Aos homens, Deus fez essa maravilhosa doação de capacidade funcional, sustentando-os em sua obra, até que se complete a missão de aperfeiçoamento dos santos, com o estabelecimento de um nível moral, de santidade e fé que leve a igreja a um estado de graça tão elevado que todos cheguemos à estatura de Cristo. Cada obreiro do Senhor deve, entretanto, ficar em seu posto de trabalho, desempenhando sua própria missão, tendo por certo que, ao encontrar dificuldade na trajetória, o Espírito Santo ensinará o caminho a ser palmilhado.

4 Das Qualidades Naturais do Pregador

Naturalmente, o homem para exercer o ministério do evangelho precisa ser dotado de certos dons naturais. Pessoas com certos defeitos físicos, como gagos, cegos, mudos e outros são normalmente rejeitadas, o que não significa que não tenham valor ou não possam ter atividade na igreja. Estamos falando de função ministerial. Não se poderia admitir um pregador mudo ou cego. Disposição do espírito, iniciativa própria, coragem, vigor físico e espiritual, boa disposição para o trabalho, facilidade de expressão, inteligência, etc., são qualidades necessárias para o exercício das funções na obra do Senhor. Essas qualidades somadas aos dons ou, quando nada, a algum dom da relação anteriormente vista, qualificam perfeitamente o homem para o santo ministério.

5 Da Dedicação ao Trabalho Cristão

O homem que tem convicção de sua chamada e se submete à vontade do Espírito do Senhor conhece seu campo de ação e entrega-se à obra, procurando o melhor meio de realizá-la a contento. Deus o chama e ele se rende à vontade do Senhor, desejando ir ao campo. A igreja local coopera com seu apoio; o pastor ou ministério local o convida: está aberta a porta para o santo ministério ou serviço divino. Chega a um ponto em que não é possível continuar mais como simples membro da igreja ou auxiliar de trabalho. Com seu coração ardendo de paixão pela obra do Mestre, submete-se aos santos desígnios e às orientações do ministério. Recebe sobre seus ombros os encargos que lhe forem confiados com muita responsabilidade e amor. Credenciado pelo ministério, como soldado, recebe as insígnias ministeriais pelo reconhecimento, não só do ministério como da igreja a que está filiado. Com a consagração, mediante imposição das mãos do presbitério ou ministério, está concretizada a ordenação do novo ministro. É pela ordenação que oficialmente a igreja e o ministério reconhecem e recebem o obreiro para tão árdua missão e função — a posição de ministro do evangelho de nosso Senhor Jesus Cristo.

6 Da Consagração para a Obra do Senhor

O ministro não se faz; é feito; Deus o faz. É necessário que se submeta à ordenação por parte da igreja a que pertence, do presbitério ou ministério local, regional ou geral, para que não haja dúvida sobre sua nova função. É por meio desse ato solene que sua missão, função e posição não são contestadas.

A consagração formal é, aparentemente, um ato externo. Entretanto, devemos lembrar que sua virtude está exatamente na obediência da vontade de Deus e no cumprimento ao chamado do Espírito Santo para sua obra, que é ato interno. Uma solenidade importante, revestida de caracteres cerimoniosos, com imposição de mãos de ministros da Palavra de Deus, reveste o servo de Deus da autoridade que lhe deu a igreja do Senhor, de responsabilidade espiritual, social e moral muito grande. Não recebe, pela ordenação, graça especial ou poder extraordinário só pelo fato de ter sido consagrado. Não é motivo para achar-se maior que os outros servos do Senhor, mas de ter achado graça diante do Senhor para ser dEle embaixador e mensageiro do Reino de Deus. A ordenação não o torna senhor e mestre; não o santifica; mas investe em mais responsabilidade para ajudá-lo a ensinar e santificar-se mais ainda. Deus exige mais do ministro do que dos demais membros: santidade, consagração de vida, dedicação ao trabalho, amor pela obra e pelas almas, amor ao Senhor em sentido absoluto e fidelidade. A igreja exige muito mais do ministro do que dos outros membros da comunidade cristã; coincidentemente, tudo o que Deus exige, a igreja exige também. O ministro do evangelho deve honrar, santificar e dignificar seu ministério para glória de Deus e terá como recompensa, aqui, autoridade dada por Jesus. Jesus reveste o ministro de autoridade enquanto o ministro estiver fazendo sua santa vontade. O Senhor não o desampara um só minuto (Mt 28.20). O ministro deve lembrar-se de que a ordenação ou consagração não é motivo para consagração pessoal; não é uma capa para dela tirar proveito. Os que assim pensam, mais cedo ou mais tarde, serão rejeitados por Deus, pelos companheiros e pela igreja ou congregação que dirige. A consagração para o ministério deve conduzir o ministro à consagração de vida ao Senhor e a sua obra.

7 Do Compromisso Assumido diante de Deus e da Sociedade

Consagrado ao ministério, o pastor ou evangelista deve ter em mente que:

a) é servo de Jesus Cristo, separado por Deus para o evangelho;

b) sua vida foi dedicada à maior das causas, à mais nobre das ocupações, à mais árdua que um homem pode executar;

c) se compromete a viver e trabalhar para Cristo Jesus enquanto viver, e sua missão fundamental é pregar o evangelho de poder e de salvação de Deus aos homens;

d) sua obrigação é levar a mensagem salvadora aos perdidos a tempo e fora dele;

e) sua vida não lhe pertence, mas foi oferecida em sacrifício vivo, santo e agradável ao Senhor da seara, que o chamou e o qualificou, pondo-o no ministério santo;

f) seu amor à igreja do Senhor supera todas as afeições a qualquer organização, atividade ou interesse terreno;

g) assume normas e importantes obrigações para com Deus, consigo mesmo, com a igreja de Cristo Jesus e com o mundo.

8 De sua Preparação

a) A Bíblia é a arma de ataque e defesa do obreiro do Senhor que vive para chamar os homens à fé no Filho de Deus, para apascentar o rebanho do Senhor e para aperfeiçoamento do Corpo de Cristo, que é a Igreja;

b) A consagração não é um fim; é um meio de servir melhor ao Senhor; é o início de uma nova fase de sua vida; é o começo de santa e sublime ocupação;

c) O novo ministro deve estar certo da grandeza da ocupação que abraça, da nobreza de seu trabalho, e entrar logo em atividade com denodo, firmeza de propósito e zelo, sabendo que seu trabalho não fica sem recompensa e terá vitória final pelo poder de Deus;

d) Precisa o ministro crer no que faz; crer no fato de ser usado pelo Espírito do Senhor e que Jesus o protege e sustenta e garante seu trabalho.

9 Das Exigências Formais de Preparação para o Ministério

Há quem exija como indispensável condição para ingresso no ministério ou consagração o término do curso de Teologia.

Evocam para si razões e argumentos fortes, aparentemente convincentes, que não deixam de merecer até certo ponto, acolhida consideração. Entretanto, a Palavra de Deus não exige tal condição. Se Deus chama o homem e tem para este um trabalho definido, pode revesti-lo das qualidades fundamentais, dentro das habilidades pessoais dele, de acordo com a capacidade natural e espiritual do vocacionado, e dar os dons necessários para o desempenho da missão. Não é justo fazer do diploma de teologia condição *sine qua non* para a entrada no ministério da Palavra de Deus. Cremos no valor e na necessidade da educação, da cultura e de uma boa formação intelectual e profissional ou geral para o pregador, especialmente para o ministro (pastor ou evangelista). No entanto, a Bíblia, a História e a própria experiência nos têm apontado muitos casos de homens de Deus que, sem muita cultura secular, foram investidos pelo Espírito Santo da responsabilidade de pregar o evangelho e obtiveram grande sucesso. Também sabemos que Deus tem honrado a cultura intelectual, pois o saber é dEle, e o preparo de homens que vieram entrar mais tarde na obra para a qual Ele os havia determinado. É o que aconteceu com Moisés, Paulo e tantos outros servos de Deus. Cremos que a obra de Deus é planejada por Ele mesmo, e que Ele designa sábios ou iletrados do ponto de vista humano. Não significa, todavia, que vamos consagrar neófitos, ignorantes, ingênuos, doentes mentais ou qualquer pessoa pela suposta confiança em Deus. Não nos esqueçamos de que o mundo, o trabalho e a igreja exigem do obreiro. Quanto mais e melhor ele produzir, mais aceito e mais próspero será seu ministério.

a) O pregador que realmente recebeu a chamada divina não se envergonha do ministério e deve fazer tudo para nunca envergonhar o ministério de sua igreja. Para isto é indispensável ter o mínimo de conhecimento da Palavra de Deus e das doutrinas fundamentais da Bíblia, a espada do Espírito, cujo manejo é obrigação do homem de Deus (2 Tm 2.15).

b) O pregador deve ser homem inteligente, mesmo que sua cultura seja limitada. É seu dever compreender e ensinar corretamente.

c) O obreiro do Senhor deve ter firmeza de propósito e nobreza de caráter. Seria desastrosa para a obra do Senhor a entrada no ministério de um homem de caráter duvidoso ou sem dignidade pessoal que não merecesse a confiança dos companheiros, dos membros da igreja e dos de fora, que não fosse fiel no cumprimento da própria palavra. Mesmo que esse homem seja intelectual, possua grandes recursos oratórios e excepcional capacidade administrativa, se não possuir as qualidades citadas, não está capacitado para o santo ministério.

d) O ministro do evangelho precisa ter pela obra profundo amor; em caso contrário, torna-se ele um mero burocrata, tecnocrata ou cumpridor do dever como o empregado de qualquer empresa.

e) O ministro do evangelho tem obrigação de saber lidar com o povo, como o Senhor ensinou em seu ministério, conforme registram os Evangelhos. Não é ele apenas um líder ou chefe, mas um irmão de todos os membros da igreja de Jesus Cristo e amigo de todos os homens.

3
Da Chamada para Pregar

Já tivemos oportunidade de falar sobre a vocação do obreiro no capítulo 1. Falemos mais um pouco sobre a chamada para pregar. A primeira pergunta que se faz, geralmente, é se o ministro foi realmente chamado por Deus para pregar o evangelho. Para clareza, cabe-nos abordar ainda alguns pontos que julgamos importantes.

1 Da Chamada Universal

O problema abordado em *lato sensu*, todos os crentes são chamados para pregar ou proclamar o evangelho. O apóstolo Paulo nos lembra que fomos batizados por um mesmo Espírito, todos batizados em um corpo, tendo bebido todos do mesmo Espírito (1 Co 12.13).

a) Temos conhecimento de que a vida de Jesus Cristo, Cabeça da Igreja, foi dedicada a um trabalho intenso de evangelização. Tinha Ele profundo amor pelas almas perdidas e tudo fez para produzir salvação (Lc 19.10).

b) O Senhor Jesus tinha tanta consciência de seu papel no mundo que evocou para si a profecia de Isaías (61.1-3): "O Espírito do Senhor é sobre mim, pois que me ungiu para evangelizar os pobres, enviou-me a curar os quebrantados do coração, a apregoar liberdade aos cativos, a dar vista aos cegos, a pôr em liberdade os oprimidos, a anunciar o ano aceitável do Senhor" (Lc 4.18,19). Ora, se Jesus Cristo, o Senhor, entregou sua vida pelos perdidos e não cessa de buscá-los, obviamente sua Igreja, continuadora da obra de salvação na terra, precisa fazer o mesmo. Se a Cabeça, que é o Senhor, procedeu assim, seu Corpo, a Igreja, que participa da mesma natureza, que procede conforme a mente do Senhor, deve dedicar-se com ardor espiritual à salvação dos pecadores (Rm 12.4).

c) Na parábola da videira verdadeira, temos ilustração idêntica. Jesus é a videira; nós os ramos; nele está nossa vida. Somos canais através dos quais a seiva espiritual e moral que recebemos do Senhor proporciona-nos produção de frutos do Espírito ou para Deus (Jo 15.1-8).

d) A mesma dependência que há entre os ramos há entre os membros da Igreja de Cristo. Por isso, disse Ele: "todos vós sois irmãos" (Mt 23.8). Todos dEle dependemos e entre todos deve reinar perfeita fraternidade, camaradagem, liberdade, amor, democracia e cooperação. A via dos membros da igreja deve estar sempre orientada pelo Espírito Santo.

e) A vontade de Deus é que a grande paixão pelas almas e pelo trabalho de evangelização não se limite aos ministros oficiais, mas que encontre expressão em cada membro de sua igreja ou de seu corpo.

f) Os apóstolos receberam a incumbência de fazer discípulos entre todas as nações (Mt 28.19).

g) À vista disso, todo o mundo deve ser alcançado pela mensagem evangélica, e o arrependimento e a remissão de pecados deveriam ser pregados no maravilhoso nome de Jesus entre as nações, a partir de Jerusalém (Lc 24.47). Pelo ensino do Senhor, os novos convertidos, após serem batizados, devem ser ensinados a observar tudo quanto Ele disse aos apóstolos e discípulos. É uma sucessão ininterrupta até Jesus voltar. Isso quer dizer que nós, como discípulos remotos dos apóstolos, também o somos de Jesus, e que somos semelhantemente instruídos a pregar o evangelho a todas as nações e a cada criatura. Jesus nos tinha em vista quando deu essa ordem e quando pronunciou sua oração sumo-sacerdotal: "Eu não rogo somente por estes, mas também por aqueles que, pela sua palavra, hão de crer em mim" (Jo 17.20).

h) Pelo que lemos nos escritos de João, todos os crentes recebem poder e autoridade do Senhor para operarem as mesmas obras que Ele realizou e até maiores ainda (Jo 14.12). Jesus não promete revestir de poder apenas seus apóstolos, mas seus servos, os que crêem: "E estes sinais seguirão aos que crerem" (Mc 16.17). Frisemos: não apóstolos ou pregadores diretamente por Ele designados, mas "aqueles que crêem".

i) Para pregar o evangelho ou ser testemunha de Jesus, dá-se o mesmo: "... recebereis a virtude do Espírito Santo, que há de vir sobre vós; e ser-me-eis testemunhas tanto em Jerusalém como em toda a Judéia e Samaria e até aos confins da terra" (At 1.8). Os apóstolos entenderam isto. Pedro compreendeu perfeitamente a lição no dia de Pentecostes e observou que a bênção maravilhosa do batismo com o Espírito Santo não se destinava exclusivamente a judeus que ouviam sua mensagem: "... a todos os que estão longe: a tantos quantos Deus, nosso Senhor, chamar" (At 2.39). Que significa isto? Que todos os que têm sido chamados para a salvação de Deus têm acesso à incontestável bênção do batismo no Espírito Santo, que é um revestimento especial de poder para que o salvo em Jesus testifique do evangelho.

j) Na Igreja Primitiva, não eram os apóstolos os únicos pregadores. É só lermos o livro de Atos dos Apóstolos e veremos claramente, sem esforço. Na dispersão, fora de Jerusalém, todos os discípulos pregavam, *i.e.*, os membros da igreja apostólica proclamavam, sem se cansar, o caminho da salvação do Senhor. Os irmãos dispersos chegaram até Antioquia pregando a Palavra de Deus. Dessa pregação nasceu a famosa e missionária Igreja de Antioquia. Sua fundação, portanto, se deu por meio da mensagem de pregadores que não eram pastores (At 11.19-22).

2 Da Chamada Específica ou Especial

Há chamada específica? Sim, é claro! Não há contradição entre essa afirmativa e o acima exposto. Já vimos que todos os crentes têm a missão de pregar o evangelho como testemunhas de Jesus. Entretanto, há uma chamada específica ou especial para pregar. Esta diz respeito àquela escolha do Senhor com o objetivo de nomear pessoas especiais, como modelos definidos e marcantes, para serem propagadores da fé em Jesus Cristo. Jesus é quem designa pelo Espírito Santo.

a) Ele é o Senhor da seara (Mt 9.38). É Ele o proprietário que sai pela manhã a fim de contratar trabalhadores para sua vinha (Mt 20.1).

b) Jesus foi ungido para evangelizar o mundo e sua missão não terminou. Precisa Ele de grande exército de trabalhadores para a realização de tão árdua tarefa. Sendo assim, faz-se necessária uma grande variedade de ministérios a fim de ser alcançado o objetivo planejado pelo Senhor.

c) A Jesus cabe a gerência total, o planejamento, a fiscalização e o apoio de tão grandioso empreendimento. Ele precisa de evangelistas e missionários para desbravarem os campos de ação e tomarem a linha de frente, e de outros que sejam liberais nas contribuições para financiarem o sustento desses obreiros. Estas idéias são úteis tanto para os que vão à luta na linha de frente como os que dão cobertura, na retaguarda como força de apoio. Não pode a igreja, pelos motivos já expostos, prescindir de professores da escola dominical, de diáconos, presbíteros, líderes de jovens, maestros de banda, orquestra, coral, porteiros e outros.

d) É sagrado dever de cada membro da grande família de Deus chegar-se pessoalmente àquEle que é o Senhor, recebendo a tarefa específica que o Senhor dos senhores lhe deseja entregar. Deus chamará alguns para o ministério de tempo integral, outros, de tempo parcial; uns, Ele chama para o diaconato, outros, para a regência de conjuntos musicais, ou seja, para o ministério do louvor. Ele chama todos os crentes para servirem conforme a capacidade de cada um.

3 Da Variedade de Ministérios

Já tivemos oportunidade de dizer que o ministério é de Deus e Ele chama quem quer para a obra que deseja realizar.

a) Há chamada de Deus e participação da igreja ou ministério local ou ainda geral. Paulo diz: "E como pregarão, se não forem enviados?" (Rm 10.15) "Pelo que diz: Subindo ao alto, levou cativo o cativeiro e deu dons aos homens. [...] E ele mesmo deu uns para apóstolos, e outros para profetas, e outros para evangelistas, e outros para pastores e doutores" (Ef 4.8,11). O último texto citado mostra que o dote vem de cima; é doação do Cristo ressurreto e glorificado.

b) Deus vê a aptidão do homem e faz a sua escolha. O apóstolo supracitado diz: "Porque assim como em um corpo temos muitos membros, e nem todos os membros têm a mesma operação, assim nós, que somos muitos, somos um só corpo em Cristo, mas individualmente somos membros uns dos outros. De modo que, tendo diferentes dons, segundo a graça que nos é dada: se é profecia, seja ela segundo a medida da fé; se é ministério, seja em ministrar; se é ensinar, haja dedicação ao ensino; ou o que exorta, use esse dom em exortar; o que reparte, faça-o com liberalidade; o que preside, com cuidado; o que exercita misericórdia, com alegria" (Rm 12.4-8).

c) Lembremos que no grande ministério de Moisés, Belezalel e Aoliabe foram especialmente chamados por nome e receberam do Espírito de Deus habilidades em toda a obra mecânica, trabalho em ouro, prata e bronze, e em lapidação de pedras preciosas (Êx 31). Era trabalho material! Deus chama também para o trabalho material de sua obra.

d) O Senhor chama para o trabalho espiritual e para o material, conforme a habilidade e a necessidade da causa. O terceiro capítulo de 1 Timóteo começa com a descrição da obra episcopal ou presbiterato, e o oitavo versículo introduz a do diaconato. Cada grupo carrega consigo uma lista de qualidades excepcionais. Dois níveis ou duas categorias de ministérios, portanto, são focalizados pelo apóstolo. De igual maneira, vemos na Bíblia que o jovem Davi foi ungido com óleo para, posteriormente, tornar-se rei de Israel (1 Sm 16.12). Saulo de Tarso, depois designado Paulo, foi chamado especialmente para anunciar o nome de Jesus Cristo perante os gentios, reis e filhas de Israel (At 9.15). E, nestes casos, os vocacionados vão exercer ministério de tempo integral. Deus opera dentro desses padrões ainda hoje. A experiência nos mostra.

4 Dos Ministros m eramente Profissionais

O Espírito do Senhor ainda chama como nos dias de Paulo e Barnabé (At 13.1-5). No entanto, há homens que querem apressar o processo de Deus; que desejam adiantar o expediente dos céus e se dão mal. Aqueles que pensam em dedicar suas vidas inteiramente ao serviço cristão devem ter muito cuidado. Antes de tudo precisam certificar-se de que receberam uma chamada específica ou especial por parte do Senhor da seara. Não é raro encontrar pessoas que se chamam para a obra, mas não são chamadas por Deus, *i.e.*, não são vocacionadas. O crente precisa ter o cuidado de não confundir a chamada do Senhor com o mero desejo de seu coração ou chamada falsa (como correr sem ter sido enviado). Observemos o que diz o Senhor por Ezequiel: "Assim diz o Senhor JEOVÁ: Ai dos profetas loucos, que seguem o seu próprio espírito e coisas que não viram! [...] Vêem vaidade e adivinhação mentirosa os que dizem: O SENHOR disse; quando o SENHOR os não enviou; e fazem que se espere o cumprimento da palavra" (Ez 13.3,6). Quando Joabe matou Absalão, na revolta deste contra Davi (seu pai), o general mandou o etíope dar a notícia ao rei Davi. Entusiasmado por levar a notícia dos acontecimentos ao rei, Aimaás pediu ao general para ir também. Joabe disse que não era sua vez. Mesmo assim, Aimaás pediu e foi, sem notícia segura para dar. Lá chegando, não sabia o que dizer ao rei; nem mesmo sabia se Absalão era morto ou vivo. Quando chegou o verdadeiro mensageiro é que Davi ficou sabendo a realidade (2 Sm 18.19-32). É a situação dos não-vocacionados por Deus. Observemos a pergunta de Joabe: "... Para que agora correrias tu, meu filho, pois não tens mensagem conveniente?" (2 Sm 18.22). O rei esperava notícias, confiava em Aimaás como homem de bem (v. 27), mas não era ele o mensageiro. Vendo Davi que Aimaás nada sabia ao certo, pô-lo de lado até chegar o verdadeiro mensageiro. Que corrida inútil! Como não é profeta o que não tem a mensagem do Senhor, não é obreiro aquele que não é vocacionado pelo Espírito Santo. Este, portanto, estará enganando-se a si mesmo; tornando-se semelhante a Nadabe e Abiú, que entraram no Tabernáculo com fogo estranho e foram consumidos pelo fogo que saiu da parte do Senhor; morreram perante o Senhor como profanadores (Lv 10.1, 2). São semelhantes a muitos fariseus dos dias de Jesus. São obreiros que monopolizam a igreja local, suas atividades, apoderam-se das chaves do conhecimento e do Reino de Deus, postam-se diante das portas, não entram e nem permitem que outros penetrem nele (Lc 11.52).

a) É um conceito espiritual a chamada para a obra divina. A chamada para pregar o evangelho é uma concepção espiritual. Por isso, o apóstolo Paulo diz: "Ora, o homem natural não compreende as coisas do Espírito de Deus, porque lhe parecem loucura; e não pode entendê-las, porque elas se discernem espiritualmente" (1 Co 2.14). O Espírito do Senhor faz com que seu servo compreenda. O regenerado e vocacionado compreende tão bem que não lhe resta a menor sombra de dúvida. Faz-nos lembrar a chamada de Elias: com "voz mansa e delicada" (1 Rs 19.12). A de Isaías: "... eis-me aqui, envia-me a mim" (Is 6.8). Ainda escreveu Isaías: "E os teus ouvidos ouvirão a palavra que está por detrás de ti, dizendo: Este é o caminho; andai nele, sem vos desviardes nem para a direita nem para a esquerda" (Is 30.21). No mais recôndito do coração, no mais íntimo da alma do servo do Senhor, o Espírito Santo falará meiga e suavemente, de maneira a lhe chegar à consciência, e lhe enviará chamada e orientação no santo e maravilhoso trabalho do Senhor, de maneira extraordinariamente clara, que ficará gravada em seu coração.

b) É de iniciativa divina a chamada para a obra do Senhor. Já tivemos oportunidade de falar sobre isso em páginas atrás. A chamada de Deus é de sua própria iniciativa. Lembremos as palavras de nosso Salvador Jesus aos discípulos: "Não me escolhestes vós a mim, mas eu vos escolhi a vós, e vos nomeei, para que vades e deis fruto, e o vosso fruto permaneça, a fim de que tudo quanto em meu nome pedirdes ao Pai ele vos conceda" (Jo 15.16). Às vezes, não temos perfeita consciência disto, e pensamos que tudo se deve a nossa apresentação voluntária para o serviço, ou pela apresentação de um obreiro mais experimentado. Não! Foi Deus quem nos deu o primeiro impulso ou a arrancada para prosseguirmos. É natural que Deus use seus servos, os obreiros, como instrumento para nos conduzir, como aconteceu entre Saulo e Ananias (At 9.10-19). Podemos exemplificar ainda com a chamada de Eliseu, quando estava arando o campo e Elias passou e lançou sobre ele sua capa (1 Rs 19.19-21). O profeta Samuel foi buscar Davi no campo, apascentando ovelhas, para ungi-lo rei sobre Israel (1 Sm 16). Não nos esqueçamos de que Amós não era profeta, não era filho de profeta, mas criador de gado, lavrador, e o Senhor Deus o tomou quando acompanhava o rebanho, dizendo: "Vai, e profetiza ao meu povo Israel" (Am 7.15). Paulo, por sua vez, teve de Deus uma visão especial, celestial (At 26.19), enquanto Timóteo, que era crente e tinha muito bom testemunho da congregação de Derbe, foi iniciado no trabalho por Paulo (At 16.1-4).

c) É direção do Espírito Santo. Após o toque divino no coração, na alma do homem, o Espírito do Senhor passa a ter cuidados especiais por seu servo, conduzindo-o na medida que dedica sua vida ao Sumo-Pastor e Bispo de nossas almas. O salmista diz: "Os passos de um homem bom são confirmados pelo SENHOR" (Sl 37.23), "Guiará os mansos retamente; e aos mansos ensinará o seu caminho" (Sl 25.9). O Espírito Santo nos faz conhecer a voz do Senhor. "As minhas ovelhas ouvem a minha voz, e eu conheço-as, e elas me seguem" (Jo 10.27). Entretanto, não existe uma maneira exclusiva de o Espírito Santo falar. A Bíblia registra que o Espírito Santo disse: "... Apartai-me a Barnabé e a Saulo para a obra a que os tenho chamado" (At 13.2). Estando eles já em sua jornada missionária, o Espírito Santo impediu que fossem para a esquerda ou direita, mas permitiu que seguissem sempre em frente (At 16.6-10). A orientação do Senhor a seus servos será sempre clara e definida. "Todo aquele que nele crê não será confundido" (Rm 10.11). Jesus disse: "... aquele Consolador, o Espírito Santo, [...] vos ensinará todas as coisas" (Jo 14.26). "...ele vos guiará em toda a verdade..." (Jo 16.13).

5 Das Aptidões

O pregador do evangelho precisa possuir dons naturais. Entre outros, raciocínio claro, rápido, vigoroso e lógico. A imaginação dele deve ser fecunda e criadora; a voz cheia e harmoniosa. A educação da voz, para que não seja muito oscilante na tonalidade, é cuidado que ele precisa ter. No entanto, bom é que já possua essa qualidade inata. Precisa ter o dom da palavra caracterizada pela facilidade de expressão. A aparência física agradável é outra qualidade interessante que o ajudará. E ele poderá melhorar essa qualidade. Além disso, o pregador deve ser homem de pensamentos sãos e sentimentos profundos. Sua expressão deve ser entusiasta e enérgica. A energia não exclui a educação e as boas maneiras, e a educação não prejudica a energia. No entanto, não deve ser excessivamente polido para não dar a impressão de vaidade, qualidade que prejudicaria sua personalidade de obreiro do Senhor.

5.1 Coragem e boa vontade para a obra do Senhor

O pregador deve ter coragem e boa vontade para a obra do Senhor. Em seu relacionamento com a igreja e com o auditório, deve procurar desincumbir-se da melhor maneira, com amor e dedicação à causa do Mestre. Aconselha-se, entretanto, que o pregador evite esforço em demasia, para não ficar muito cansado. Deve cuidar bem da própria saúde.

5.2 Cultura geral sólida

O pregador deve ter cultura geral sólida. Não se pense em delimitar o campo ou a área de conhecimento do pregador. Além da cultura específica que é a Teologia, em seus muitos ramos, precisa ter conhecimentos de Psicologia, a fim de melhor conhecer o comportamento humano; Filosofia, para ter uma visão mais ampla das várias correntes do pensamento humano; Sociologia, a fim de compreender os problemas que afligem a humanidade, especialmente a comunidade onde trabalha e os grupos que a cercam; Direito, para que possa orientar suas funções ministeriais e aconselhar na comunidade cristã, sem avançar no campo alheio. Entretanto, pode valer-se dos direitos constitucionais e legais, do amparo que lhe oferece a lei, para salvaguardar interesse da própria igreja. Necessita ter conhecimento de Geografia, para localizar no espaço certos fatos relacionados com os vários grupos humanos, especialmente com o povo judeu ou com os cristãos; e História, a fim de examinar os acontecimentos sociais, econômicos e físicos relacionados com os fatos bíblicos. É natural que outros conhecimentos sejam úteis e é indispensável o da língua nacional ou do grupo a que vai pregar e ensinar a Palavra.

6 Da Sensibilidade Espiritual

Já temos falado sobre os vários meios segundo os quais o Senhor nos chama para sua obra. O homem vocacionado para o santo ministério deve ter muita sensibilidade. Como ponto de partida, recebe o sopro do Espírito Santo que o desperta, que inspira interesse e inclinação para a obra do Senhor. Esse desejo é logo seguido pelo senso de incapacidade pessoal, qualquer que seja o nível cultural. Isso leva o pregador a entregar ao Senhor Jesus a questão de sua chamada, confiando inteiramente nEle e esperando pelo tempo de Deus. A resposta e providência divina será certa. Aí cabe perfeitamente o que diz Paulo: "... não que sejamos capazes, por nós, de pensar alguma coisa, como de nós mesmos; mas a nossa capacidade vem de Deus" (2 Co 3.5). Ainda diz o apóstolo: "Posso todas nas coisas naquele que me fortalece" (Fp 4.13). Essa maravilhosa confiança em Deus não só substituirá nossa autoconfiança, como preencherá a grande lacuna de nosso senso de inaptidão. É aí que, normalmente, nascerá em nossos corações o grande desejo de trabalhar para o Senhor, o amor à Causa e às almas perdidas. Claramente percebemos que estamos sendo chamados para novas atividades em nossa existência e que o ministério, a mais importante ocupação de um ser humano, se avizinha de nossa vida e não mais podemos recuar.

7 Do Reconhecimento de nossa Chamada por Outros

Ao tornar-se clara e definida a chamada e direção de Deus, o próprio Espírito do Senhor como que marca o obreiro, a ponto de tornarem-se perceptíveis certas expressões embrionárias em sua vida e atividades relativas ao ministério que no futuro irá exercer. Colegas e crentes em geral notarão algo mais nele, sinais indiscutíveis da chamada de Deus que repousam sobre o obreiro. Naturalmente, haverá confirmação dessa chamada de várias maneiras, tais como aprovação geral nos crentes, dos obreiros, do ministério local e até regional ou geral, mais dedicação à pregação, ao ensino da Palavra, à consagração e até aumento de poder na vida do novo obreiro. A consagração que o próprio Senhor Jesus inicialmente nos propiciou resultará na consagração do obreiro pela igreja e seu ministério ou presbitério. Deus cumprirá seu plano de desenvolvimento do obreiro para a obra do ministério. Para continuar a servir na igreja em seu ministério local ou regional, ou para a obra missionária, não haverá rejeição, o que resulta em dupla consagração. A pressão que sente em prol do trabalho é tão grande que poderá exclamar como o apóstolo Paulo: "... ai de mim se não pregar o evangelho". Nossa experiência dita que a pessoa vocacionada para pregar o evangelho não sentirá paz nem prazer em qualquer outra atividade mais que na obra para a qual foi chamada. O obreiro chamado por Deus é divinamente compelido a prosseguir em frente, com inabalável convicção de sua nova missão.

4
Da Preparação do Obreiro para o Ministério

Embora complexa para se delinear em poucas palavras, a preparação do obreiro para o ministério pode se dar em duas grandes fases fundamentais: experiência e educação. As duas são importantes, e até indispensáveis. Posto que entendemos, pelo estudo da Palavra de Deus, que a experiência é de maior relevância, trataremos em primeiro lugar dela.

1 Da Experiência

Quando passamos a considerar o cabedal de experiências que o pregador deve possuir ao preparar-se para seu trabalho, devemos ter em vista as inúmeras horas difíceis por que passa o obreiro, os pontos críticos de sua vida espiritual e moral, os problemas de ordem psicológica que criam em seu interior verdadeiros conflitos, as lutas contra si mesmo, contra o mundo e pecado, bem como as experiências diárias de um crente maduro que o qualificam para enfrentar problemas de igreja, aconselhar e orientar outros que estejam passando por situações semelhantes àquelas por que ele já passou, e às vezes está passando. São muitas experiências.

1.1 O novo nascimento

O novo nascimento é experiência fundamental de qualquer cristão, obreiro ou não. Não se pode admitir que alguém tenha vida com Deus sem passar pelo processo do novo nascimento.

Muito menos é de se aceitar que haja obreiro, especialmente ministro do evangelho de nosso Senhor Jesus Cristo, sem a experiência de nascer de novo. Jesus disse a um mestre de religião, inclusive em Israel: "Na verdade, na verdade te digo que aquele que não nascer de novo não pode ver o Reino de Deus" (Jo 3.3). A Palavra de Deus nos ensina, e nossa experiência ratifica, que o homem natural jamais compreenderá as coisas do Espírito de Deus, pelo que é absolutamente necessário que ao homem seja concedida a mente de Cristo, a qual confere à criatura humana o verdadeiro entendimento espiritual. Vamos conferir o que diz o apóstolo Paulo: "Ora, o homem natural não compreende as coisas do Espírito de Deus, porque lhe parecem loucura; e não pode entendê-las, porque elas se discernem espiritualmente. Mas o que é espiritual discerne bem tudo, e ele de ninguém é discernido. Porque quem conheceu a mente do Senhor, para que possa instruí-lo? Mas nós temos a mente de Cristo" (1 Co 2.14-16).

1.2 O batismo no Espírito Santo

Subseqüentemente e subsidiariamente à experiência do novo nascimento, existe para cada crente o batismo *do* ou *no* Espírito Santo. Assim entendia o apóstolo Pedro. No dia de Pentecostes, disse ele: "Arrependei-vos, e cada um de vós seja batizado em nome de Jesus Cristo para perdão dos pecados, e recebereis o dom do Espírito Santo. Porque a promessa vos diz respeito a vós, a vossos filhos e a todos os que estão longe: a tantos quantos Deus, nosso Senhor, chamar" (At 2.38,39).

a) Note-se que ao novo nascimento (arrependimento) e ao batismo em águas segue, como dádiva do Senhor Jesus, o batismo do Espírito Santo, que é para tantos quantos forem chamados pelo Senhor Deus.

b) Os apóstolos em Jerusalém não se contentaram em os crentes novos convertidos de Samaria permanecerem por muito tempo sem receber o batismo com o Espírito Santo. Por isso, enviaram para lá Pedro e João a fim de que lhes impusessem as mãos e eles recebessem do Senhor Jesus tão maravilhosa graça como experiência adicional (At 8.14-17).

c) Chegando o apóstolo Paulo na Congregação de Éfeso, indagou dos irmãos se já tinham recebido o Espírito Santo. "Recebestes vós já o Espírito Santo quando crestes?" (At 19.2). Para os que dizem ser o batismo com o Espírito Santo ato contínuo ao aceitar o evangelho, a pergunta de Paulo não teria sentido, *i.e.*, se fosse impossível crer sem receber o batismo com o Espírito Santo.

d) O próprio Paulo (ainda Saulo) foi chamado de irmão por Ananias, em Damasco, antes de receber o batismo no Espírito Santo (At 9.17).

e) Posteriormente, Paulo exorta os crentes da mesma Igreja de Éfeso: "... enchei-vos do Espírito" (Ef 5.18).

f) Não há a menor dúvida de que o batismo com o Espírito Santo é uma bênção adicional conferida ao crente, após sua experiência da conversão ou novo nascimento. E cremos que o Senhor espera que todos os crentes sejam batizados com o Espírito Santo.

g) Como poderá alguém assumir a posição de líder, mestre e guia do povo de Deus, dos santos do Altíssimo, que é atividade própria do ministro do evangelho, desconhecendo tão maravilhosa dádiva, não possuindo tão salutar e produtiva experiência — o batismo com o Espírito Santo?

h) Pesava sobre os ombros dos apóstolos a incumbência de pregar o arrependimento e conseqüente remissão dos pecados em nome do Senhor Jesus, missão recebida diretamente do Senhor. Entretanto, receberam ordem expressa a não darem um passo único na execução dessa divina tarefa enquanto não tivessem o revestimento espiritual necessário, a saber, o batismo do Espírito Santo (Lc 24.47-49; At 1.4-8).

i) Como se pode aceitar a idéia de que os atuais crentes, e especialmente obreiros sobre os quais pesa a mesma responsabilidade que tinham os apóstolos, possam desempenhar a contento a missão que lhes é imposta sem o batismo com o Espírito Santo? Quem dispensou os obreiros atuais, particularmente, do mesmo poder de que necessitavam os discípulos da Igreja Primitiva? O evangelho é o mesmo, as pessoas a quem se prega são da mesma natureza daquelas, o mundo é o mesmo, Deus é o mesmo, Jesus Cristo é o mesmo, o Espírito Santo é o mesmo, o mal e o pecado são os mesmos, e o batismo com o Espírito Santo é diferente? Não!

j) Ninguém, portanto, deve acomodar-se ou ficar satisfeito em pregar o evangelho de Jesus Cristo sem haver primeiramente recebido o batismo do Espírito Santo. Entendemos como absolutamente essencial ao ministro para a pregação do evangelho.

1.3 O andar com Deus

De maneira alguma devemos ter o batismo no Espírito Santo — embora constitua uma maravilhosa experiência — como sinal de perfeição espiritual e moral. Quando os apóstolos Pedro e João se viram cercados pela multidão maravilhada pela cura do paralítico, próxima à Porta Formosa do Templo, protestaram eles, mostrando-lhe que não fora pelo seu próprio poder ou piedade que aquele homem pôde ser curado e andar (At 3.12). O batismo com o Espírito Santo é ser revestido com poder do alto, constituindo o início de habilitação para anunciar eficazmente o evangelho de Jesus Cristo. Todo crente batizado com o Espírito Santo deve passar pela transformação de caráter e aprofundar-se nas experiências de uma vida íntima com Cristo. São experiências por que passa o cristão diariamente, a toda hora, a todo o instante, andando em Espírito e aprendendo as extraordinárias e até inexplicáveis lições de uma vida em comunhão com Deus que o qualifica, em harmonia com as virtudes adquiridas pelo batismo no Espírito Santo, para um ministério cristão eficaz.

1.4 A escola da experiência do obreiro

O ministro é, obrigatoriamente, um mestre cristão. Incumbe-lhe o dever de conhecer bem aquilo que irá ensinar. É sua obrigação e prerrogativa não somente ensinar a sã doutrina constante da Palavra de Deus, como o esboço geral da fé cristã, as experiências reais por que os crentes devem passar, o exemplo de vida dos antepassados e heróis da fé e tudo que traga edificação, exortação e consolo para o servo do Senhor na terra.

a) O adversário de nossas almas não é apenas uma idéia negativa, como alguns pensam. É um ser real e terrivelmente agressivo. Ele ataca todos os crentes em todo o mundo com as mais variadas armas e estratégias.

b) É tarefa do pastor de almas conduzir seu povo pela mão, a fim de guiá-lo mediante as experiências quando tomado de perplexidade e confusão, ou para preveni-lo dos terríveis ataques inimigos, oferecendo ao rebanho de Deus a mais absoluta segurança e proteção.

c) Enquanto o inimigo procura atacar os crentes para derrotá-los, o ministro de Deus está na vanguarda, oferecendo à igreja as armas de Deus e o abastecimento necessário à vitória. Para isto, o obreiro precisa passar por suas próprias experiências. Precisa andar pela fé, que é próprio do justo, e é algo que não se pode compreender perfeitamente sem fazê-lo pessoalmente. Isto exige consagração, renúncia e fé. Sem consagração total ninguém está habilitado a servir a Deus eficazmente. É por meio da consagração que o obreiro se entrega totalmente a Deus. Não pode ele deixar área ou brecha de sua vida ou atividade sem o controle de Deus, pois é daí que obtém proteção.

d) O Pai, o Filho e o Espírito Santo — Deus — tem a primazia na vida do obreiro. O amor e a glória que lhe devemos precisamos tributar-lhe incessantemente. Ele não permite que se divida esses tributos com qualquer outro ser. Ele tem ciúme. O Senhor Jesus ensinou: "Quem ama o pai ou a mãe mais do que a mim não é digno de mim; e quem ama o filho ou a filha mais do que a mim não é digno de mim" (Mt 10.37). "Se alguém vier a mim e não aborrecer a seu pai, e mãe, e mulher, e filhos, e irmãos, e irmãs, e ainda também a sua própria vida, não pode ser meu discípulo. E qualquer que não levar a sua cruz e não vier após mim não pode ser meu discípulo. [...] Assim, pois, qualquer de vós que não renuncia a tudo quanto tem não pode ser meu discípulo" (Lc 14.26,27,33). Deus pode perfeitamente exigir de nós que renunciemos a algumas coisas boas e legítimas da vida, coisas que normalmente poderíamos conservar e delas desfrutar em nossa vida como cristãos. Entretanto, como obreiros escolhidos que somos, Ele pode não permitir. Essas experiências se somam àquelas que nos qualificam para o santo ministério da Palavra. Todavia, se por qualquer motivo viermos a falhar, ficaremos limitados e não teremos um ministério profícuo e duradouro. Deus exigiu de Abraão perfeição de caráter e dedicação, dizendo: "Eu sou o Deus Todo-poderoso; anda em minha presença e sê perfeito" (Gn 17.1). Mais tarde, exigiu o Senhor de Abraão o que este tinha de mais precioso em sua vida, seu filho Isaque, em quem pesavam todas as promessas de Deus. Entretanto, foi a resposta afirmativa em obediência ao Senhor que concretizou a chamada, e Deus demonstrou seu agrado, ao constatar que Abraão era realmente seu amigo e que poderia ser, como o é, pai dos fiéis.

1.5 Necessário período de treinamento

Já falamos sobre a chamada de Moisés no sentido de vocação especial por parte do Senhor. Precisamos ver o lado do treinamento como parte complementar à vocação, em forma de estágio probatório. Deus procurou Moisés para liderar seu povo espiritual, moral e administrativamente. O Senhor o escolheu para dirigir sua nação israelita e o preparou durante alguns anos para tão árduo trabalho. Não era Moisés apenas o mais capaz, por ter sido instruído em toda a cultura egípcia, mas o submeteu a longo tratamento espiritual, instruindo-o, fazendo esperar no Deus que promete e cumpre durante quarenta anos, período em que sofreu grandes aborrecimentos, decepções e humilhações. Tudo isso, no entanto, era preparação para a obra a que havia sido chamado. O historiador hebreu Flávio Josefo informa que Moisés era comandante dos exércitos egípcios. E Lucas, registrando palavras de Estêvão, diz que Moisés "... foi instruído em toda a ciência dos egípcios e era poderoso em suas palavras e obras" (At 7.22). Conclui-se, portanto, que era homem especialmente preparado para o trono do qual também era herdeiro. Quando falecesse seu avô adotivo, o Faraó, assumiria o trono: para isto fora preparado. Ora, estava sendo preparado para dirigir a nação egípcia: não estaria, também, habilitado para dirigir o povo hebreu, fora do Egito? À primeira vista parece paradoxal. Preparado para dirigir os destinos da mais civilizada nação do mundo antigo e não estar preparado para dirigir um povo ainda sem pátria ou em terra estranha, quantitativamente menor! Talvez eu dissesse sim, mas Deus disse *Não*! Há muita coisa boa que se pode aprender nos livros, nas escolas ou nas universidades, nos campos de batalha, nos laboratórios ou bibliotecas e nos salões de conferências, e até na administração de um Estado ou país. Mas há também umas tantas experiências pelas quais o crente terá de passar; provas como que de fogo a que será submetido, a fim de que receba aquela têmpera e purificação necessárias para que se encontre habilitado suficientemente a assumir lideranças espirituais. Moisés teve de viver um período de mais contato com Deus; teve de ver, e viu, aquilo que é invisível, até chegar a fazer aquela tão resignada escolha, preferindo o opróbrio de Cristo aos tesouros do Egito. Negou a si mesmo os prazeres da vida mundana, que são passageiros, e preferiu sofrer as aflições em companhia do povo de Deus (Hb 11.24-27).

a) Quando Deus viu que aqueles anos de experiências pelos quais passara seu servo eram suficientes para o amadurecimento pessoal e que isso o tornara hábil para a grande tarefa, apareceu-lhe naquela linda visão da sarça.

b) Ao ouvir do Senhor o anúncio de que haveria de tirar o povo do Egito, confessou insistentemente a Deus sua incapacidade, dizendo não ser homem eloqüente, mas pesado de língua (Êx 4.10). Segundo declara Estêvão, baseado na tradição e nos padrões egípcios, era Moisés poderoso em palavra. Naturalmente, não se pensa em contradição entre o que Moisés fala e o que Estêvão declara. Moisés acha-se pequeno demais para tão grande tarefa. É gesto de humildade. Vê a grandeza do trabalho que teria de realizar. Considerava como nada o que tinha com relação ao que dele seria exigido, por ser ele lento no falar (At 7.22 e Êx 4.10).

c) O ministério do apóstolo Paulo não surgiu casualmente na Igreja. Foi o resultado de uma prévia escolha por parte do Senhor Jesus. Paulo era homem de qualificações naturais importantes: bem instruído, inteligente, membro do sinédrio, cidadão romano (por título hereditário), mas não era isto suficiente para o exercício do ministério para o qual fora chamado. Mesmo sua maravilhosa conversão na estrada de Damasco e o batismo no Espírito Santo não foram suficientes. Passar uma temporada com os apóstolos não teria completado seu preparo; não proveria adaptação essencial à obra que iria realizar. Teria de haver um contato pessoal com Deus em tudo superior à superficialidade da vida que antes tinha e ainda superior às experiências da conversão e do batismo com o Espírito Santo. Foi para os desertos da Arábia, e depois voltou para Damasco por um período de três anos. Teve depois um breve encontro com os apóstolos e a Igreja de Jerusalém, além da longa espera na presença de Deus. Em seguida, retirou-se para Tarso, sua cidade natal, para esperar em Deus e amadurecer em sua própria experiência pessoal e na comunhão com o Senhor. Foi depois procurado por Barnabé que o levou para Antioquia, ficando naquela cidade, submisso, até que o Espírito Santo o chamou de maneira clara e insofismável para o ministério missionário.

d) Paulo esperou longo tempo aos pés do Senhor, humilde, submisso e disposto a aprender, até que recebeu a completa revelação do evangelho da graça. Foi aí que aperfeiçoou seu caráter para servir de modelo a gentios, judeus e à Igreja.

e) É comum todos os empregadores exigirem experiência prévia para o trabalho, o que não significa ser justa a exigência. No entanto, é justo que se exija experiência preliminar para determinadas funções especiais ou que impliquem grande responsabilidade por parte do servidor. Não é diferente a função de ministro ou pastor evangélico. Precisa ter ele experiência no trabalho do Senhor para qualificar-se como guia do povo de Deus. Naturalmente, essa experiência se adiciona às outras qualidades que já examinamos. Lembremos Josué. Foi ele um homem extraordinário. Foi o substituto de Moisés na direção do povo e um dos maiores líderes que essa terra já teve. Ele conduziu triunfantemente o povo até entrar na terra prometida — Canaã. Obteve, em sua jornada e liderança, grandes vitórias como a travessia do Jordão, a tomada de Jericó e outras. Onde aprendeu? Ele foi "servo" ou "ministro" de Moisés durante quarenta anos de peregrinação pelo deserto, com o povo de Israel (Êx 24.13). Sim, foi auxiliar de Moisés. Foi o contato constante com Moisés que lhe deu intimidade com o grande líder; foi servindo e cumprindo as determinações que aprendeu a servir melhor e ser o escolhido para substituir o grande homem de Deus. Foi isto que lhe deu muitas oportunidades de ver como Deus tratava Moisés e como Moisés era obediente e fiel ao Senhor. Essa subordinação pessoal de Josué proporcionou-lhe excepcional preparo para a grande função que iria exercer, e o próprio Deus lhe deu todo o apoio (Js 1.1-9).

f) Eliseu era fiel servo de Elias. Ajudava-o até na lavagem das mãos (2 Rs 3.11). Seguia a Elias *pari passu* (2 Rs 2.1-13). Esta fiel dedicação a Elias deu-lhe o privilégio de ser seu herdeiro espiritual, como profeta de Israel.

g) Todos os discípulos de Jesus Cristo entraram no caminho do discipulado alguns anos (três, aproximadamente) antes de serem nomeados ou designados apóstolos, mediante qualificação. Viveram por três anos em contato diário com Jesus, aprendendo seus ensinamentos, sua maneira de vida, seu trabalho pessoal, e executando suas ordens. Conviveram com Jesus e aprenderam com Ele mediante a vida prática. Saíam a pregar o evangelho e operar milagres, e voltavam maravilhados, trazendo-lhe os resultados. A inteligência, os cursos, os estudos, os livros, tudo ajuda, mas nada pode substituir a experiência. A experiência pessoal na atividade é requisito absolutamente necessário para o desenvolvimento de habilidade e obtenção de preparação para a obra do ministério da Palavra.

2 Da Educação

Que é educação? É desenvolvimento, aperfeiçoamento das faculdades intelectuais e morais do indivíduo; boas maneiras, polidez, urbanidade. Educação é aquisição de conhecimento por meio de tudo o que a vida oferece. A educação formal ou de formação adquire-se na escola, nos cursos de ensino fundamental e médio ou superior; a informal, entretanto, adquire-se na escola diária da vida, com o auxílio de uma preparação pelas observações e vivência. Adquirir conhecimentos é normalmente desejo de todas as pessoas, e o desenvolver habilidades é alvo de toda pessoa que deseja sucesso, desde cedo.

a) No Brasil, é obrigação do Estado o ensino fundamental. Há Estados da federação que oferecem o ensino gratuito até de nível superior.

b) Nossa opinião, por experiência como aluno e professor, tanto do ensino privado como do oficial, é que a educação universitária é mais um passo na direção certa de uma atividade profissional e nenhum prejuízo traz à vida espiritual. Não existe nenhuma incompatibilidade entre a fé e a cultura ou educação, secular ou religiosa. A cultura e a educação não são responsáveis pelo afastamento de muitos jovens dos altos padrões da vida espiritual e cristã.

c) No que diz respeito à formação e informação do ministro do evangelho, tem ele obrigação de saber como estudar a Bíblia e os livros de cultura secular. Toda cultura, todo saber, pode servir de meio para o ministro atingir o fim — a pregação eficaz do evangelho de Jesus Cristo. Além do mais, não se pode e nem se deve querer limitar a cultura do ministro da Palavra. Quanto mais culto, quanto mais colocar seu cabedal de conhecimentos a serviço da obra, melhor. Não deve o ministro esquecer-se de que nossas audiências de pessoas cultas vai sempre aumentando, e o pregador do evangelho tem público heterogêneo.

d) A Bíblia nos apresenta homens que dispunham de grande cultura e educação, e que foram grandemente usados por Deus. Por exemplo, Moisés, Daniel, Paulo. Mesmo que a cultura de Moisés não tivesse afinidade com a vida que iria ter com relação ao povo de Deus, o Senhor o usou, aproveitou todo aquele cabedal, utilizando-o para guiar seu povo. A liderança era altamente útil para o treinamento natural.

Daniel foi contado entre "Jovens *em quem não houvesse defeito algum*, formosos de aparência, e instruídos em toda a sabedoria, e sábios em ciência, e entendidos no conhecimento, e que tivessem habilidade para viver no palácio do rei..." (Dn 1.4, ênfase do autor). Além dessa educação e habilidade, a Daniel foi adicionada preparação especial mediante revelações de sonhos e visões, bem como o caráter e as qualidades espirituais que possuía. Sua posição de governador de toda a província de Babilônia, presidente de todos os sábios do país e principal de todo o império babilônico deram-lhe a vantagem de poder exercer grande influência em favor do povo do Senhor.

Paulo não confiava em sua eloqüência, em sua linguagem ou em seu poder de persuasão por intermédio de sabedoria humana, visto já ter aprendido a considerar tais coisas até como escória, em face da excelência do conhecimento de nosso Senhor Jesus Cristo; no entanto, foi por meio de sua capacidade, de sua mente tão bem exercitada, de sua cultura geral e específica que

Deus o usou poderosamente, dando ao mundo maravilhosa revelação do evangelho da graça.

Está claro que os homens mais notáveis dos dois Testamentos foram os de mais saber ou excepcional capacidade cultural.

a) Há grande necessidade de habilidade. Entretanto, lembremos do que diz Paulo: "não são muitos os sábios segundo a carne, nem muitos os poderosos, nem muitos os nobres que são chamados" (1 Co 1.26). "Deus escolheu as coisas loucas deste mundo para confundir as sábias" (1 Co 1.27). Deus insiste em que nenhuma carne se gloriará em sua presença. E diz mais o apóstolo: "Onde está o sábio? Onde o escriba? Onde o inquiridor deste século? Porventura não tornou Deus louca a sabedoria do mundo?" (1 Co 1.20). Paulo já aprendera subordinar todas as coisas à vontade de Deus, rendendo-se e esvaziando-se de suas próprias aptidões, a fim de que nele operasse a sabedoria de Deus e ele fosse dela transmissor. Essa submissão e rendição de Paulo fez que o conhecimento de Deus e de sua santa vontade manifestasse em sabedoria o entendimento espiritual (Cl 1.9). Naturalmente, Deus não rejeita o conhecimento do homem a não ser que este homem torne-se orgulhoso, pois aí se cumpre o que diz o mesmo apóstolo: "A ciência incha ..." (1 Co 8.1). Qualquer pessoa, por mais radical que seja na desnecessidade de cultura ou saber, pode compreender que Deus pode usar melhor o saber do que a ignorância. O Senhor não usou os ignorantes para escreverem, mas sim os cultos.

b) É imprescindível o conhecimento bíblico. À vista do que já ficou dito sobre o campo da educação, do conhecimento, é a Bíblia instrumento cultural absolutamente necessário ao ministro do evangelho. É a Bíblia a fonte de toda a verdade espiritual e a revelação da santa e completa vontade de Deus. O pregador é um pesquisador das verdades divinas, bem como o meio ou canal por meio do qual elas são transmitidas ao povo. Precisa o pregador estar perfeitamente familiarizado com as grandes doutrinas da Bíblia, as promessas de Deus, a revelação do plano divino da salvação, e com os preceitos e a vontade de Deus expressos no Sagrado Livro. É seu material de serviço ou seu instrumento de trabalho. O Senhor Deus disse por Malaquias: "Porque os lábios do sacerdote guardarão a ciência, e da sua boca buscarão a lei, porque ele é o anjo do SENHOR dos Exércitos" (Ml 2.7). Enquanto Jesus, como o Verbo de Deus, é a Palavra de Deus encarnada, a Bíblia é a Palavra de Deus em forma de livro. Jesus é a plenitude da divindade revelada ao homem corporalmente; a Bíblia é a plenitude da vontade de Deus revelada ao homem pela palavra escrita. E o Senhor estabeleceu mestres na Igreja para fazerem conhecidos pelo homem Jesus e a Palavra revelada (1 Co 12.28; Rm 12.7; Ef 4.11).

c) Jamais o Espírito Santo fala ou choca-se contra a Palavra de Cristo ou com o seu ensinamento. Qualquer que pelo Espírito de Deus é guiado, logicamente conforma-se com a Palavra de Deus totalmente. O próprio Jesus Cristo foi pelo Pai instruído (Jo 12.49; 14.10). É considerado bem-aventurado aquele que recebe do Senhor a instrução, pois o Espírito de Cristo o ensina: "... não tendes necessidade de que alguém vos ensine..." (1 Jo 2.27). O Espírito Santo habita no corpo do Senhor Jesus, e em particular naqueles que receberam sua *unção*. É o Espírito Santo que se vale de um instrumento humano, ensinando-lhe todas as coisas.

3 Métodos de Estudo da Bíblia

a) É na Bíblia que o pregador vai adquirindo conhecimento e enriquecendo sua alma e, desse tesouro do coração, vai ele, como a abelha, extrair a mensagem pura. Pode esta vir inesperadamente, mediante inspiração. Mas é bom lembrar que isto não deve servir de pretexto para ninguém se acomodar e negligenciar na leitura e no estudo cuidadoso da santa Palavra de Deus.

b) Evite-se a escolha de texto de linguagem rebuscada ou pomposa, pois isto poderá trazer dificuldades. De igual modo, deve se evitar passagens bíblicas que se refiram a palavras de ímpios, espíritos maus ou Satanás.

c) Deve o pregador escolher passagens claras, evitar texto que provoque risos, repugnância, vida íntima e sexual, a fim de não provocar distração.

d) Escolher textos do Antigo e do Novo Testamento, com prioridade aos do Novo Testamento. O texto deve despertar estímulo no ouvinte e não deve ser desprezado por ser muito conhecido.

e) O pregador precisa conhecer o sentido original do texto sobre o qual vai pregar. Convém saber o significado com o qual o escritor expressou seu pensamento para os leitores de seu tempo.

f) O texto deve ser lido tantas vezes quantas se fizerem necessárias. Deve ser ele interpretado conforme o ensinamento geral, de preferência, com especial atenção dada ao ambiente que o produziu. O texto precisa ser estudado com atenção e oração, e sempre em confronto com o contexto, e isso tantas vezes quantas necessárias. O pregador deve ter em mãos fontes de informações e consulta de bons autores.

Acerca dos assuntos básicos a serem estudados pelo ministro do evangelho, as evidências das virtudes da vida cristã indubitavelmente são os mais empolgantes para se estudar, seguir e ensinar. Constituem base indispensável para a formação do servo de Deus a serviço do Senhor dos Exércitos. É campo riquíssimo de exigências de Deus e respostas suas àqueles que lhe obedecem. Contêm provas insofismáveis de que o cristianismo não é apenas religião histórica ou movimento religioso do primeiro século, mas sim movimento de Deus em benefício das almas perdidas e preparação de seu Reino na terra. Demonstra claramente que a Bíblia é a Palavra de Deus inspirada por seu Santo Espírito, escrita por iniciativa e providência do próprio Criador, por homens especialmente escolhidos por Ele. Entre muitas outras, destaca-se a evidência de que Jesus Cristo é o unigênito Filho de Deus, e em conseqüência, o cristianismo é a única e exclusive religião verdadeira, porque apresenta o único e verdadeiro caminho para o homem chegar a Deus e ao céu. Até mesmo pessoas não crentes evangélicas ficam deveras impressionadas com a maravilhosa revelação da Palavra de Deus. Por isso, o ministro deve valer-se da Hermenêutica, ciência que serve para a interpretação da Bíblia, e da Exegese, método de análise da Palavra de Deus para melhor entender tão emocionantes assuntos.

g) Existem leis básicas e fundamentais utilizadas pela Hermenêutica que melhor esclarecem pontos difíceis e evidenciam de maneira clara as verdades bíblicas. Vale a pena o ministro ou aspirante ao ministério dedicar-se a esses estudos, até dominá-los convenientemente.

h) Há, dentro da Teologia Geral, uma expressão pobre de significação, mas bem utilizada: Teologia Pastoral (como se houvesse um estudo de Deus ou a respeito de Deus só para pastor). Trata-se, entretanto, de estudo encantador, de excepcional valor para o obreiro. Esse estudo diz respeito às atividades pastorais. Este livro é um exemplo. Há muitas fases na obra pastoral e atividades ministeriais muito importantes para quem já está nele ou deseja ingressar no santo ministério.

i) Uma disciplina intimamente ligada às atividades pastorais ou ministeriais é a Homilética (que muito se vale da Hermenêutica e da Exegese). O pastor ou ministro precisa e deve pregar. Precisa saber preparar o sermão e entregá-lo com eficiência. Há vários tipos de sermão e o pregador precisa conhecê-los, pois a qualquer momento as necessidades do trabalho podem exigir qualquer deles. É por meio da Homilética que o ministro ou pregador vai preparar sua mensagem. É a Homilética que ensina como fazê-lo. É disciplina indispensável ao pregador do evangelho. Para um estudo minucioso e agradável desse tão empolgante assunto, apontamos nosso livro *O Pregador e o Ministério da Palavra*, editado pela CPAD.

j) É de suma importância para o ministro do evangelho o conhecimento fundamental de História Geral ou Universal ou ainda da Civilização, História da Igreja ou do Cristianismo, História dos Hebreus, Geografia Geral, Geografia Bíblica, Língua Portuguesa ou Nacional (depende da língua utilizada pelo pregador), disciplina indispensável como veículo de comunicação, Psicologia, Sociologia, Filosofia e outras.

5

DA CULTURA E DO CAMPO DE ESTUDOS DO PREGADOR DO EVANGELHO OU MINISTRO

De officio, o ministro do evangelho precisa ser uma força poderosa espiritual e moral. A presença do pregador do evangelho já se faz sentir em toda a parte, especialmente no Brasil, e sua salutar influência em todos os segmentos da sociedade. O ministro, como pregador do evangelho, tem penetração em todos os campos da sociedade e já se vale de todos os meios de comunicação para levar a mensagem salvadora de Jesus Cristo em cujo nome prega. Estamos na época de grande desenvolvimento cultural, industrial e tecnológico. O pregador que, embora não seja do mundo, está no mundo, precisa acompanhar, com a igreja, o desenvolvimento cultural, social, econômico e tecnológico dos vários segmentos sociais. O pregador não pode ficar alheio a essas coisas. Especialmente o pastor, que é o representante da Igreja de Cristo, não pode ficar para trás nas várias atividades lícitas, e no conhecimento até das ilícitas, para fazer frente aos inúmeros problemas que terá de enfrentar. Em caso contrário, não acompanhará o ritmo de crescimento da igreja no mundo em que vivemos, e só sairá perdendo. Assim, não há limite para a cultura do pregador nem para seu campo de estudos.

a) Não ignoramos que Deus tem usado muitas vezes pessoas humildes, de conhecimento rudimentar, com grande proveito na obra do evangelho. Muitos obreiros do Senhor foram, e o são, pescadores, sapateiros, alfaiates, funileiros e de tantas outras profissões e posições consideradas humildes na sociedade, mas pessoas de caráter e fé nobres.

b) No entanto, em uma época em que os transportes são efetuados por meio de grandes navios transatlânticos, aviões a jato ou supersônicos, o homem vai à lua, viaja pelo espaço sideral por mais de um mês; em que a comunicação se faz por telefones, telex, com ligações diretas intercontinentais (do Brasil ao Japão, por exemplo); quando as imagens são transmitidas pela televisão (via satélite), ao vivo de um continente a outro; na época da informática, dos transplantes de órgãos humanos, até do coração, mediante exames computadorizados; quando o computador grava milhares de informações em memória numa fita ou disco de tamanho insignificante, mas de conteúdo igual ou superior a um arquivo de um metro cúbico, o pregador não pode ser um homem ignorante. Hoje, há verdadeiro intercâmbio cultural e artístico entre as nações, a História e a Geografia modificam cada dia, em face das mudanças políticas e conseqüentes alterações de regimes e de limites territoriais. Como deve ser o pregador do evangelho, o pastor, o evangelista — o ministro de Deus? Certamente um homem instruído, atualizado, capaz de acompanhar com sua mensagem o ritmo da sociedade em que vive, do povo a que pertence e da igreja que representa. Naturalmente, o poder de sua mensagem vem do Espírito Santo. Sua mensagem, que não é sua no sentido de origem, mas de Deus, deve ser extraída da Palavra de Deus, mas seus conhecimentos servem de adubo. Úteis ilustrações são tiradas da vida, da natureza.

c) Somos gratos a Deus por termos no Brasil muitas escolas preparatórias para obreiros. Isto não quer dizer que o pastor é feito na escola ou que sem escola não existe obreiro; a escola é feita para o obreiro. Hoje, as grandes denominações evangélicas possuem bons seminários e institutos que ajudam muito na preparação de homens vocacionados para o ministério da Palavra e para pregar o evangelho de Jesus Cristo. As editoras evangélicas ou casas publicadoras vêm editando excelentes livros para cultura cristã, divulgação cultural em geral, formação intelectual de nosso povo e preparação de obreiros. As igrejas evangélicas (as maiores) hoje produzem livros sobre todos os assuntos, especialmente ligados ao ensino religioso e teológico, editados e impressos pelas respectivas casas publicadoras ou imprensas evangélicas.

d) O campo de cultura do ministro do evangelho é ilimitado. Precisa ter ele vasta cultura bíblica ou teológica e secular. O estudo e a pesquisa em todas as áreas são válidos e úteis. A História Universal, Geografia Geral, Filosofia, Psicologia, Geologia, Sociologia, Letras, Gramática Histórica, Gramática Expositiva ou Normativa, Filosofia, Lingüística, Letras, Artes, Pedagogia, Didática, Hermenêutica, Exegese, ao lado de Teologia Bíblica e Sistemática e Homilética podem fazer do obreiro do Senhor um homem culto que, se humilde, pode colocar todo esse cabedal a serviço da Verdade.

e) A Bíblia é um verdadeiro oceano de conhecimento de Deus pouco explorado. Todas a Ciências podem ajudar o obreiro. Todo conhecimento que o obreiro possuir, inclusive no campo das ciências, inclusive médicas, poderá ser-lhe útil ao ministério da Palavra.

f) Não se pensa em sobrecarregar o obreiro, pastor ou evangelista, que já tem sobre seus ombros o peso da responsabilidade de um campo ministerial de vinte ou trinta congregações, além de uma sede com 300, 800 ou até 3.000 membros, conforme o sistema de organização da igreja (denominação) a que pertence. Ele precisa dispor de tempo para preparar-se, lendo, estudando a Palavra de Deus, visitando congregações de sua região, promovendo campanhas evangelísticas, visitando membros da igreja fracos ou doentes. Mas precisa também dedicar-se a estudos ou pesquisas que venham ajudá-lo em sua cultura geral e específica. É difícil conseguir fazer tudo isso; porém, é preciso fazê-lo, e para tal é necessário planejar e disciplinar o tempo e as atividades. Ore a Deus, cerque-se de auxiliares competentes, coordene todas as atividades da igreja, distribua funções, delegue atribuições e prossiga. O Senhor será contigo, "varão valoroso"!

g) Infelizmente, ainda temos em nossas igrejas e no ministério mentalidades tacanhas que acham que basta ao obreiro ou pregador a Bíblia e um hinário. Os que assim pensam conhecem muito pouco a própria Bíblia, mesmo que tenham decorado todos os seus versículos. Não há dúvida de que a Bíblia é o Livro por excelência. Ela é a fonte inesgotável do pregador. É seu tesouro, depósito de graça e de saber. Deus está na Bíblia. A Bíblia procede de Deus. Ela nos diz de onde viemos, como somos, como devemos ser e para onde iremos. Pobre, miserável, cego, surdo, mudo e nu é o pregador que não sabe colocar a Bíblia, o Livro de Deus, em primeiro lugar em sua vida, em seus estudos, em sua mensagem. Pregação sem a Palavra de Deus é um desastre, um fracasso, uma desgraça completa; não é pregação, mas sim falação.

h) É necessário que o pregador do evangelho use métodos eficientes para estudar a Bíblia. Tem ele o dever de interpretá-la corretamente e assim ensinar ao povo. Deve ler, orar, pedindo iluminação do Espírito Santo. A Bíblia, naturalmente, se explica com a própria Bíblia; entretanto, o pregador ou ministro deve e precisa usar os meios auxiliares. Não queira o intérprete que a Bíblia concorde com ele, mas ele é que precisa estar de acordo com a Bíblia. Relativo a este assunto, aconselhamos consultar nosso livro *O Pregador e o Ministério da Palavra*, editado pela CPAD.

i) A Bíblia é a revelação direta de Deus ao homem, por meio de escritos ou livros. Contém ela uma mensagem viva e atual para todas as épocas da história do homem, de todos os níveis e para todos os problemas que os aflige ou de seu interesse. Tem ela resistido a todos os ataques e choques da impiedade e da perversidade de espíritos incrédulos de homens em todos os tempos. Sempre sua mensagem foi e será vitoriosa. A crítica impiedosa de uma criatura caída e decaída não consegue diminuir seu valor. A zombaria, o desprezo de sentimentos perversos e as terríveis e ferozes investidas não conseguem arrefecer seu extraordinário valor. Continua ela como se nada lhe tivesse acontecido, produzindo os mais maravilhosos efeitos nas vidas dos que a lêem e estudam; dos que, com coração puro, ouvem sua mensagem. A Bíblia traz ao coração do homem o puro e terno amor daquEle que era, que é e que há de vir, o Todo-Poderoso. É ela que dá ao pregador força contra idéias e doutrinas errôneas, filosofias falsas e materialistas, paixões doentias do homem desviado de Deus; ajuda a alcançar os corações, a alma cansada, sedenta e faminta pela descrença, pela desilusão e pelo pecado, com uma mensagem de paz e esperança, como verdadeiro ungüento de fé, arrependimento, amor, perdão, graça salvadora de Jesus Cristo e consolo do Espírito Santo.

6

Do Caráter do Ministro Ideal

O ministro do evangelho precisa crer no que prega e viver o que ensina. Em outras palavras, deve crer e viver o que prega. Seu ministério será influenciado e qualificado por suas qualidades pessoais. Disse o grande sábio e pregador: "Porque, como imaginou na sua alma, assim é" (Pv 23.7). O que significa isto? Que o coração cheio de fé, amor, bondade, paciência e santificação permitirá que tais qualidades transpareçam e os demais percebam que realmente é ele um homem de Deus. O Senhor Jesus ensinou que "... do que há em abundância no coração, disso fala a boca" (Mt 12.34). A pureza de coração produz pureza de caráter, por isso o pregador diz: "Sobre tudo o que se deve guardar, guarda o teu coração, porque dele procedem as saídas da vida" (Pv 4.23). O apóstolo João, que vivera com Jesus aproximadamente três anos pessoalmente e tinha conhecido bem o caráter do Senhor, disse: "E o Verbo se fez carne e habitou entre nós, e vimos a sua glória, como a glória do Unigênito do Pai, cheio de graça e de verdade" (Jo 1.14). João assim declarou porque percebeu isso; notou, constatou e comprovou tudo isso na vida do Senhor.

1 Das Qualidades Naturais do Ministro do Evangelho

O homem de Deus precisa ter qualidades naturais que são suas inclinações. Costumamos dizer que vêm de berço, mas podemos dizer mais precisamente que vêm de família; são genéticas. Mesmo assim, são possíveis e passíveis de desenvolvimento e aperfeiçoamento. As boas qualidades devem ser cultivadas e aperfeiçoadas. Uma vida de comunhão íntima com Jesus aperfeiçoa o caráter e conserva as boas e naturais qualidades do homem.

2 Da Coragem do Ministro do Evangelho

O pregador, pastor, evangelista, presbítero, deve ser homem de coragem inabalável. Poderíamos dizer que precisa ser verdadeiro herói. É a principal de todas as qualidades naturais. Examinadas as Escrituras, comprovamos que o Senhor Jesus não temia Herodes, Pilatos, nem o Sinédrio. Quando precisava falar, falava; quando não precisava falar, ninguém o obrigava. O apóstolo Paulo não temeu os patrocinadores e adoradores de Diana, em Éfeso, nem as autoridades romanas nas pessoas de Félix, Festo e Agripa. Paulo não vacilou em chamar a atenção de Pedro quando precisou fazê-lo. Não foi subserviente àquele que era considerado uma das colunas da Igreja. O homem de Deus deverá ter coragem de enfrentar situações adversas provocadas pelo Diabo, por rebeldes, incrédulos, falsos irmãos e até falsos ministros.

3 Da Discrição

A excessiva simplicidade é prejudicial. Às vezes, o homem entra em situações difíceis por falta de cuidado no trato com algumas pessoas sobre certos assuntos. O ser tardio em falar e pronto a ouvir é verdadeira virtude (Tg 1.19). É uso da prudência para cada caso e ocasião. Pode o homem ser falsamente acusado por falta de cuidado em suas ações em dados momentos de sua carreira. Paulo ensina: "Não seja, pois, blasfemado o vosso bem" (Rm 14.16). Bom é que o ministro de Deus tenha vontade firme e controlada e mente sábia para agir prudentemente, não se envolvendo em situações embaraçosas. Podemos dar alguns exemplos para melhor clareza.

a) O obreiro deve e pode ser sempre cavalheiro, mas cauteloso.

b) Só deverá levar uma senhora ou uma jovem até sua casa, a sós, em caso de extrema necessidade, e se não houver outro recurso.

c) Levar uma jovem ou senhora até determinado lugar, a título de "carona", a sós e repetidamente, deve ser evitado.

d) Todo contato com o sexo oposto deve merecer muito cuidado.

e) O tratamento afetuoso só para mulher, jovem ou senhora, precisa ser evitado.

f) Tratar com distinção determinado irmão, quando outros estão com ele, não fica bem.

g) Tratar pessoas financeiramente abastadas de maneira privilegiada é atitude reprovável no obreiro.

h) Entrar em conversa de pessoas, mesmo sendo membros de sua igreja, quando esses falam em particular, é falta de discrição.

i) Usar termos que traduzam fascinação por alguma pessoa, mesmo sem malícia é censurável.

j) Elogiar só as mulheres ou só a esposa, quando se tratar de casal, mesmo que as intenções sejam as mais justas e puras pode suscitar comentários.

4 Da Diligência

Diligência significa pronta providência; é zelo público. É qualidade extremamente necessária ao trabalho do ministro do evangelho. Paulo ensina que "o que preside, com cuidado" o faça (Rm 12.8). A preguiça é incompatível com a função do ministro de Deus. Precisa estar ele preparado para trabalhar em todo o tempo; Jesus era assim, é assim; Deus era assim; é assim: "Meu Pai trabalha até agora, e eu trabalho também" (Jo 5.17). Todos talvez tenham hora para começar e encerrar seu expediente; o ministro de Deus, não. O homem de negócio às vezes trabalha até mais de oito horas, a dona de casa trabalha o dia todo; o operário trabalha oito horas por dia. E o ministro (pastor ou evangelista)? Não sabemos dizer quantas horas por dia vai trabalhar; tantas quantas forem necessárias.

5 Da Pontualidade

O ministro do evangelho deve ser um homem de palavra. A pontualidade deve ser uma de suas virtudes prediletas. Quando assume um compromisso, deve fazer o possível para não falhar.

Não deve atrasar num encontro e muito menos faltar. É erro grave faltar, sem motivo de força maior, a um compromisso assumido. Jesus ensinou: "Seja, porém, o vosso falar: Sim, sim; não, não..." (Mt 5.37). Tiago, seu irmão, é do mesmo parecer: "... a vossa palavra seja sim, sim e não, não..." (Tg 5.12). Não é raro a pessoa chegar à má reputação de "tratante", *i.e.*, pessoa que trata, mas esquece-se de cumprir ou negligencia o cumprimento do dever. Isto acontece até para pregar em uma igreja. Anote o combinado em sua agenda e cumpra o dever! Se não puder cumpri-lo, comunique-se em tempo hábil com a pessoa ou igreja com que tratou, sempre que possível.

6 Do Asseio Pessoal

O pastor ou evangelista deve ser um homem escrupulosamente limpo. Sabemos que há ministro do evangelho que enfrenta situações financeiras difíceis, mas não para andar sujo. No traje, o obreiro do Senhor precisa andar bem arrumadinho, limpo, "cheiroso", com perfume ou sem perfume, deve sempre estar bem asseado a fim de que as pessoas que dele se aproximam sintam o cheiro de limpeza e este asseio ressalte às vistas. Não quer isto dizer que o pastor deve andar exageradamente na moda, mas com correição no asseio pessoal e no vestir. A higiene pessoal e corporal deve ser tão perfeita como a da mente, do coração e da linguagem. Sabemos que a mente sã e pura resiste aos maus pensamentos; isso produz pureza da linguagem, para não proferir palavras incompatíveis com o decoro do ministro ou de seus ouvintes. E a propósito, o uso de gíria deve ser evitado pelo pregador do evangelho. Se seu vocabulário é pobre, enriqueça-o com o léxico da língua nacional; no nosso caso, a língua portuguesa.

7 Do Tacto no Trato

Tacto é prudência, qualidade de inestimável valor para o ministro do evangelho. Atitudes, palavras ou gestos impensados podem prejudicar o trabalho do obreiro. Às vezes, o ministro precisa corrigir pessoas adultas, jovens, crianças, por exemplo. Há casos em que precisa ele corrigir alguma desordem na igreja, durante o culto ou ensaio. Numa assembléia, tem necessidade de impugnar uma declaração feita em público, com a qual não pode o pastor concordar. Precisa ele usar do máximo cuidado para não ferir a suscetibilidade das pessoas, não desmoralizar o declarante, nem criar clima desagradável no ambiente. Quando se tratar de crianças que não estão se comportando bem, o cuidado do pastor evita criar ressentimentos nelas e nos pais.

8 Da Dignidade do Ministro do Evangelho

Se o obreiro não tiver dignidade não pode ser ministro do evangelho. Dignidade é nobreza, decoro, gravidade, compostura, qualificativos que o ministro precisa ter. Isto não significa que o ministro precisa carregar consigo piedade forçada, semblante solene ou ameaçador, mas compostura que inspira respeitabilidade. Ele é líder espiritual e exemplo moral do povo de Deus. A aparência exterior para pouco aproveita. O pastor tem o sagrado dever de ser homem temperado, mesmo em se tratando de ministro jovem, como acontece em muitas igrejas. Paulo recomenda e encoraja Timóteo: "Ninguém despreze a tua mocidade..." (1 Tm 4.12). Aos irmãos da Igreja de Éfeso, o apóstolo Paulo aconselhou que não houvesse entre eles "Nem torpezas, nem parvoíces, nem chocarrices, que não convêm; mas, antes, ações de graças" (Ef 5.4). O ministro não se deve mostrar excessivamente íntimo com os membros da igreja para evitar que estes o tratem irreverentemente. Não deve permitir familiaridade indevida com as pessoas que o cercam, especialmente com os jovens, e mormente em se tratando de ministro jovem, para não haver manifestações juvenis em excesso, pois isto poderá diminuir sua autoridade e rebaixá-lo no conceito e respeito dos demais crentes e concidadãos da família de Deus.

9 Da Liderança

Já vimos de várias maneiras que o pastor é líder espiritual do povo de Deus. Líder é guia, chefe, cabeça. O pastor é isto. É um ensino de todo o Novo Testamento. Essas qualidades devem ser latentes no pastor. A liderança não se impõe; não precisa dizer que é liderança. É prontamente reconhecida pela igreja quase que instintivamente. A liderança emerge da sabedoria, da vida e da maturidade do ministro. Não é a posição que faz o líder. Tanto é que tem havido casos de pessoas que adquiriram a posição, mas nunca conseguiram liderar. A liderança é imposta pelas aptidões e pelo caráter inerente da pessoa do ministro, imbuído de grande senso do dever.

Compete ao líder:

a) Ter disposição de assumir responsabilidades de interesse dos liderados;

b) Tomar decisões de interesse da classe;

c) Ter cuidado nas tomadas de decisão, para não ferir interesse particular;

d) Não responsabilizar os liderados ou algum deles por atos de liderança;

e) Assumir sozinho a responsabilidade de todos os atos próprios de liderança;

f) Delegar atribuições que não sejam exclusivas do líder;

g) Não passar para outros responsabilidade sua (do líder);

h) Delegar atribuições, escolher auxiliares, obreiros, até pastores para tarefas próprias, de acordo com a habilidade de cada um;

i) Ser hábil e prudente na solução dos problemas;

j) Procurar aprender mais ainda da natureza humana, de psicologia e da vida em grupo para melhor atuar como líder;

l) Dar apoio aos auxiliares para o bom desempenho das funções recebidas;

m) Supervisionar, com eficiência e diligência, todos os trabalhos dos auxiliares.

10 Das Qualidades Espirituais do Ministro do Evangelho

As qualidades espirituais do obreiro são características essenciais para o bom desempenho de sua tarefa. São indispensáveis. Uma que falte, o obreiro não é completo. Pode fracassar em sua carreira ministerial. O Senhor Jesus possuía todas: amor, fé, santidade, humildade, paciência e espírito perdoador.

10.1 O amor

Não queremos falar do amor de Deus, mas do nosso amor a Deus. A profunda estima que a Ele devotamos. O ministro deve possuir coração pleno de amor ao Senhor Deus, não por mandamento, mas espontaneamente. É dispensável dizer que Deus nos ama, pois a Bíblia diz que "Deus é caridade" (1 Jo 4.8), e nossa experiência no-lo diz também. Mas o ministro do evangelho deve possuir uma sensibilidade de amor ao Senhor tão grande que possa superar a todo e qualquer argumento. "Amarás, pois, o SENHOR, teu Deus, de todo o teu coração, e de toda a tua alma, e de todo o teu poder" (Dt 6.5; Mt 22.37). Entendemos então que o homem deve amar o Senhor com toda intensidade da alma. Isto envolve todo o seu ser, abrangendo todo seu complexo de personalidade. De igual maneira, o ministro deve amar profundamente seu povo, *i.e.*, a igreja que está sob sua responsabilidade e os pecadores ou almas perdidas. Por amor, deve o ministro dedicar-se a Deus e a sua igreja. Deus é assim; Jesus é assim (Lv 19.18; Mt 22.39).

10.2 A fé

Pela fé o pastor ou ministro do evangelho abre os tesouros do Altíssimo. Por ela somos salvos, batizados no Espírito Santo, adornados de dons espirituais, fomos chamados para o santo ministério e exercemos trabalho eficaz. A Palavra de Deus diz que "o justo viverá da fé" (Hb 10.38); "... sem fé é impossível agradar-lhe..." (Hb 11.6). A fé é o poder que move a mão de Deus. Por conseguinte, a fé é essencial ao ministro bem-sucedido.

10.3 A santidade

Como pode pregar santidade uma pessoa que tem vida impura? Santidade é do caráter de Deus e Ele exige de seus filhos tal qualificativo: "... purificai-vos, vós que levais os utensílios do SENHOR" (Is 52.11). "Segui [...] a santificação, sem a qual ninguém verá o Senhor" (Hb 12.14). O pregador que não mostrar, por meio de sua vida, o poder santificador de Deus é negativo demais para o trabalho que pretende realizar e torna ineficaz sua atividade. A vida santa reflete na igreja e no mundo.

10.4 A humildade

Esta é uma virtude maravilhosa. A humildade não exclui autoridade nem nobreza. Muitos têm fracassado em várias atividades pelo procedimento oposto — o orgulho. O inimigo de nossas almas tem procurado, e em muitos casos conseguido, macular vidas preciosas e até santas, quando não pode estragá-las de outras maneiras, semeando nos corações o terrível joio do orgulho, enquanto o servo de Deus "dorme". Desta forma, o homem fica inchado, empanzinado com a soberba: profissão, lugar que ocupa, posição social ou ministerial, fama como bom pregador ou mestre, e outras. Esquece-se de que tais atitudes são desastrosas para a vida espiritual e ministerial. O orgulho desequilibra o comportamento, desqualifica o indivíduo em sua posição de líder espiritual e moral da igreja e afasta-o dos sinceros, permitindo-lhe aproximação apenas dos subservientes ou bajuladores. A grande lição de humildade encontramos no Senhor Jesus, que ensinou: "Tomai sobre vós o meu jugo, e aprendei de mim, que sou manso e humilde de coração" (Mt 11.29). João, o apóstolo do amor, registra as palavras do Senhor: "Porque eu vos dei o exemplo, para que, como eu vos fiz, façais vós também" (Jo 13.15). Jesus havia lavado os pés dos discípulos.

10.5 A paciência

Paciência é outra virtude de fundamental valor para o ministro do evangelho. O ministro não deve perdê-la. A paciência aqui é sinônimo de perseverança, e o Senhor ensinou: "Na vossa paciência, possuí a vossa alma" (Lc 21.19). As obras importantes e de efeitos duradouros não se fazem num instante. Para construirmos uma choupana, gastamos muitas horas ou dias de trabalho. Para edificarmos um suntuoso templo, levamos muitos anos. Para altas realizações, precisamos dispor de tempo e paciência. Tiago, irmão do Senhor, escreveu: "Eis que o lavrador espera o precioso fruto da terra, aguardando-o com paciência, até que receba a chuva temporã e serôdia" (Tg 5.7). De igual modo, a semente da Palavra de Deus leva tempo para germinar, crescer e amadurecer. Ao ministro do evangelho compete fazer sua parte: pregar, evangelizar, ensinar, aconselhar, visitar, orientar e esperar os resultados pacientemente. Os resultados são de Deus; é Ele que dá o crescimento. Não queira o lavrador colher frutos verdes! Às vezes, o crescimento ou desenvolvimento é imperceptível. Lembre-se do que diz o Senhor por meio do profeta Jeremias: "... porque eu velo sobre a minha palavra a cumprir" (Jr 1.12). A paciência é uma virtude ou qualidade espiritual de tão alto padrão que não deve faltar aos ministros e obreiros da Palavra de Deus em todos os campos de sua atividade.

10.6 Perdão ou sentimento perdoador

É próprio do ser humano guardar mágoa, rancor e ódio de seu semelhante. A vingança está sempre no coração do homem natural. Isto não deve acontecer com o homem espiritual, e muito menos com o homem de Deus. Ele é perdoador; precisa ter esse sentimento. Ocasiões surgem em que será ele ofendido moralmente e até fisicamente, mas precisará perdoar. Se ofendido pessoalmente e guardar ressentimentos, poderá ensejar oportunidade ao inimigo de provocar surgimento de focos de descontentamento na igreja que podem culminar em divisão e até ruína geral no trabalho local, com efeitos de maior extensão no ministério geral da denominação. O perdão era, e é, o sentimento de Cristo Jesus, nosso Senhor. Na cruz, disse: "Pai, perdoa-lhes, porque não sabem o que fazem" (Lc 23.34). O grande mártir diácono, Estêvão, era perdoador. Para seus algozes pediu perdão: "... Senhor, não lhes imputes este pecado" (At 7.60). Paulo, o apóstolo, tinha o mesmo espírito: "... antes, todos me desampararam. Que isto lhes não seja imputado" (2 Tm 4.16). Jesus ensinou assim: "Se, porém, não perdoardes aos homens as suas ofensas, também vosso Pai vos não perdoará as vossas ofensas" (Mt 6.15). Paulo ainda ensina aos irmãos de Éfeso o seguinte: "Antes, sede uns para com os outros benignos, misericordiosos, perdoando-vos uns aos outros, como também Deus vos perdoou em Cristo" (Ef 4.32).

11 Das Ocupações Secundárias

Muitas já são as ocupações de um obreiro que se dedica à obra do Senhor. Muitas são, também, as atividades secundárias que tomam parte do precioso tempo do ministro do evangelho. Dessas ocupações secundárias, algumas ou muitas delas são verdadeiras distrações que se apresentam àqueles que são chamados por Deus para o ministério, as quais podem servir de laço ou embaraço na obra do Senhor. Uma delas, talvez a mais perigosa, é a que diz respeito a funções rendosas ou trabalhos estranhos ao emprego principal ou ao ministério, para os que vivem só do evangelho. Às vezes, tomam tanto tempo que o pastor ou ministro fica apenas com a sobra para dedicar ao trabalho do evangelho, o que se torna muito prejudicial à igreja onde serve e a seu próprio ministério. O ministro não deve pôr seu coração em rendas excessivas ou aquisições em demasia de bens, pois isto indubitavelmente prejudicará suas atividades ministeriais, fazendo até que outros duvidem de sua real chamada para o ministério.

O Senhor Jesus ensinou o seguinte, entre outras coisas: "Ninguém pode servir a dois senhores, porque ou há de odiar um e amar o outro ou se dedicará a um e desprezará o outro. Não podeis servir a Deus e a Mamom" (Mt 6.24). O apóstolo Paulo fez a mesma advertência a Timóteo: "Ninguém que milita se embaraça com negócio desta vida, a fim de agradar àquele que o alistou para a guerra" (2 Tm 2.4). Não é isto uma repreensão de Paulo àqueles que se dedicam a trabalho honesto, que não dependem da igreja para se manterem, ou que dirigem igreja sem condições de manter seu pastor. Trabalham para ganhar o pão e não serem pesados à igreja onde servem ao Senhor, isto é até louvável; altamente louvável. Muitos pioneiros da obra do Senhor procederam assim. No entanto, o ministro precisa ter o cuidado de não deixar para o Senhor apenas a pequena sobra, o resto. Para um bom desempenho na obra do Senhor e no trabalho secular, sem permitir que uma atividade prejudique a outra, basta ter o obreiro bom senso e colocar o coração na causa.

a) Não obstante o que já se disse acima, quando uma igreja cresce e desenvolve seu campo de atividades, deve pensar e cuidar em proporcionar a seu pastor provimento necessário para o sustento dele, com muita responsabilidade, oferecendo-lhe salário e condições de trabalho dignos, o que permitirá que ele possa dedicar tempo integral ao trabalho da igreja.

b) O ministro do evangelho certamente se sente honrado pela função e posição que ocupa sendo mensageiro de Deus e líder da igreja de Jesus Cristo.

c) Normalmente, fica satisfeito e sente-se honrado também por ser reconhecido pela igreja como digno de tão grande liberdade para o trabalho do evangelho, sem cuidados excessivos com emprego, salvos, patrão, obrigações com subordinados ou chefes e outras, podendo dedicar seu tempo somente à obra do Senhor Jesus Cristo.

d) Bom é que o ministro do evangelho (pastor ou evangelista) ou obreiro designado para o trabalho do Senhor se encontre nas situações indicadas por Pedro e Paulo: "... lançando sobre ele toda a vossa ansiedade, porque ele tem cuidado de vós" (1 Pe 5.7). "E bem quisera eu que estivésseis sem cuidado" (1 Co 7.32). Assim, podendo o obreiro dedicar-se exclusivamente à obra do Senhor é motivo de grande satisfação e de dar glória a Deus pela vitória alcançada.

7
O Pastor e os Problemas Eclesiásticos

Neste capítulo, queremos focalizar os problemas que normalmente o obreiro, especialmente o pastor, terá de enfrentar, embora também se preste este enfoque para o evangelista ou presbítero, conforme a situação ou organização eclesiástica da denominação a que pertence o obreiro.

1 Da Atitude do Ministro diante de Convite de uma Igreja

O número de obreiros cresce proporcionalmente ao número de membros da igreja local e de igrejas filiadas ou congregações de uma igreja setorial. O ideal seria um pastor para cada igreja ou congregação de mais de cinqüenta membros; no entanto, isto varia de acordo com o sistema orgânico da denominação evangélica. Outro fator predominante é o de ordem econômica e social da igreja. Obviamente, a ordem econômica tem muita força sobre a administrativa.

a) Deixamos de definir aqui igreja e congregação, deixando subentendida congregação como igreja filial, visto que há muitos ministros que até deixam de chamar igreja a um setor de dois e três mil membros, com a precaução de "espírito de divisão", como se isto alterasse alguma coisa no sentimento puro ou corruptor de alguém. Isso não altera nada. De acordo com a Palavra de Deus, a igreja sede de um ministério de 500 congregações é semelhante àquela igreja final, cabeça de setor, de cinco congregações. A importância está no tamanho. A Bíblia não define congregação e igreja, como sendo aquela subdivisão desta. Congregação é a reunião de membros cristãos para tratar de assuntos relativos a sua fé; igreja também é isto. Em outras palavras, congregação é sinônimo de igreja. Israel, no deserto, se reunia e esta reunião era congregação. No entanto, não era um grupo subordinado a outro maior. Existe igreja evangélica que já tem o nome de congregação, mesmo se referindo a toda a denominação.

b) Há muitos fatores, como já vimos, que concorrem para certas mudanças no sistema orgânico da igreja local, uns do lado do pastor, outros do lado da própria igreja; uns de ordem social, outros de ordem moral.

c) A saída do pastor de uma igreja é causada por vários motivos: morte, transferência ou remoção (transferido de uma igreja para outra). Qualquer que seja, deixa na igreja um claro que precisa ser preenchido; a vacância não pode permanecer por muito tempo.

d) Por outro lado, o pastor está sujeito a doenças, deficiência financeira, incompatibilidades locais, problemas advindos de campos mais carentes, chamadas ou convites mais oportunos, questões de família, influências externas e internas, persuasão divina e tantas outras razões que contribuem para a mudança do ministro de uma igreja.

e) Casos ainda mais freqüentes são os provenientes de ordem administrativa, em face de seu sistema centralizador, possuindo a igreja muitas outras igrejas menores ou igrejas-congregações (como já vimos), subordinadas à sede, ligadas pela convenção estadual, ou geral, ou regional, e até por estatuto, que designam pastores para as igrejas subordinadas ao ministério, sínodo ou outro órgão controlador ou recolhem pastores à sede, de acordo com as necessidades dos serviços locais. É o sistema congregacional.

f) Há igrejas (denominações) evangélicas que, dada sua natureza orgânica, independentes que são entre si, embora ligadas à convenção, convidam um ministro para exercer o pastorado. O convite geralmente é feito por meio de um delegado da igreja ou representante, ou ainda uma comissão.

g) Qualquer que seja o sistema, tudo deve ser precedido de oração, jejum, e consagração, para que o Espírito Santo dê vida. É

Ele o supremo Dirigente da Igreja de Jesus Cristo. Esqueça-se o pregador ou pastor, evangelista ou presbítero a denominação e pense na Igreja de Jesus Cristo, coluna e firmeza da verdade, que Ele comprou com seu próprio sangue.

h) A igreja local ou setorial não deve se prevalecer de sua boa condição financeira para convidar, na vacância do pastorado, um pastor de outra por ser renomado pregador ou mestre ou escritor. Entendemos como falta de ética uma igreja "tomar" o pastor de outra, mais ainda do que tomar membros de uma co-irmã. Há momentos oportunos para a igreja como existe para o pastor. Deus proverá! É Ele que dá o pastor à igreja. Paulo diz: "E ele mesmo deu uns para apóstolos, e outros para profetas, e outros para evangelistas, e outros para pastores e doutores" (Ef 4.11).

i) Não deve a igreja convidar pastor para assumir seu pastorado por compaixão ou por ser mais barato.

j) Há igrejas que convidam pastor que já exerce o pastorado em outra ou outras igrejas co-irmãs e o pastor, neste caso, acumula as funções. Isto não se dá normalmente no sistema congregacional. Quando o sistema é centralizado, o pastor assume várias congregações ou igrejas filiadas e subordinadas à sede, e mantém auxiliares que podem ser pastores, evangelistas, presbíteros ou outros cooperadores de direção. Qualquer que seja o sistema, a igreja ou o ministro deve levar em conta o homem, sua personalidade seu prestígio, seu valor moral e espiritual, sua capacidade de ensinar a Palavra de Deus, de guiar e instruir o rebanho do Senhor e sua vida consagrada.

2 Da Ética do Pastor e da Igreja

Deve haver um tratamento ético entre a igreja e o pastor. Há ética para a igreja; há ética também para o pastor ou ministro. O pregador (pastor ou evangelista) deve ter o coração na obra, paixão pelas almas, em primeiro plano. Não deve o pastor ou evangelista colocar seu coração nas coisas materiais, mesmo que sejam honestas aparentemente. Não deve tomar atitudes favoráveis ou decisórias e convites para novos campos pastorais ou novas atividades só para ter novidades, melhores ordenados, maior prestígio pessoal ou outras vantagens secundárias. Tudo isso entra na balança das decisões, mas colocadas em seus próprios lugares. Naturalmente, como homem, o pastor dá valor a vantagens pessoais, conforto, tais como casa pastoral boa, automóvel por conta da igreja, combustível, custeio de contas telefônicas, de água, energia elétrica, uma vez que são despesas ligadas à obra, mas tudo isto é secundário. A persuasão divina está em primeiro plano na vida do ministro de Deus. Se Deus o chama para trabalho pequeno, não se julgue o obreiro diminuído. É lá que ele vai ser grandemente abençoado. O trabalho pequeno será grande e ele terá seu mérito. Não deseje só coisa pronta. O inimigo pode surgir ou insinuar idéias traiçoeiras. Por esse motivo, o pastor deve submeter sua vontade à do Senhor, pois quem guia a toda a verdade é o Espírito Santo (Jo 16.13). Ore com coração puro, espere com fé e vigilância e não errará.

3 Da Fidelidade Mútua — Pastor e Igreja

O pastor e a igreja devem ser fiéis um ao outro. Os compromissos de ambos devem ser respeitados bilateralmente. No entanto, o pastor deve ser o modelo, mesmo que a igreja, por meio de seus representantes, como presbitério ou ministério local, comissão, corpo diaconal ou outro órgão representativo não o sejam. Paulo ensina a seu companheiro Timóteo assim: "Ninguém despreze a tua mocidade; mas sê o exemplo dos fiéis, na palavra, no trato, na caridade, no espírito, na fé, na pureza" (1 Tm 4.12). O pastor e a igreja devem ser fiéis à doutrina de Jesus Cristo e dos apóstolos, que é a mesma da Igreja de Jesus ou Igreja Apostólica. O pastor deve zelar por essa doutrina, instruindo os crentes a permanecerem nela. Se por infelicidade venha o pastor duvidar da doutrina que aceitou e prega ou costumes da denominação ou igreja onde serve ao Senhor, deve ser leal e honesto, colocando seu ministério à disposição do ministério geral, convenção, sínodo, presbitério ou qualquer outro órgão controlador, pondo seu pastorado à disposição do ministério central ou da igreja-mãe ou sede, voltando para os bancos, mas nunca ensinando doutrina errada, embora lhe pareça certa, ou insurgindo-se contra os costumes da denominação. A igreja do Senhor não deve, em nenhuma hipótese, ser prejudicada. Prejudique-se ele a si só;

é menos desastroso. Mas que o Senhor nosso Deus nos guarde! Deus guarde seus ministros! Nunca faça, nunca provoque divisão da igreja! Nunca leve os crentes que tanto confiam em você para outro credo! Nunca! Amém! A igreja deve seguir rigorosamente a orientação de seu fiel pastor. Precisa honrá-lo, apoiá-lo, obedecer sua orientação e zelar por seu bom nome. Ele e a igreja são um.

4 Da Liderança do Pastor na Igreja

Em todas as grandes empresas, há chefia, diretoria, liderança. No governo federal, estadual ou municipal, há uma escala hierárquica em todos os órgãos e repartições. Cada um exerce a autoridade que lhe é delegada por lei, estatuto, regimento ou qualquer outra forma prevista em lei. Nos partidos políticos, a representatividade é também por meio das muitas lideranças. O mesmo acontece nas escolas, tanto públicas como particulares. Todos os segmentos da sociedade, geralmente, têm seus líderes. Na Igreja de Jesus Cristo, não é diferente, mesmo que se queira ocultar tal qualidade, por humildade ou por qualquer outro motivo. Não temos uma escala tão grande como na Igreja Católica Romana, que foge a todos os padrões bíblicos, mas temos nossa escala de liderança. O termo "líder", muito utilizado nas igrejas evangélicas, é muito vago. É uma palavra adaptada do inglês (*leader*), que não diz tudo, mas se aproxima do que se pretende dizer, pensando em português. Geralmente é título usado genericamente para obreiros que estão à frente da igreja local, da denominação, da convenção e outros cargos elevados na igreja do Senhor.

a) Em páginas atrás, falamos sobre a liderança ou qualidades do líder. O pastor precisa ter qualidades de líder, e deve ser realmente líder.

b) Liderar não é apenas chefiar; é atrair, cooperar, coordenar, comandar, guiar, conduzir, buscando satisfazer as necessidades do grupo, no caso, a igreja.

c) Deve o pastor exercer grande influência, como líder, sobre a igreja local ou setorial, para que tudo que ele tiver de bom possa oferecer a ela.

d) A sociedade vê no pastor um líder, líder religioso, mas com certo cheiro político também. Além dos títulos eclesiásticos usados pelas denominações ou igrejas evangélicas, tais como pastor, bispo, presbítero, pastor-presidente ministro-geral, presidente do supremo concílio, ancião, presbítero-geral, e outros, que são termos bíblicos ou com adaptação bíblico-estatutária.

e) "Líder" é um termo secular, válido mais para os de fora, pois os membros da igreja não chamam seu pastor de líder, especialmente no trato pessoal.

5 Das Funções do Pastor

Este ponto faz parte da eclesiologia. Veremos mais minuciosamente em páginas adiante. Trataremos agora em linhas gerais. Que é ser pastor? Que faz o pastor?

a) Significa algo mais que administrador da máquina orgânica da igreja ou denominação cristã;

b) Significa um apascentador dos crentes e orientador das famílias cristãs;

c) É uma força inspiradora nas vidas dos membros da igreja local e geral;

d) É uma força capaz de levar os crentes a se desenvolverem em muitas atividades na vida espiritual e cotidiana;

e) É um homem capaz de inspirar, por meio de seus sentimentos e capacidade emotiva, grandes feitos nos membros da igreja;

f) É um homem que organiza sua vida de maneira que a torna modelo de fé e vida para os que o ouvem e o seguem;

g) É o pastor um dinamismo ou forma dinâmica que inspira tarefas extraordinárias para o cristianismo, a fim de que este continue a ser a mais pura religião do mundo em todos os campos da atividade humana;

h) É um aperfeiçoador de caráter humano;

i) É um mensageiro de boas notícias referentes ao Reino de Deus;

j) É ministro ou servo de IAHWEH (Jeová), embaixador de seu Reino na terra.

l) Uns pastores se dedicam especialmente à organização, outros a finanças, outros à evangelização, outros à construção de templos.

m) Qualquer que seja seu maior pendor, não deve esquecer-se de que o púlpito é lugar de ensinar as verdades divinas, é uma força inspiradora, traz visões de Deus, inspira idéias sublimes aos ouvintes, aperfeiçoamento de caráter, cria normas de vida, modifica costumes, reforma vida, meios e ambientes, guia pela estrada reta e justa, vivifica mortos morais e espirituais, anima fracos e caídos, destrói pessimismo e estabelece otimismo, edifica e fortalece moral e caráter cristão. O púlpito não pode ser utilizado para outra coisa senão para ensinar as verdades divinas. Não deve ser profanado em qualquer hipótese ou por qualquer pretexto. É a plataforma usada pelo pregador, evangelista, pastor ou cooperador de Deus para a redenção das almas, para modificar o mundo, para preparar ambiente para o Reino de Deus.

6 Da Sucessão do Pastor

Já falamos sobre os problemas que o pastor enfrenta. Já abordamos situações entre o pastor e seu sucessor. Cabe aqui alguma observação ainda sobre a sucessão do ministro de Deus na igreja. Toda vez que há uma mudança de pastorado ou de campo de atividade do pastor, estabelece-se um caso de sucessão pastoral e a criação de um novo estado de coisas, por causa do novo ambiente criado com a saída de um e a chegada de outro. De quem é o problema? É da igreja? É do pastor que se retira ou do que assume o cargo? A resposta é esta: o problema é de todos. Entretanto, a responsabilidade maior é da igreja local. Pastor entra, pastor sai; a igreja fica. É ela que vai arcar com o ônus e oferecer condições para sua própria condução. Precisa oferecer ao pastor que entra condições propícias para bom desempenho dele.

a) O pastor que se retira deixa o trabalho a seu sucessor com todos os feitos e defeitos. Cumpre-lhe preparar ambiente favorável ao sucessor. Nunca faça referência má ou insinuante a qualquer membro da igreja, do futuro pastor. Além de fugir à ética, predispõe o confidente a não aceitar o novo ministro. O trabalho é o único prejudicado. Nunca predispor o povo contra o novo pastor, é seu dever.

b) O novo pastor, de igual modo, nunca deve fazer más referências de seu colega antecessor, mesmo que haja motivo. Se não pode falar bem dele na igreja, cale-se; ore por ele, peça oração por ele; ambos sairão ganhando. Não aceite, em público, referências desairosas ao colega. Hoje é ele quem sai; amanhã será você.

8

Do Pregador do Evangelho e seu Dever de Conhecer a Deus e o Homem

1 Do Conhecimento de Deus

Conhecer a Deus é dever do pregador, qualquer que seja seu título eclesiástico. Conhecer a Deus é ter estreito relacionamento com o Senhor: amor, dedicação ou consagração, oração constante, sofrimentos, gozos, responsabilidades públicas ou não. Conhecer a Deus é viver íntima comunhão com o Criador. Conhecer a Deus traz ao pregador mais graça e eficiência em suas atividades. É impossível ser um pregador eficiente sem conhecer profundamente o Senhor Deus que em santo amor cria, sustenta e dirige tudo. Conhecer a Deus é conhecer o Criador como Governador do universo em sua tríplice manifestação: onipresença, onisciência e onipotência. Deve o pregador ter convicção e experiência desses atributos em sua própria vida. Deve e precisa ter correta concepção e clara evidência da unidade de Deus em três Pessoas distintas, divinas, poderosas, de mesma essência e natureza: Pai, Filho e Espírito Santo. O Pai é Deus, o Filho é Deus e o Espírito Santo é Deus; não há três deuses, mas o Pai, o Filho e o Espírito Santo são o mesmo Deus. Precisa o pregador ter clara concepção da harmoniosa atuação de Deus em toda a natureza, das relações harmônicas dos atributos de Deus, tais como amor, santidade e justiça no sentido mais absoluto do termo. Deve o pregador saber, com absoluta certeza, que Deus se relaciona com o homem por esses atributos. A Bíblia nos apresenta grande número de homens que passaram por maravilhosas experiências com Deus.

a) A experiência por que passou Isaías por ocasião de sua chamada para o ministério profético é altamente ilustrativa, instrutiva e edificante (Is 6.1-8).

b) Paulo de igual modo foi chamado de maneira extraordinária e nos põe a pensar na importância da divina revelação, seus objetivos e efeitos na vida daquele que o Senhor designa para seu trabalho (At 9.1-22; 22.6,10).

c) Estes homens são modelos de contato direto com Deus, pela chamada e um processo que obviamente tem que perdurar para surgir os efeitos que o Senhor deseja obter do homem na tarefa que lhe é imposta.

d) Daí a necessidade de o pastor, pregador ou ministro de Deus fazer constantes leituras diletantes e devocionais, além de estudos bíblicos mais profundos, com meditação, para que, pelo contato com o Santo Livro, possa obter conhecimento de verdadeiras fontes de informação referentes a homens que viveram para Deus e muito nos transmitiram com seu exemplo e trabalho.

e) Da mesma forma que a vida dos santos do Senhor registrada no Livro de Deus nos serve de inspiração e lição de vida ministerial, e nossa, a do homem de Deus hoje poderá servir para a posteridade.

f) Quando lemos os escritos de Paulo, hoje, concluímos que não pairava em sua mente ou em seu coração dúvida ou confusão.

g) A obra do ministro do evangelho exige conhecimento profundo de Cristo, que é conhecer a Deus. É essencial ao ministro para realização da obra para a qual foi chamado. Quando lemos sobre a obra desses homens, sentimo-nos pequenos. Entretanto, se fizermos como fizeram eles, seremos modelo e incentivo para outros. Por esse motivo, Paulo nos diz que precisamos ter experiência "E conhecer o amor de Cristo, que excede todo entendimento, para que sejais cheios de toda a plenitude de Deus" (Ef 3.19). "Para conhecê-lo, e a virtude da sua ressurreição, e a comunicação de suas aflições, sendo feito conforme a sua morte" (Fp 3.10). Como é o Espírito Santo que promove a comunhão com

Deus e com seu Filho Jesus, o pastor ou ministro do evangelho deve encarar como único meio para ser embaixador de Cristo o conhecer das maravilhas das operações do Espírito do Senhor. É essa comunhão que nos põe em perfeita comunhão uns com os outros (At 1.5,8; 1 Jo 1.3,6,7).

h) O Espírito Santo concede poder do alto e isto é indispensável ao pregador do evangelho, que é testemunha de Jesus (At 1.8).

2 Do Conhecimento do Homem

O pregador ou pastor ou evangelista obrigatoriamente é um pensador, queira ou não. Não é pensador em termos de filosofia secular, embora também o seja, mas não só isto. É também, e principalmente, psicólogo. O pastor precisa ser psicólogo, mesmo que não tenha estudado esta disciplina de maneira sistemática. Sendo a psicologia uma ciência que estuda as manifestações da alma por meio do comportamento, é, até certo ponto, uma atividade natural e espontânea do espírito humano. E assim sendo, o pastor, evangelista ou pregador, precisa ser um psicólogo, nem que seja pelo modo natural. O motivo de fracasso de muitos obreiros é não conhecer o povo, as pessoas em suas diferenciações individuais, o comportamento humano isolado ou em massa e outras manifestações da alma humana. Muitos obreiros entram em choque com jovens, com pais, e até com crianças, por não entenderem o espírito dos adolescentes e das crianças.

a) Há grande variedade de gostos, desejos, ambições, inclinações, interesses próprios e particulares, e pretensões impossíveis de ser previstos com precisão.

b) O pastor ou pregador que assume a direção de uma multidão como guia e mestre, de orientador e líder, tem obrigação de saber que todas as pessoas são diferentes umas das outras, e que as fachas etárias se distinguem acentuadamente. Portanto, ele precisa estudar cada grupo e situação para ser intérprete de situações diversas.

c) Precisa o ministro de Deus se conscientizar de que o pastor precisa ser irmão, pai, companheiro, amigo, conselheiro, mestre e chefe. Precisa ter habilidade suficiente para exercer a contento essas funções, de acordo com a pessoa, conforme a necessidade e no momento apropriado.

d) A maneira de o pastor tratar os irmãos, velhos e crianças, moços e senhoras, homens e mulheres, a atenção que dispensa a cada caso, a cada crente, o interesse revelado pelos problemas, sem acepção de pessoa, mas encarando a necessidade do indivíduo ou da coletividade, reflete muito na igreja e contribui para aumentar ou diminuir o prestígio do obreiro perante a comunidade cristã. O pastor não pode ficar indiferente a nada.

e) Não devemos esquecer que o pastor, no século vinte e um, enfrenta uma época muito difícil. A Igreja está passando por fases sociais, culturais e econômicas tão terríveis que não sabemos definir uma posição humana adequada que faça frente a tantas crises. Estamos na era da informática, da energia nuclear, dos computadores, dos aviões supersônicos, de um lado, de outro, da incredulidade, do materialismo, dos falsos obreiros, das muitas seitas religiosas, da degradação do sexo.

f) O obreiro precisa dar a máxima atenção a cada problema, para que possa vencer e ajudar a igreja vencer os obstáculos que se lhe apresente, além de ficar ele também imune dos efeitos desastrosos da sociedade em que vive. Cada caso é um caso. É bom conhecer a Bíblia e saber aplicá-la aos corações de maneira eficaz.

g) É bom que se diga que, o fato de se conhecer melhor o coração humano não elimina dificuldades, investidas inimigas, queixas, aborrecimentos e escândalos, mas ajuda a minimizar muitos aborrecimentos, contrariedades e evitar grande número de problemas sérios com efeitos extremamente danosos. A falta de psicologia e tato pode provocar um desencadear de acontecimentos que só podem agravar situações já existentes.

h) O ministro deve ser hábil. Sabe-se que uma simples falta de cumprimento (saudação), às vezes, é suficiente para prevenir o espírito de uma pessoa contra o pastor e até provocar mudança desta pessoa para outra igreja.

i) Não nos esqueçamos de que o número de denominações é grande, e às vezes subdenominações. Temos grande número de "pescadores de aquário". Hoje, a disciplina nem sempre produz os efeitos que produzia antigamente. Isso tudo nos convence de que o pastor ou pregador deve conhecer o mais profundamente que possa o coração humano. Só a graça de Deus, só a luz do

Espírito Santo, só o amor de Cristo Jesus o tornará apto para tão difícil missão. Entretanto, é esta obra e o dever daquele que o Senhor Jesus chamou.

j) Não deve o pregador esquecer que é chamado para tudo. Uns o procuram para fazê-lo juiz de interesses particulares, mas outros o procuram para por eles interceder a Deus em benefício de suas vidas: para cultos fúnebres e para solenidades nupciais. Falhando o fim para o qual foi procurado o pregador, submetem-no a críticas, passam a desprezá-lo e até a deixá-lo.

l) Lembremos que o povo estendia suas vestimentas pelas ruas como tapete para Jesus passar, gritando: "Hosana ao que vem em nome do Senhor"; mas o povo também, pouco tempo depois, crucificou-o. Não obstante, o pastor, como homem de Deus, deve lembrar-se das palavras de Jesus a Paulo, quando este orava para libertar-se de "um espinho na carne": "A minha graça te basta, porque o meu poder se aperfeiçoa na fraqueza" (2 Co 12.9).

9

Das Prerrogativas Especiais do Pregador

Muitas são as prerrogativas do pregador do evangelho. Entre elas, podemos destacar a educação, o espírito missionário, atualização com sua época, relacionamento com outros obreiros e denominações.

1 Do Pregador como Educador

O pregador é, *ex-officio*, educador. Mas o que é educar? É instruir, desenvolver as faculdades intelectuais e morais do aluno; adestrar, treinar; fazer crescer, criar, dar bons modos a alguém, torná-lo civil e urbano, polido (do latim *educare*), do tema de *educere*, significa conduzir, levar a determinado fim. É papel do pregador educar. O pastor ou pregador educa para a vida social, cristã espiritual e moral. Prepara a criança, o jovem, o homem para uma vida mais abundante, aperfeiçoa os sentimentos, o caráter e ajuda na formação do caráter cristão, levando o homem a Deus pela fé em Jesus Cristo. Por outro lado, o pastor, evangelista ou pregador, qualquer que seja seu título eclesiástico, precisa estar à altura de tão árdua e nobre função. Pelo que se lê em Mateus 28.18-20, cada crente é um aluno; cada obreiro é um professor; a Igreja é uma escola de Jesus, que é o Diretor, Professor e Orientador pedagógico e didático. O pastor-pregador torna-se uma bênção para seus alunos, pelo exemplo de vida pura, de palavra amável, caráter ilibado e comportamento digno de imitação. O pregador que não for educador também não é pregador do evangelho de Jesus Cristo em sua pureza e integridade.

a) Será que não negligenciamos nessa missão de educador, quando silenciamos ante tantas mensagens em jornais, rádio e televisão, misérias morais e mentiras de todos os quilates, quando poderíamos enfrentá-las com ação ampla de semeadura da Palavra de Deus, o mais educativo meio de vida e comportamento humano?

b) Por meio da Palavra de Deus, da mensagem do evangelho de Jesus Cristo, o pregador pode dissipar as trevas, adverte os errados, exorta o homem a comportar-se dignamente, repreende e corrige o corrupto e o imoral, ilumina e encaminha as almas, empolga os conversos pela senda da justiça, enaltece os bons princípios, cria ideal de vida honesta e pura, destrói o mal, condena o pecado e o crime, combate o vício, inspira desejo de servir ao Criador, julga os valores do homem e da sociedade e defende uma sociedade mais justa e piedosa, tendo como padrão Jesus Cristo e como norma de vida a Palavra de poder. O pregador é, portanto, uma necessidade na sociedade, tanto para anciãos, como para jovens e crianças.

2 Do Espírito Missionário do Pregador

O Senhor Jesus estabeleceu (no cristianismo) apóstolos que são proclamadores das Boas Novas, o mensageiro do Reino de Deus e do *kerigma*, ou mensagem da cruz. Os ministros do evangelho são substitutos daqueles, que também eram ministros. Assim, o ministro é antes de tudo um pregador. É semelhante a João Batista. Deus o enviou a pregar as Boas Novas de salvação, como voz clamante — um profeta. O profeta é, precisamente, aquele que recebeu do Senhor uma mensagem para transmiti-la ao povo; é o que fala ao povo em nome do Senhor Deus. É esta a missão precípua do pregador. Ele é uma necessidade no mundo. Pode ser que sua função seja restrita a uma região, mas seu espírito é missionário. É inconcebível um pregador esclarecido, com chamada divina, sem o domínio do espírito missionário. É oportuno dizer que a expressão "espírito missionário" não significa, no sentido que alguns tomam ao pé da letra, por excesso de puritanismo, uma entidade que se apossa de alguém. Não. É no sentido de disposição, ânimo. Nem sempre o pregador pode ser um missionário no sentido moderno do termo (enviado de um país a outro com a mensagem do evangelho). Mas pode ser um incentivador, inspirador e cooperador da extensão e expansão da obra evangelística, instruindo e sustentando missões na face da Terra. Muitos há que não podem ir, mas são os verdadeiros missionários, pois sustentam a obra missionária como patrocinadores, e levantam no povo de Deus o sentimento de evangelizar os perdidos e cooperar com os que já estão nos campos missionários nas várias partes ou em outros continentes.

a) É tarefa do pastor, evangelista e pregador ganhar almas, trazendo-as aos pés do Senhor Jesus.

b) Seu espírito é o mesmo da Igreja — o espírito missionário: "Portanto, ide, ensinai todas as nações, batizando-as em nome do Pai, e do Filho, e do Espírito Santo; ensinando-as a guardar todas as coisas que eu vos tenho mandado; e eis que eu estou convosco todos os dias, até à consumação dos séculos. Amém!" (Mt 28.19, 20).

c) Junto com as Boas Novas de Salvação, está a missão de ensinar. Ensinar, nem sempre as letras, ciências, filosofia humana, mas o caminho do Senhor e todo o conselho de Deus, que reverte em benefício para toda a vida do homem. A fonte de saber do pregador é a Palavra de Deus, o grande Mestre é Jesus, a orientação de ensino é do Espírito Santo, que ensina toda a verdade (Jo 14.26).

d) O pastor contribui para construir a grandeza de uma igreja espiritual, mantida pela Palavra de Deus.

e) Saiba o pastor que ele é o servo que põe a mesa que o Senhor prepara perante os inimigos da verdade e dos filhos de Deus; que busca os cordeirinhos tenros e trá-los nos braços e deles cuida com carinho, amor e dedicação. É o pastor aquele que com desvelo ajuda as ovelhas em suas lutas, nas tristezas, lavando-lhes as feridas, ungindo-as.

f) É o pastor aquele que aplica nas almas o bálsamo da fé, da esperança e do amor, transmitindo-lhes a consolação dos céus.

g) O pastor é aquele que vai à procura das ovelhas para reuni-las, ampará-las, ajudá-las a atravessar tenebrosas escarpas e vales escuros, defendendo-as dos terríveis lobos devoradores, dos perigos de animais felinos para conduzi-las a salvo ao aprisco do Senhor. É obra do Espírito Santo; é obra do pastor, e é também obra do espírito missionário.

3 Da Atualização do Pregador com sua Época

O pregador deve ser um homem maleável, adaptável a determinadas situações, inteligente, perspicaz, amoldável, mas não facilmente influenciável, para não ser levado por idéias alheias ou espúrias. Há casos, e não raro, em que o pregador precisa descer ao nível do ouvinte, da pessoa a quem fala ou ensina para ganhá-la. Por outro lado, precisa ele acompanhar o desenvolvimento, o progresso de sua época, se não ficará sozinho. Precisa ser capaz de falar ao homem culto e ao ignorante; ao de alta posição e ao homem da plebe. Paulo era assim.

a) O apóstolo Paulo diz: "Fiz-me tudo para todos, para, por todos os meios, chegar a salvar alguns" (1 Co 9.22). E mais, diz ele: "E não vos conformeis com este mundo, mas transformai-vos pela renovação do vosso entendimento, para que experimenteis qual seja a boa, agradável e perfeita vontade de Deus" (Rm 12.2).

b) O pregador deve ser um homem atualizado; deve viver sua época; deve crer que Deus o tornará capaz de atuar eficazmente em sua época. Deve crer firmemente que o Senhor é com ele até a consumação dos séculos (Mt 28.20).

c) Precisa confiar na presença do Senhor em sua vida e crer que isto lhe dará direção, ao mesmo tempo que estuda todos os meios necessários para atingir, com a mensagem salvadora, os homens de seus dias.

d) Para o sucesso, não precisa o pregador se aliar a políticos ou correntes filosóficas; não precisa procurar juntar-se a grupos subversivos que desejam adaptar o evangelho a suas idéias marxistas, comunistas ou socialistas.

e) Não tem nenhuma necessidade de aliar-se àqueles que outrora escarneciam do evangelho e perseguiam o povo de Deus e que hoje, por conveniência própria ou do grupo a que pertencem, buscam um falso ecumenismo, com suposta e interesseira tolerância, com a capa de unidade ou comunhão cristã.

f) O pastor ou pregador é um observador de sua época, não como crítico, mas para poder atuar com segurança, atingindo todos os segmentos da sociedade. Em qualquer época, o Senhor operou maravilhas e operará, enquanto tivermos fé. Não devemos perder de vista os ideais cristãos e os objetivos da mensagem da cruz.

g) O ministro do evangelho deve ser um homem equilibrado; precisa ocupar posição eqüidistante, para não se comprometer com essa ou aquela corrente que tragam efeitos negativos a seu trabalho de mensageiro de Jesus Cristo.

h) Todos os acontecimentos de ordem política, social, moral, econômica e educativa envolvem ideais e servem ao pregador como subsídio para seu trabalho ministerial. Entendendo bem sua época, observando todos os movimentos inteligentemente, poderá ter mais facilidade de penetração nos grupos humanos e até nas massas.

i) Em todos os lugares, em qualquer meio, tem o pregador do evangelho uma mensagem de luz, de vida, de inspiração, salvação e esperança de um mundo melhor para os homens de sua época. Ele entende e se faz entender por intermédio da mensagem.

j) O mundo precisa de uma voz que o conduza a esperar, a crer na existência de um mundo melhor e mais feliz. O pregador é um conselheiro. Ninguém melhor do que ele para orientar o homem. Que homem não precisa de conselho?

l) Um homem, por mais inteligente que seja, pode facilmente cair em erro, enganar-se ou ser enganado; cair num conto, num ardil, numa heresia. Um povo inteiro é susceptível a isso, e até uma geração inteira.

m) Lembremos o conselho de Paulo e Silas ao carcereiro de Filipo em momento de desespero, à beira do suicídio, e temos excelente exemplo de um conselho sábio de um pregador: "Crê no Senhor Jesus Cristo e serás salvo, tu e a tua casa" (At 16.31). O maravilhoso resultado foi a salvação do carcereiro e da família dele.

n) O pregador (pastor, evangelista), qualquer que seja o título de sua função, não deve ser um retrógrado, mas atualizado a tudo de sua época, capaz de adaptar sua mensagem às necessidades de seus contemporâneos.

o) Não nos esqueçamos de que Deus se comunica com o homem por meio da linguagem da época desse homem, e torna-se conhecido dentro do grau de compreensão da geração. Ele se revela da melhor maneira para que o homem possa entender a mensagem.

p) A mensagem de Deus é sempre a mesma, mas adaptável, em termos de comunicação compreendida pelo homem, à época em que está sendo transmitida. Por exemplo, o autor da epístola aos Hebreus diz: "Jesus Cristo é o mesmo ontem, e hoje, e eternamente" (Hb 13.8). A mensagem hoje é a mesma que era quando foi escrita. Mas cada geração e classe social terá sua concepção a respeito de Deus e de sua relação com Ele, dentro da órbita de suas experiências e condições espirituais, culturais e mentais. Há sempre uma evolução na revelação de Deus e em sua compreensão por parte do homem.

q) Assim, Deus fala ao homem com a linguagem de cada época e se torna conhecido dentro do grau de conhecimento ou compreensão de uma geração. Em qualquer época, a mensagem fiel foi sempre um lenitivo para a alma, um consolo para o coração humano.

4 Do Relacionamento do Ministro com Obreiros de outras Denominações

Jesus salva quem crê em seu nome (Jo 3.16). Isto é ponto pacífico. Não temos a pretensão de achar que Jesus só salva aqueles da nossa denominação. Jesus não fundou uma igreja com um dos títulos modernos que temos. Fundou a sua Igreja. A Igreja de Jesus Cristo é composta dos salvos; dos realmente salvos. É a Igreja invisível! Assim, temos de reconhecer outras denominações evangélicas que não sejam a minha e a sua, as nossas. Se assim é, obviamente temos o dever de nos relacionarmos com seus obreiros. O relacionamento entre obreiros interdenominacionais é necessário e indispensável ao bom testemunho cristão e à ética ministerial. Em caso contrário, como o mundo nos verá? Digladiando-nos? Não! Deve haver bom relacionamento entre as denominações (e não só entre as igrejas co-irmãs), e cabe-nos o sagrado dever, como obreiros, de mantermos um bom relacionamento entre nós.

a) Deve haver, em primeiro lugar, o relacionamento de cortesia e fraternidade cristã, pois somos salvos pelo mesmo princípio e temos os mesmos ideais. Cada obreiro ou ministro tem sua denominação, sua forma de governo da igreja, sua igreja, seu ministério local ou geral, seu próprio sistema doutrinário, sua ética, seus princípios próprios. Cada um tem o sagrado dever de tratar o outro com o respeito e com a mais acurada cortesia e fraternidade cristã.

b) Ora, se é dever nosso respeitar e tratar com cortesia todas as pessoas, quanto mais aquelas que pregam o mesmo evangelho que pregamos! É, portanto, de nossa ética ministerial tratar os pastores de outras denominações com muita cortesia e amor fraternal.

c) Não há dúvida de que existem doutrinas, sistemas de governo, costumes e outras razões orgânicas que nos distanciam uns dos outros. Entretanto, há entre todos nós pontos de contato e de fé comuns.

d) Reconhecemos, sem sombra de dúvida, que todos os cristãos evangélicos sinceros de todas as igrejas são salvos e filhos de Deus, e são nossos irmãos em Cristo. *Ipso facto* nós os amamos de todo o coração. De igual modo, reconhecemos o muito que eles têm feito e estão fazendo pela propagação do evangelho de nosso Senhor Jesus Cristo, pelo trabalho missionário que desenvolvem e pela salvação do mundo.

e) Somos todos cooperadores de Deus na obra cristã. Devemos cooperar com eles, e eles conosco, até onde nos permitam os princípios nossos e deles. Essa cooperação, por exemplo, pode ser no uso de púlpito, permissão de pregar na igreja um do outro, cooperação na parte musical, nas grandes concentrações, nos trabalhos evangelísticos e missionários, nas editoras, em publicações de livros e periódicos, e na preparação de artigos em jornais em defesa dos princípios da fé cristã. Haverá lucro para todos e Deus será glorificado.

10

Do Ministro do Evangelho e sua Vida Particular

O ministro do evangelho tem sua vida particular como qualquer homem. Tem direito de sua privacidade em família, em seus negócios e suas relações humanas. Fica doente e revela ou deixa de revelar a quem quer que seja o que está sofrendo. Pode ir e vir, com livre trânsito em todo o território nacional (no caso do Brasil), pois é direito constitucional. Tem ele segredos também em sua vida, como pode também ter confidentes para esses segredos. Seu lar é inviolável como o de qualquer cidadão. Entretanto, não há na vida do ministro faceta alguma sobre a qual deva brilhar a luz de Deus. Tudo está patente aos olhos do Senhor Deus e a Ele deve o servo prestar contas de tudo (Hb 4.13). O ministro do evangelho deve ser um homem de atitudes coerentes. Não pode ele ser espiritual na igreja e carnal particularmente. Todas as suas atitudes devem ser dignas de admiração. Seus atos precisam ser harmônicos em todas as fases de sua vida particular e ministerial ou espiritual.

1 Da Conveniência do Casamento para o Ministro

O cristão, e especialmente o homem de Deus, precisa ter em mente que sua vida deve ser orientada pelo Senhor. O profeta Jeremias disse: "Eu sei, ó SENHOR, que não é do homem o seu caminho, nem do homem que caminha, o dirigir os seus passos" (Jr 10.23). Realmente. Por muito inteligente que seja o homem, poderá errar. Escolher seu próprio destino é jogo duvidoso; é pulo no escuro. Entregar a vida ao Senhor e pedir sua sábia orientação é atitude segura e infalível. Sabiamente, o Pregador escreveu: "Reconhece-o em todos os teus caminhos, e ele endireitará as tuas veredas" (Pv 3.6). Este princípio constitui para o homem de Deus uma lei do Senhor, a qual serve para todos os problemas da vida. Nenhum homem é suficientemente sábio para, à luz de sua própria razão, acertar tudo. E, em se tratando do matrimônio, o assunto é sério demais para o homem arriscar a enfrentar o problema sem orientação segura e certa.

a) Deus não deixou o homem sozinho. Está pronto o Senhor a dar ao homem orientação pessoal, contanto que o indivíduo se valha do instrumento que tem a seu dispor: a oração e a Palavra de Deus. Isto se aplica a todos os problemas da vida. Isaías fala pelo Senhor, dizendo: "Porque os meus pensamentos não são os vossos pensamentos, nem os vossos caminhos, os meus caminhos, diz o SENHOR" (Is 55.8). E o grande Pregador diz: "Há caminho que ao homem parece direito, mas o fim dele são os caminhos da morte" (Pv 14.12). O salmista diz: "Entrega o teu caminho ao SENHOR; confia nele, e ele tudo fará" (Sl 37.5).

b) Dizem que Abraham Lincoln e John Wesley não foram felizes na escolha, e isso lhes causou grandes obstáculos em suas carreiras de homem público e de pregador, respectivamente. Devemos orar muito e cuidar bem na escolha do par. Como devem os jovens pedir orientação de Deus para que o Senhor os guie nesta questão matrimonial! É tão sério o problema que Paulo chega a aconselhar o solteiro a continuar nesta situação: "Não busques mulher" (1 Co 7.27). A escolha é tão difícil que, já em seus dias, Salomão disse: "O que acha uma mulher acha uma coisa boa e alcançou a benevolência do SENHOR" (Pv 18.22). Podemos encontrar aparente contradição nas duas passagens supracitadas. Não há contradição, quando pensamos nos objetivos e na intenção dos escritores. Podemos harmonizá-las, aplicando a receita de Salmos 37.5: "Entrega o teu caminho ao Senhor, confia nele, e o mais ele fará". É deixar o problema a cargo e critério do Senhor Deus, que sabe tudo, inclusive as nossas necessidades.

c) O casamento é lícito a todos, inclusive aos ministros do evangelho (1 Tm 3.1-15), "somente no Senhor" (1 Co 7.39, ARA). Obviamente é desnecessário dizer-se aos ministros do evangelho que as Escrituras Sagradas proíbem terminantemente a união de crente com descrente ou incrédulo. E, se as Escrituras generalizam, proibindo tal união, que se dirá do ministro, sob cujos ombros pesa maior responsabilidade perante Deus e perante os homens? (2 Co 6.14) A desobediência a essa norma tem trazido grandes aborrecimentos e sérias lamentações e misérias, com resultados desastrosos até para a posteridade.

2 Das Vantagens do Casamento para o Ministro

Indubitavelmente, o ser casado proporciona evidentes vantagens para o ministro do evangelho. O casamento pode trazer vantagens para o homem e para a mulher, contanto que sigam a orientação divina. Se o casamento não fosse útil e necessário, o Senhor Deus não o teria instituído. Disse mais o Senhor Deus: "Não é bom que o homem esteja só; far-lhe-ei uma adjutora que esteja como diante dele" (Gn 2.18). A natureza do homem não é propensa à solidão. Tem necessidade de outro para com ele compartilhar os problemas da vida, as alegrias e situações diversas.

a) A vida em sociedade é da própria natureza humana, e Deus criou o primeiro embrião de sociedade — o casal.

b) Jesus reconheceu o valor do companheirismo. Cercou-se de discípulos, que eram seus auxiliares, e enviou-os dois a dois (Lc 10.1), para dar início ao serviço cristão. Salomão via a grande importância da companhia de alguém, quando escreveu: "Melhor é serem dois do que um, porque têm melhor paga do seu trabalho. Porque, se um cair, o outro levanta o seu companheiro; mas ai do que estiver só; pois, caindo, não haverá outro que o levante. Também se dois dormirem juntos, eles se aquentarão; mas um só como se aquentará?" (Ec 4.9-11) E mais: "E, se alguém quiser prevalecer contra um, os dois lhe resistirão; e o cordão de três dobras não se quebra tão depressa" (Ec 4.12). Ora, o simples fato de termos alguém com quem tratar de problemas que nos cercam já é de grande proveito. O matrimônio nos permite partilhar as tristezas e alegrias, as lutas, dificuldades, vitórias e experiências, o que nos aperfeiçoa sobremodo o caráter e a razão.

3 Do Casamento do Ministro

a) Há os que se casarão exclusivamente por simpatia e aparência física, como se o aspecto físico ou fisionômico fosse tudo; como se o valor da mulher estivesse apenas em sua beleza e não incluísse suas qualidades morais, intelectuais, espirituais e até familiares ou de origem genealógica. Isto é duradouro.

b) Outros há que buscam no casamento satisfação de instintos naturais ou sexuais. Para responder a seus instintos, o homem procura uma parceira que lhe encha os olhos e que supõe satisfazer suas necessidades sexuais. Daí casa-se. Não duvide tal homem do fracasso!

c) Há outros que se casam por interesses pecuniários. A mulher bem dotada financeiramente é a esposa ideal, pois deixará seu consorte abastado. O dinheiro é importante a todos e é o ideal daqueles que vivem só do material. As desavenças são certeiras. Qualquer fracasso financeiro pode ocasionar o fim do casamento.

d) Existem aqueles que enfrentam o casamento por exigência social. Para o exercício de certos cargos na sociedade, é necessário ser homem casado. Para ser bem conceituado é necessário ser chefe de família. Assim, terá de constituir família. É o casamento da conveniência, não do amor. Pura etiqueta social. Durará muito tempo?

e) Existem aqueles, entretanto, que reconhecem ser o casamento a realização de um ideal, o cumprimento de uma divina missão, de uma elevação do padrão social dos indivíduos, da necessidade de um programa de vida digno, da execução de uma tarefa especial e única no gênero. E aí fazem, com esses objetivos, em harmonia com a troca de profundo e terno amor, a escolha de seu par.

f) O homem não é suficientemente capaz de escolher bem sua companheira e ajudadora; depende muito do auxílio divino. Já vimos isto no capítulo referente à conveniência de ser o ministro casado. É neste grupo que se inclui o pregador do evangelho, que deve escolher e decidir com muita oração e prudência, não se deixando influenciar por situações como as já citadas.

g) O ministro precisa de uma esposa que comungue com os mesmos ideais e sentimentos, e de preferência, com instrução intelectual aproximada à dele. Assim terá ele amparo maior nas lutas por que deverá passar em seu ministério. Na adversidade, é ela um braço amigo e forte; nos trabalhos da igreja e da obra do Senhor, será ela uma coluna de confiança e uma grande força moral e espiritual.

h) O pastor que em seu ministério não contar com o apoio e auxílio de uma esposa compreensiva é meio homem. Melhor lhe seria ter ficado solteiro (1 Co 7.8,32).

i) Nos tempos modernos e em face das exigências sociais de nossa época, é conveniente e até mesmo necessário que o ministro do evangelho seja casado. Há, sem dúvida, grande distância entre o obreiro solteiro e as famílias de sua sociedade. Não entendemos ser obrigatório que o ministro seja casado, mas sim necessário. Em 1 Timóteo 3.2, Paulo não impõe como condição *sine qua non* para o ministério o casamento, mas o não ter mais de uma esposa. Entretanto, é bom ser casado para melhor entender os problemas de família. Há problemas e casos que só um chefe de família poderá entender e encaminhar a solução a bom termo.

j) Ser solteiro ou casado não deve constituir exigência para a separação ou consagração de ministro do evangelho. O próprio Paulo era solteiro e aconselhava o celibato. Temos tido através dos séculos centenas ou milhares de obreiros bons e solteiros.

l) A escolha de uma esposa não é fácil. Já dissemos que merece a atenção de Deus. Quanto à parte do homem, não deve ele deixar de levar em conta a educação da jovem ou mulher, pois isto tem muito a ver com seu caráter. A boa formação contribui para o bom comportamento e para a nobreza de seus ideais. Há casos de casamentos precipitados que trazem dissabores. Por isso, o pregador solteiro deve considerar muito o problema da escolha de seu par e colocá-lo nas mãos de Deus. O passado moral dos pais tem geralmente influência no caráter da filha. Ela precisa ser direita em tudo. "Mulher virtuosa, quem a achará? O seu valor muito excede o de rubins" (Pv 31.10).

4 Da Prudência e Cautela na Vida Conjugal

Vimos que o casamento oferece vantagens inúmeras e que é, portanto, muito útil. Entretanto, os casados precisam ter prudência e cautela para que a união não os torne inativos, negligentes e fracassados na obra do Senhor. O apóstolo Paulo diz: "... o que é casado cuida das coisas do mundo, em como há de agradar à mulher" (1 Co 7.33). Isto é fácil de entender. Naturalmente, o marido dedicado, um pai dedicado, esforça-se para dar o maior atendimento possível à esposa e aos filhos. Tudo faz para dar assistência, carinho, tempo para lazer, sustento, conforto e tudo de que necessita uma família. Há casos, o que é muito normal, em que o homem se sacrifica para fazer os gostos da esposa, especialmente se ela é muito exigente e ele, além de querer agradá-la, deseja evitar conflitos. Entretanto, o excesso de preocupação torna o ministro um preso dos problemas de família, trazendo inatividade a seu ministério. Isto se choca com os ensinamentos de Jesus, que diz: "Se alguém vier a mim e não aborrecer a seu pai, e mãe, e mulher, e filhos, e irmãos, e irmãs, e ainda também a sua própria vida, não pode ser meu discípulo" (Lc 14.26).

a) Para servirmos bem ao Senhor, então, necessário é que haja inteira submissão de nossos lares à soberana vontade do Senhor e atenção ao supremo chamado para o ministério.

b) Para melhor servir à obra, bom é que o pastor ou ministro e sua esposa não se preocupem muito com as coisas materiais, tais como aquisição de bens, de excessivo conforto, como lugar onde residir, e outros apegos das pessoas em geral.

c) As coisas ou bens materiais, quaisquer que sejam, devem ser colocados em nível inferior aos espirituais. A prioridade é do Senhor Deus.

d) Os filhos, desde tenra idade, devem ser orientados a submeter-se à soberana vontade do Senhor Deus. A obediência a Deus é necessária e um privilégio.

e) O pastor, para ter êxito nessa parte, precisa dedicar muito cuidado aos filhos e desde cedo orientar a esposa, para que estes sejam tementes a Deus e obedientes. Faz parte dos deveres do ministro do evangelho o governo do lar. O apóstolo Paulo ensina a Timóteo: "Que governe bem a sua própria casa, tendo seus filhos em sujeição, com toda a modéstia" (1 Tm 3.4).

f) Muitos pastores e obreiros do Senhor que tanto se dedicaram à igreja onde serviam, mas não cuidaram de seus lares, choraram depois. Em Cantares, lemos os lamentos da Sulamita: "... e me puseram por guarda de vinhas; a vinha que me pertence não guardei" (Ct 1.6). Esta pode ser também a lamentação de muitas esposas. Lembro-me bem das palavras do Pastor José Satírio dos Santos, em sermão proferido na Igreja Evangélica Assembléia de Deus, no Belém, São Paulo: "Quero ganhar almas para Jesus, mas não quero perder a minha família" (Escola Bíblica de 1979).

5 Do Lar-padrão

Não existe no plano de Deus o lar incrédulo. Sendo assim, é de sua santa vontade que o pastor e sua esposa se conduzam de maneira tal que o lar por eles constituído sirva de modelo para todos os crentes. Paulo diz a Tito, seu companheiro: "Em tudo, te dá por exemplo de boas obras; na doutrina, mostra incorrupção, gravidade, sinceridade" (Tt 2.7). O pastor é um líder, como já vimos, e nossos liderados vão assimilando nossa conduta, pouco a pouco, chegando a ponto de seguirem mais o modelo que virem em nós do que aquilo que lhes ensinamos. Para conseguir sucesso, o pastor deverá estabelecer prioridades que, de acordo com os ensinos da Palavra de Deus, são:

a) Deus em primeiro plano em sua vida, em seu ministério. Ele é o Senhor, nEle nos movemos, e sem Ele não existiríamos.

b) Eu (ministro do Senhor) em segundo plano. Sou dEle servo. Preciso ir muito bem espiritual, moral e fisicamente. Preciso cuidar de mim, pois devo ser instrumento são nas mãos de Deus para o benefício de sua obra e de minha família. Para que eles vão bem, preciso ir bem para orientá-los na senda da fé, da comunhão e na conduta cristã, com efeitos até na vida secular.

c) Para o pastor cuidar bem da igreja, precisa primeiro cuidar de sua própria família. Não creio em pastor bom só para a igreja, deixando a família em segundo ou até último plano.

d) A igreja será tão boa, tão cuidada, tão sadia, tão perfeita quanto for o pastor que dela cuida, em santidade de vida e comunhão com Deus. A igreja também será um reflexo da família do próprio pastor, pois a família do pastor reflete a luz que dele brilha. Por isso, o pastor deve conduzir sua família como modelo, com os cuidados que Jesus dedica a sua Igreja, sua Noiva.

6 Dos Filhos no Lar

Pelo exposto, resumiremos este item. Entretanto, é bom que se diga que uma das mais importantes qualificações do homem para o ministério é que governe bem a sua própria casa, criando os filhos com disciplina, com todo o respeito "(porque, se alguém não sabe governar a sua própria casa, terá cuidado da igreja de Deus?)" (1 Tm 3.5). Esta ordem é dirigida diretamente ao ministro, como exigência para escolha de ministros. Diz respeito à disciplina que o ministro deve imprimir no lar, no trato com a esposa, na criação e orientação dos filhos, no controle e cuidado dos membros da família e de si mesmo.

a) Eli, sacerdote em Israel, era homem piedoso e não tinha culpa de qualquer ação má ou ato indigno. No entanto, seus filhos procediam mal; eram perversos, em conseqüência de Eli não ter governado bem sua casa, de não ter absoluto domínio sobre os filhos e não reprimir os atos imorais deles. Como resultado, os filhos tiveram morte prematura, o velho pai sofreu colapso cardíaco pela morte deles e a nora morreu no parto (1 Sm 3.1-21; 4.12-22).

b) Como verdadeiro contraste, temos Abraão, de quem o Senhor Deus se agradou, dizendo: "... eu o tenho conhecido, que ele há de ordenar a seus filhos e a sua casa depois dele, para que guardem o caminho do SENHOR, para agirem com justiça e juízo" (Gn 18.19). A vontade de Deus é que os filhos sejam subordinados aos pais, e que pais os criem segundo os conselhos do Senhor (Ef 6.1-4).

c) Os filhos do ministro são iguais aos filhos dos demais membros da igreja, e até dos vizinhos, mas são bem mais visados por todos. Por qualquer motivo, você ouvirá: "E é filho do pastor!" Daí, a Palavra de Deus aconselhar que sejam instruídos a viver com dignidade e disciplina. Paulo diz: "... filhos fiéis, que não possam ser acusados de dissolução nem são desobedientes" (Tt 1.6).

7 Dos Cuidados Pessoais

Há certos cuidados pessoais indiscutíveis e indispensáveis para o bom desempenho de qualquer atividade humana. Para o ministro do evangelho, as coisas não são diferentes. O espírito e a alma residem no corpo. O homem poderá estar preparado espiritualmente para sua tarefa. Poderá estar mental e intelectualmente preparado para os muitos exercícios, mas, se o corpo estiver enfermo, enfraquecido, excessivamente cansado, o trabalho que deveria executar sofrerá as graves conseqüências de continuidade. O corpo é o veículo utilizado pelo espírito e pela alma, e é por ele que o ministro exerce seu ministério. Se esse veículo "quebra", todo o ministério fica prejudicado. Vejamos alguns cuidados.

a) É necessário que o ministro cuide de seu próprio corpo, pois o Espírito Santo usa-o como santuário seu (1 Co 6.19,20).

b) O exercício físico tem algum proveito, embora relativo (1 Tm 4.8).

c) Ter físico excelente, em conformação ou modelar, não tem finalidade na obra, mas ser vigoroso é grandemente vantajoso para o trabalho do Senhor.

d) Não deve o ministro abusar de seu corpo. Antes, deve cuidar-se bem com alimentação sadia, em horário certo, tantas vezes quantas necessárias. A pontualidade nas refeições traz grande benefício a todo o organismo.

e) A higiene pessoal, o repouso adequado e regular, o cuidado para não exceder os limites perdendo horas de sono, os cuidados com as mudanças de temperatura, o uso de abrigos adequados e outras cautelas são de grande utilidade para a conservação da saúde e da vida.

f) Não exija de seu corpo mais do que ele é capaz de suportar. Há sempre um limite que não deve ser ultrapassado, e ninguém mais do que a própria pessoa, de bom senso, para saber. O salmista disse: "Inútil vos será levantar de madrugada, repousar tarde, comer o pão de dores, pois assim dá ele aos seus amados o sono" (Sl 127.2).

g) O Senhor Jesus se preocupava com o descanso dos discípulos: "Vinde vós, aqui à parte, a um lugar deserto, e repousai um pouco" (Mc 6.31).

h) Por outro lado, acerca da preguiça e da ociosidade, Salomão diz: "Ó preguiçoso, até quando ficarás deitado? Quando te levantarás do teu sono? Um pouco de sono, um pouco tosquenejando, um pouco encruzando as mãos, para estar deitado, assim te sobrevirá a tua pobreza como um ladrão, e a tua necessidade, como um homem armado" (Pv 6.9-11).

i) O Senhor Deus quer que cuidemos bem do corpo que Ele nos deu. Deseja que nos alimentemos bem, mas não em demasia. A gulodice é pecado. Jesus disse: "E olhai por vós, para que não aconteça que o vosso coração se carregue de glutonaria, de embriaguez, e dos cuidados da vida, e venha sobre vós de improviso aquele dia. Porque avirá como um laço sobre todos os que habitam na face de toda a terra" (Lc 21.34,35).

j) Mateus registra uma parábola de Jesus na qual o Senhor fala que o servo que se entregar a comidas e bebedeiras será duramente castigado por seu senhor (Mt 24.48-51). O domínio próprio é um aspecto do fruto do Espírito (Gl 5.23). Isto é manter em sujeição o próprio corpo (1 Co 9.27). O comer em demasia é conduta incompatível com a vida de ministro de Deus.

l) Não obstante, os jejuns prolongados e freqüentes podem trazer grandes e graves prejuízos para a saúde. O ministro precisa ser prudente e não dar lugar ao inimigo, que sempre quer tirar proveito de nossos descuidos.

8 Do Planejamento de Atividades

O ministro do evangelho, como qualquer homem de intensa atividade, deve e precisa distribuir suas tarefas no tempo e dividir o tempo para suas tarefas. O pastor deve estabelecer horário para todas as suas atividades. A distribuição de tempo é condição essencial a um bom rendimento do trabalho. Deve ele estabelecer dias e horas para determinados serviços e tarefas, como são estabelecidos para reuniões da igreja. Todas as empresas bem organizadas e repartições públicas programam tarefas e estabelecem dias e horas para os vários tipos de serviço. Dentro da medida do possível, o pastor pode perfeitamente estabelecer critérios seguros para o trabalho de seu ministério. Uma atividade planejada renderá mais e poupará tempo, espaço e fadiga.

9 Do Descanso

O ministro do evangelho é um homem como qualquer outro. Portanto, precisa de descanso e repouso, como já vimos em linhas atrás. Não deve, entretanto, dormir mais que o necessário. Não se pode sequer pensar que os crentes precisem deitar tarde e levantar cedo e o pastor durma normalmente até tarde. Lembremos as palavras de Salomão dirigidas ao preguiçoso em Provérbios 6.9-11, já citadas. O ministro do evangelho deve saber a que hora deve deitar-se e quando deve levantar-se. Ele é um trabalhador e precisa saber controlar o seu descanso. Não descuide ele do repouso, pois, se por infelicidade, ficar doente, esgotado, estafado, e não puder desempenhar a contento seu ministério, poderá não ser compreendido. Muitos há que vão censurá-lo injustamente. Sua imprudência fez isto. É muito bom que o pastor tenha um mês de férias anual para gozo, para descanso obrigatório. Em nenhuma hipótese, deverá tirá-la em pecúnia. Ele precisa de descanso como qualquer outro homem, ele tem corpo e mente que cansam e precisam de tempo de repouso suficiente para total recuperação, para refazer-se das energias perdidas e recuperar-se das estafas possíveis.

10 Do Tempo para Oração e Estudos

Em páginas anteriores, tratamos da necessidade de atividade planejada. Nesse planejamento, o ministro do evangelho deverá incluir oração e estudos. É de grande proveito ao ministério do homem de Deus a preservação de um período diário para dedicar-se à oração. O período da manhã é o mais apropriado. É horário em que as visitas do pastor são menos aconselháveis e as visitas a ele são menos freqüentes. O homem está mais descansado, a mente mais aberta e mais disposta, podendo haver melhor aproveitamento nos estudos e nas orações e consagrações. Para isso, há muitos problemas a serem vistos e discutidos.

a) Cada ministro sabe que horário lhe é mais conveniente para esses misteres. Tudo depende das atividades extraministeriais que exerça o ministro.

b) Há ministro que exerce atividade em serviços seculares, como de professor, médico, e outras profissões liberais. Outros exercem atividades em seminários da própria igreja.

c) Em grandes ministérios (de igrejas grandes), o ministro dá expediente diário em determinado período; outros dão expediente em dias alterados.

d) Qualquer que seja a ocupação do ministro, é imprescindível a dedicação à oração e aos estudos. É, antes de tudo, um trabalho programado; depois, voluntário e espontâneo, em qualquer horário. A oração pela madrugada é de grande proveito. Naturalmente, esta oração é em forma de consagração, pois o homem de Deus não ora apenas uma, duas ou cinco vezes por dia. Os apóstolos em Jerusalém reconheceram a necessidade de os ministros se dedicarem à oração e ao ministério da Palavra, e assim procederam, dizendo: "Não é razoável que nós deixemos a palavra de Deus e sirvamos às mesas. [...] Mas nós perseveraremos na oração e no ministério da palavra" (At 6.2-4). O apóstolo Paulo recomenda à Igreja de Tessalônica: "Orai sem cessar" (1 Ts 5.17).

e) A oração e a leitura devocional e até diletante diária fazem muito bem ao obreiro; aumentam sua cultura, fortalece o espírito e prepara melhor o obreiro para sua incessante luta contra o mal e para o exercício de um ministério profícuo.

f) A oração e a Palavra de Deus fazem parte essencial da alimentação diária do pregador do evangelho de Jesus Cristo. É esse alimento que ele vai oferecer aos membros de sua igreja e às almas famintas ao redor. Sua vida espiritual e moral carece da oração e da Palavra. Os outros também precisam dessa força divina.

g) Não pense o obreiro que a oração programada para a igreja é suficiente. É pouco tempo; não basta. É fácil perder a graça por negligenciar a oração e meditação na Palavra. O trabalho ministerial, especialmente pastoral, tem sofrido muitos naufrágios espirituais e até morais por descuidar nesse mister.

11 Da Leitura Bíblica Programada

Seria altamente lucrativo ao ministro se pudesse ele estabelecer leituras bíblicas diárias, semanais ou mesmo mensais e anuais. Além da instrução obtida por meio da leitura programada, da vantagem de explorar os riscos mananciais da Palavra de Deus, a leitura sistemática, especialmente diária, ajuda muito nas devoções particulares do ministro do evangelho. Bom seria se o ministro pudesse ler a Bíblia inteira uma vez por ano, e repetir essa leitura tantas vezes quanto possível. Há sempre métodos úteis e os resultados sempre são maravilhosos.

a) Não deve ser procedida a leitura como tarefa, mas como deleite da alma.

b) Leia a Palavra sem preocupação com o tempo, para obter melhor proveito.

c) Procure entender perfeitamente tudo o que ler.

d) Qualquer palavra não compreendida deve ser procurada em dicionário próprio.

e) A leitura da Bíblia deve ser precedida de oração e determinada também com oração.

f) O pregador deve orientar bem seu trabalho de leitura, a fim de que o aproveitamento seja o maior possível. Mediante sua Palavra, o Senhor nos fala; pela oração nós falamos a Ele.

g) Após esse período devocional, o pregador poderá dedicar-se a estudos bíblicos (de algum livro, de texto ou de um tema) na preparação de sermão e estudos especiais para a igreja.

12 Das Visitações Pastorais

O ministro do evangelho, especialmente o pastor, deve e precisa fazer visitas a membros da igreja, mormente os fracos na fé, doentes, novos convertidos, desviados e outros que precisem de sua ajuda e assistência espiritual. Há famílias que perderam entes queridos e precisam de conforto espiritual. Existem casos de pessoas que passam necessidade (às vezes, o próprio pastor). É preciso detectar os problemas para depois oferecer sua ajuda ou da igreja.

a) O período da tarde é o melhor para essas visitas, especialmente nos domingos e feriados. Muitas vezes, a visita só pode ser feita aos domingos, pois a pessoa trabalha ou a visita é destinada à esposa de um casal cujo marido está trabalhando e o pastor não pode se fazer acompanhar da própria esposa.

b) A noite também se presta bem para a visitação. Entretanto, cada caso é um caso. O ministro deve ser prudente. Normalmente, não deve deixar a celebração do culto para fazer visitas, a não ser em casos excepcionais. As noites livres, porém, podem ser utilizadas para essas visitas, quando a situação permitir.

c) A fiscalização de obras de construção, reformas de templos e outras podem ser incluídas nas visitações, embora sejam mais afetas à administração.

13 Da Escala Semanal de Serviços

Já falamos do planejamento nos trabalhos do ministro. Convém ressaltar a necessidade de o pastor adotar, seguir e fazer com que seus auxiliares sigam uma escala semanal de atividades, a fim de produzir mais e não permitir monotonia nos vários serviços. Podemos sugerir, por exemplo:

a) *Domingo, Dia do Senhor* — escola dominical, trabalho de evangelização, visitas, pela manhã ou à tarde. À noite, culto de louvor e culto público de adoração, louvor e pregação da Palavra de Deus. Pode haver uma sessão especial de louvor antes do culto público.

b) *Culto público (louvor, pregação da Palavra, oração)* — às quartas ou quintas-feiras. O culto de oração e doutrina (de membros somente) pode ser às terças ou sextas-feiras. Caso haja condições de tempo e motivação (que não deve faltar), os dias livres de cultos oficiais podem ser destinados à oração (também dirigidas por pessoas credenciadas, presbítero, evangelista ou outro auxiliar habilitado). Normalmente, o pastor não pode estar em todos os cultos, pois há outros serviços importantes para ele durante a semana.

c) O pastor precisa preparar-se com antecedência para pregar, especialmente aos domingos, quando o culto é freqüentado por pessoas de todos os níveis e inclusive por descrentes. Ele precisa estar sempre preparado; não deve esperar que seus auxiliares ou seu co-pastor pregue, a não ser em casos especiais. Bom é que tenha livre *um dia da semana*, quando nada, para essa preparação.

d) A *segunda-feira* seria interessante para o repouso semanal absoluto, ou descanso físico e mental e relaxamento da tensão do domingo de atividade desde cedo. Seria um dia em sete (Êx 20.9). Entretanto, o dia e horário deve ser de livre iniciativa e escolha do pregador. É verdade que podem surgir problemas que absorvem o dia e horário escolhidos pelo pastor, como é o caso de funerais, e não pode ele seguir à risca sua escala de atividades.

14 Das Múltiplas Tarefas do Ministro do Evangelho

São inúmeras as atividades do pastor. Tanto que um capítulo inteiro é nesta obra destinado a mostrar os títulos que traduzem as incontáveis funções do pastor.

a) A grande e mais importante comissão do pregador do evangelho é ir à procura de almas preciosas para o Senhor Jesus.

b) Temos de preparar adeptos ou súditos para o Reino de Deus.

c) Temos o dever de preparar obreiros para esse mister. Somos discípulos de outros que foram discípulos de discípulos de Jesus, e precisamos matricular nessa escola de Jesus, a Igreja, discípulos que nos ajudem e nos sucedam.

d) As almas que ganhamos para Jesus são discípulos da mesma escola, que só fechará quando Jesus levar todos os seus alunos para o eterno Lar (Mt 28.19-20; Jo 14.1-3).

e) A tarefa não é fácil. Jesus disse a seus discípulos: "Eis que vos envio como ovelhas no meio de lobos" (Mt 10.16). Somos pastores de ovelhas; o Senhor, portanto, nos previne que seremos perseguidos por animais perigosos.

f) Nossa missão é importantíssima. É semelhante à de Jesus, que declarou: "O Espírito do Senhor é sobre mim, pois que me ungiu para evangelizar os pobres, enviou-me a curar os quebrantados do coração, a apregoar liberdade aos cativos, a dar vista aos cegos, a pôr em liberdade os oprimidos, a anunciar o ano aceitável do Senhor" (Lc 4.18,19). Mas Jesus nos adverte do perigo, dizendo: "Assim como o Pai me enviou, eu também vos envio" (Jo 20.21). Que tremenda responsabilidade! Que confiança do Senhor em nós! Que confiança a nós!

g) Somos designados para função tão nobre que, como homens somente, não teríamos capacidade de exercê-la. Compara-nos o Senhor com o sal da terra e a luz do mundo. Pela fé em Jesus, podemos executar trabalhos grandiosos. Disse o Senhor: "... aquele que crê nem mim também fará as obras que eu faço e as fará maiores do que estas, porque eu vou para meu Pai" (Jo 14.12). É uma promessa maravilhosa. O Senhor Jesus concede-nos fé para assumirmos posição de autoridade e poder que lhe foram confiados pelo Pai. E promete sua eterna assistência (Mt 28.20).

II

O Ministro Casado e a Família

Já tivemos oportunidade de ver que o casamento é necessário ao ministro do evangelho, mas não é obrigatório nem condição *sine qua non* para o exercício ministerial. O pastor é o líder da igreja que dirige ou pastoreia. A conveniência de ser ele casado está, especialmente, em ter uma pessoa efetivamente, vinte e quatro horas por dia, para assessorá-lo em suas atividades. Ficará seu ministério mais completo. Por isso, a competência da esposa do ministro não se limita em cuidar do lar e da família, mas deve estender-se até onde sua capacidade der, interessando-se pelos assuntos da vida particular do marido, cooperando para facilitar sua vida, e dando-lhe o máximo apoio no que tange a seu ministério. Precisa saber ela até onde deve e pode penetrar. Não convém imiscuir-se em assuntos que não lhe digam respeito; muito menos em querer controlar o marido. Mas deve sugerir medidas necessárias ao bom andamento do trabalho, conforme observadas as necessidades em seu contato com a igreja e as pessoas.

1 O Pregador e sua Família

Todos temos familiar *lato sensu*. Família é o conjunto de pessoas oriundas da mesma gente, que vivem juntamente, sob o mesmo teto. É o conjunto das pessoas que se unem pelo casamento, ou pela filiação, ou ainda, mais excepcionalmente, pela adoção. É um organismo social que se forma com o casamento, e se desenvolve com a procriação da prole. O relacionamento do obreiro com sua família, de um lado, e com a igreja-ministério e sociedade de outro, é problema muito sério. Talvez o mais delicado dos problemas na vida do obreiro do Senhor. Encaremo-lo de maneira prática. Para isto, devemos focalizar, *a prori*, o casamento que é início da formação da família. Entendemos que o casamento não é apenas a união de indivíduos de sexos diferentes perante a autoridade civil ou eclesiástica. Não é o casamento apenas um contrato civil; não é apenas um fenômeno social. O casamento se reveste de conceitos e qualidades altamente significativos, quer do lado moral, quer do espiritual, e surge entre o homem e a mulher não apenas por tradição social, mas em cumprimento a desígnios divinos na continuação da espécie. Presta-se, especialmente, e entre outras grandes utilidades, à formação e ao aperfeiçoamento do caráter cristão e ao desempenho de altas missões espirituais, religiosas, econômicas e sociais, tornando-se o maior relacionamento humano. O casamento é visto individualmente de várias maneiras.

2 Da Sujeição da Esposa e Liderança do Ministro

Para fins didáticos e baseados na Palavra de Deus, podemos comparar o relacionamento do marido ministro e sua esposa com o existente entre o Pai e o Filho. Naturalmente, essa comparação de relacionamento é no que diz respeito ao princípio de cooperação e comunhão. Jesus disse: "Eu e o Pai somos um" (Jo 10.30); "... o Pai é maior do que eu" (Jo 14.28). Jesus deixou claro a identidade de natureza do Pai e do Filho, sem haver, no entanto, conflitos de ação ou autoridade, o Filho considerando o Pai superior, em profundo e mútuo amor (Jo 14.31; 17.24). Não há segredo que um não revele ao outro: "... o Pai ama ao Filho e mostra-lhe tudo o que faz" (Jo 5.20). Os bens são comuns: "Tudo quanto o Pai tem é meu" (Jo 16.15). Nesse santo relacionamento, o Filho (Jesus) tudo fazia para agradar o Pai (Jo 8.29; 12.49).

a) Não pode existir tão belo e perfeito exemplo de liderança como o de Deus; não há exemplo semelhante de amor, participação e cooperação como o demonstrado pelo Pai e pelo Filho. Naturalmente, não se pode pensar em serem os dois cabeça; um é o cabeça do outro — o Pai (1 Co 11.3).

b) Não é diferente a situação do casal. Se ambos fossem iguais em matéria de direção e decisão, quando surgisse uma divergência de opinião, estabelecer-se-ia o impasse, impossibilitando a decisão. Deus outorgou ao homem maior parcela de responsabilidade e autoridade. A ele cabe a decisão final. Leiamos as seguintes passagens que nos retificarão o que acima foi dito. "Portanto, deixará o homem pai e mãe de se unirá à sua mulher, e serão dois numa só carne? Assim não são mais dois, mas uma só carne. Portanto, o que Deus ajuntou não separe o homem" (Mt 19.5,6). Paulo conclui: "Mas quero que saibais que Cristo é a cabeça de todo varão, e o varão, a cabeça da mulher; e Deus, a cabeça de Cristo" (1 Co 11.3). Isto não significa propriamente inferioridade, mas uma questão de prioridade e atribuição. Tanto é que as sociedades civilizadas, desde tempos idos, em quase todo o mundo, atribui ao homem trabalhos árduos, como a guerra, serviços policiais, serviços braçais e outros. Não que isto seja por fragilidade do sexo feminino, mas por amor e respeito, e também por uma tradição de milênios. Sabemos que existem exceções, mas a regra geral é essa. À mulher, normalmente, compete as tarefas relativas ao lar, da orientação diária dos filhos, de acompanhar suas atividades e conduzi-los a um bom relacionamento familiar (no que o marido também atua e contribui).

c) A mulher do pastor ou ministro do evangelho é, antes de tudo, uma senhora crente, irmã em Cristo (do marido), esposa do homem de Deus, mãe cristã e cooperadora do marido e da igreja onde servem. Sua posição junto ao marido é a indicada pela Bíblia: "Vós, mulheres, sujeitai-vos a vosso marido, como ao Senhor; porque o marido é a cabeça da mulher, como também Cristo é a cabeça da igreja, sendo ele próprio o salvador do corpo. De sorte que, assim como a igreja está sujeita a Cristo, assim também as mulheres sejam em tudo sujeitas a seu marido" (Ef 5.22-24). O mesmo ensinamento está registrado em Colossenses 3.18; Tito 2.4.5; 1 Timóteo 2.9-15 e 1 Pedro 3.1-6.

d) A esposa pode ajudar ou prejudicar o marido, o pastor. Pode ela estar a seu lado nos trabalhos, nos desalentos, nas aflições e nos problemas da obra; pode ficar ao lado dele nas mais agudas tentações. Ela tem obrigação de conhecê-lo bem. Mesmo sem ouvir palavras de reclamação da parte dele, ela pode ler em sua fisionomia ou em seus gestos o que dentro de seu coração ou em seu espírito se passa. Ela deve ser dotada de qualidades excepcionais, para que possa prestar-lhe auxílio, na obtenção de forças e estímulo para que ele consiga energia e poder divino para fazer frente às lutas e aos problemas e vencê-los. Ela tem o poder, se assim o quiser, de consolá-lo nas horas de angústia. Ou então, pode ela tender para o lado oposto, tornando-se um verdadeiro empecilho para o marido, colocando-se direta ou indiretamente ao lado dos adversários dele para levá-lo ao fracasso. Pode contribuir para que ele se torne carnal, impaciente, nervoso, irritado, fazendo que seu ministério não passe de uma função temporal qualquer, contrária à vocação do Senhor.

e) Quão grande é o pecado de uma esposa que contribui para o fracasso de um marido ministro do evangelho, que o influencia na direção carnal ou o deixa à mercê da sorte quando mais ele precisa de sua ajuda! Tal mulher esquece-se de que os dois estão no mesmo barco; que se trata do maquinista e foguista da locomotiva; que se um fracassar, dificilmente o outro escapa. De igual modo, a esposa deverá pensar e encarar seriamente a carreira ministerial do marido, sabendo que sua cooperação com ele contribuirá para o progresso de ambos. Ela deve saber que tem responsabilidade pelo sucesso ou fracasso dele e que, se o influenciar para o mal, o progresso de ambos estará comprometido, e o naufrágio do marido arruinará tanto a ele quanto a ela.

3 Do Mau Exemplo e da Influência Maléfica

As páginas do Livro Santo estão repletas de ilustrações que se prestam muito bem para as verdades que procuramos ensinar neste trabalho. A Bíblia registra que na terra de Uz habitava um homem perfeito e justo, chamado Jó. Em dias de fracasso financeiro e de precário estado de saúde, sua esposa o censura, desanima-o e provoca, blasfemando contra o próprio Criador que o provava. Assim diz o texto sagrado: "Então, sua mulher lhe disse: Ainda reténs a tua sinceridade? Amaldiçoa a Deus e morre" (Jó 2.9). Que situação do homem de Deus! É aí que precisa ser fiel! Respondeu-lhe Jó: "Como fala qualquer doida, assim falas tu; receberemos o bem de Deus e não receberíamos o mal? Em tudo isto não pecou Jó com os seus lábios" (Jó 2.10). Outro triste exemplo de esposa perigosa foi a de Ló. Estava ela também orientada por Deus para não olhar para trás, para a cidade que deixaram por determinação divina, mas não acompanhou o marido em seu proceder. Em conseqüência, pereceu e contribuiu para o marido, mais tarde, pecar de maneira vil (Gn 19).

4 Da Piedade da Esposa do Ministro

A esposa de Manoá (um israelita da tribo de Dã), mãe de Sansão, é um dos mais belos exemplos de piedade. Por ocasião do sacrifício ao Senhor, Manoá foi tomado de grande medo e pensou que eles morreriam: "Certamente morreremos, porquanto temos visto Deus" (Jz 13.22). Ela, no entanto, o reanimou: "Porém sua mulher lhe disse: Se o SENHOR nos quisera matar, não aceitaria da nossa mão o holocausto e a oferta de manjares, nem nos mostraria tudo isto, nem nos deixaria ouvir tais coisas neste tempo" (Jz 13.23). Que resposta sábia! Que encorajamento para o marido!

a) É feliz o pastor que possui uma esposa fiel e que o encoraja à prática do bem e na senda da fé e realizações nobres. É um grande consolo para o coração abatido do marido, procurando aliviar a carga espiritual que pesa em seus ombros. Não foi assim nossa primeira mãe — Eva. Induziu o marido a desconfiar do Senhor Deus, o Sumo Bem, e o conduziu pela vereda da desobediência e do fracasso espiritual (Gn 3.6). Outra que procedeu mal, em verdadeiro contraste com a esposa de Manoá, foi Miriã, irmã de Moisés. Era profetisa. Hoje seria ministra do evangelho, missionária, líder de círculo de oração de uma grande igreja. Censurou violentamente o irmão Moisés, o grande pastor do povo de Israel. Ainda bem que o Senhor Deus é ouvinte de tudo o que falamos, pois Ele é onisciente e onipresente. Deus reprovou severamente tanto Miriã como seu irmão Arão (o mais velho da família): "Vós três saí à tenda da congregação. [...] Não é assim como meu servo Moisés que é fiel em toda o minha casa [...] e olhou Arão para Miriã, e eis que era leprosa" (Nm 12.4-10).

5 Das Obrigações da Esposa junto à Família

Já tivemos oportunidade de falar sobre a família em páginas anteriores. Cabe, porém, observar que, se o Senhor conceder filhos ao casal, deve a mãe conhecer bem suas obrigações perante os filhos. A mãe de Moisés foi um dos maiores exemplos que a história da humanidade registrou, apresentado nas páginas da Bíblia. Foi ela exemplo de piedade, amor maternal, confiança em Deus e dedicação quanto à proteção do filho (Êx 2.2). O sentimento de toda mãe bem orientada é de proteger, amar e educar o filho (Pv 22.6; Tt 2.4). A esposa deve partilhar com o marido na organização e direção da família de modo bem coerente com os mandamentos do Senhor, a fim de que a família possa ser modelo para todos os membros da igreja ou das igrejas. Não deve a mulher do pastor esquecer-se de que seu primeiro dever não é para com a igreja, mas para com o marido, em segundo, para com os filhos. Se surgir um problema, porventura, que requeira dela uma de duas alternativas, a igreja e os filhos, implicando seus deveres materiais e eclesiásticos, é dever sagrado dedicar-se a seus próprios filhos fielmente, antes de qualquer outro. Como o pastor, deve colocar ela em ordem de prioridade: Deus, eu, minha família e a igreja.

6 Das Responsabilidades da Esposa do Pastor na Igreja

O relacionamento entre a esposa do ministro do evangelho, especialmente do pastor, e a igreja deve ser estreito, cordial, efetivo e funcional. Podemos considerar muitos pontos que nos autorizam a mostrar a responsabilidade tanto da igreja quanto da esposa do pastor.

a) O apóstolo Paulo ensina que, na vida espiritual, no que diz respeito a nossas responsabilidades cristãs, não há homem nem mulher: "Nisto não há judeu nem grego; não há servo nem livre; não há macho nem fêmea; porque todos vós sois um em Cristo Jesus" (Gl 3.28).

b) A Bíblia apresenta a mulher como obreira no evangelho tanto quanto o homem. Lembremos que o primeiro anúncio da ressurreição do Senhor foi feito por mulheres (Mt 28.5,10). Lucas registra que o evangelista Filipe tinha quatro filhas profetisas (At 21.9). Paulo recomenda aos romanos a irmã Febe como cooperadora ou servente da Igreja de Cencréia, como protetora dos irmãos, inclusive do próprio Paulo (Rm 16.1,2). Paulo recebeu grande assistência de irmãs, como Evódia e Síntique, suas cooperadoras, e de Clemente, no evangelho (Fp 4.2,3). Miriã, irmã de Moisés, foi profetisa ungida; proferiu excelente mensagem de exaltação, movida pelo Espírito do Senhor (Êx 15.20,21). Débora, reconhecida como grande profetisa em Israel, e até heroína, prestou à nação e ao povo de Deus excepcional trabalho (Jz 4.4). Não havia homens altamente qualificados que se dedicassem a trabalhar pelo povo de Deus, e por isso o Senhor a usou eficazmente, como juíza, ministério que caberia a homens. A Bíblia nos apresenta o registro de Judá, a profetisa, a quem o rei Josias mandou consultar como vidente do Senhor (2 Rs 22.14).

c) A promessa de Deus por meio do profeta Joel, entendida como efusão do Espírito ou do Pentecostes, citada por Pedro e cumprida parcialmente no dia de Pentecostes, refere-se tanto a filhos como a filhas, tanto a servos como a servas (Jl 2,28,29; At 2.15-21). O Senhor Deus tem usado as mulheres, irmãs fiéis, e as usará ainda até Jesus voltar em sua grandiosa obra aqui na terra.

7 Do Ministério de Mulheres

Já vimos rapidamente que Deus usa em sua obra tanto homens como mulheres. No entanto, temos de observar certa diferenciação nas funções. O ensino paulino distingue alguns pontos comportamentais do homem e da mulher, especialmente em costumes, o que tem trazido em nossos dias algumas polêmicas, Por exemplo, uso de véu ou cabelos longos para a mulher e cabeça descoberta ou cabelos curtos para os homens (1 Co 11.3). Paulo proíbe que a mulher ensine ou exerça autoridade sobre o marido (1 Tm 2.12). A Bíblia ensina que Cristo é superior à Igreja; a Ele cabe a direção. De igual modo, a mulher está sujeita ao marido e, no lar, cabe a ele a direção.

a) Nas igrejas cristãs, a posição de liderança e administração compete ao homem. Todas as mulheres cristãs parecem ver com muita naturalidade e até com felicidade a direção da vida da igreja nas mãos dos homens que administram e doutrinam.

b) Não há dúvida de que a mulher cristã, na igreja, pode perfeitamente partilhar com o marido, especialmente com o pastor, as atividades eclesiásticas, bastando para isso ser dotada de qualificativos que tais funções exigem.

c) A mulher pode acompanhar o pastor ou o marido nas visitações, se conveniente.

d) Ela pode fazer visita pessoal, quando não convenha ou não seja necessária a presença do pastor. Havendo um grupo de senhoras na igreja, estando ela junto, a liderança deve pertencer a ela, por deferência, em visitações.

e) Tendo ela dom para trabalhar com crianças e habilidade, isso seria muito útil e eficaz. Concorreria para bom êxito do pastor (se for o marido).

f) De igual maneira, se pudesse a mulher, esposa do pastor, ser professora ou secretária da escola dominical, seria uma bênção.

g) Sua participação nas escolas bíblicas de férias, trabalhos com orquestra, coral, conjuntos musicais em geral, seria muito útil e salutar, se souber ela se conduzir habilmente. Saibamos aproveitar o trabalho das mulheres na igreja!

8 Das Relações do Pastor com as Famílias de sua Igreja e da Sociedade

O obreiro passa por situações difíceis em sua carreira de pregador. A tarefa é espinhosa e merece todo o cuidado para evitar acidentes. Seu campo de trabalho é cheio de oportunidades e espinhos que exigem dele a máxima prudência.

a) Todas as famílias geralmente têm suas precauções com relação a estranhos. Isso varia muito de lugar para lugar, seja cidade, seja aldeia ou campo. O pregador precisa estar a par desses costumes e respeitar o zelo de cada lugar, grupo ou família. Seu relacionamento com as famílias deve, portanto, revestir-se de todo o respeito e cautela.

b) O pastor terá de, impreterivelmente, visitar essas famílias, penetrar em seus lares, inteirar-se de seus segredos e problemas, ser seu confidente (da família, do pai de família, da mãe ou de algum dos filhos). Há casos em que o pastor é a única pessoa em quem essa família confia para revelar problemas íntimos. Ele precisa ser merecedor da confiança; precisa ser um bom depositário da confiança dessas pessoas.

c) O pastor terá de fazer visitas. Em suas visitas de caráter pastoral propriamente dito, social, familiar ou amigável, em casos de enfermidade, de lutas ou aflições, ou mesmo de negócios particulares, precisa evitar:

- gracejos jocosos ou de baixo nível;
- expressões imprudentes e descabidas;
- excessivas liberdades desconcertantes;
- anedotas e risadas excessivas;
- censuras e críticas rigorosas;
- liberdade em movimentar-se na casa, pelos compartimentos.

d) Não fica bem o pastor chegar em uma casa, a não ser de parente ou pessoa muito íntima, e ir entrando, indo à cozinha ou mirando os aposentos, sem esperar ser anunciado e convidado a entrar e sentar-se.

e) Deve evitar ficar muito tempo conversando, sem necessidade, esquecendo-se de que a família tem muitos afazeres.

f) Os cumprimentos prolongados (abraços e apertos de mão) excessivamente afetuosos, especialmente destinados às mulheres, são prejudiciais à imagem do pregador.

g) Não fica bem nunca, e em visitas especialmente, o pastor ou pregador abraçar uma senhora ou jovem ou dar-lhe pancadinhas nas costas. Isso pode despertar ciúmes, censuras e conseqüências desagradáveis.

h) O pregador deve evitar olhar distraidamente uma senhora ou uma jovem de maneira a causar-lhe confusão.

i) O pregador do evangelho precisa falar com as senhoras e com as jovens de maneira que não deixe dúvida sobre seu sentimento. Evite elogios de sentido ambíguo.

j) O pastor deve tratar todos os irmãos e irmãs com o máximo respeito e acatamento, com toda a prudência e precaução, todo o comedimento e discrição, para não prejudicar a vida espiritual da igreja, o seu próprio testemunho, a confiança que deve e precisa merecer dos membros; para não se tornar um indivíduo pernóstico, malvisto e repelido na sociedade. Suas relações com as famílias, e particularmente com as pessoas de sua igreja, devem se revestir de alto respeito e santidade, sem afetação, naturalmente.

12

O Ministro do Evangelho e suas Relações

O ministro do evangelho é um homem de múltiplas atividades. As funções do ministro obrigam-no a um contato direto com pessoas e grupos, sem os quais não teria ele razão de existir. Tem ele relações com Deus e os homens; com pessoas e entidades de todas as categorias. Assim, seu primordial relacionamento é com o Pai celeste, com o Senhor Jesus Cristo e com o Espírito Santo. O ministro tem estreita e evidente relação com a igreja de Jesus Cristo e com o ministério local e geral. Tem ele grande relacionamento com a sociedade em geral e com todo o mundo que o cerca, sejam pessoas, organizações ou coisas. Examinemos algumas dessas relações.

1 De suas Relações como Servo de Deus e da Igreja

No começo deste trabalho, observamos que o ministro do evangelho é um servo. No caso, servo de Deus, *stricto sensu* e *lato sensu*. Como servo de Deus, serve à igreja. Seu campo de trabalho é o mundo, mas sua oficina é a igreja no mundo. É colocado na igreja por Deus, sua maior responsabilidade é com Deus e a Ele deve dar satisfação de tudo o que faz ou deixa de fazer, pois é seu servo. Do Senhor, recebe a direção para o trabalho. Ao Senhor cabe a primazia de tudo. O ministro recebe ordens diretamente dos céus e deve cumpri-las fielmente, sem se preocupar com quem quer que seja. Ao Senhor Deus é que prestará contas.

2 De suas Relações como Cooperador de Deus

O ministro é um cooperador de Deus. É deveras uma posição honrosa, se não a mais honrosa de todas. O cooperador é um colaborador. Fomos chamados para sermos colaboradores dEle: "Porque nós somos cooperadores de Deus" (1 Co 3.9). O Senhor trabalha todo o tempo. Jesus disse: "Meu Pai trabalha até agora, e eu trabalho também" (Jo 5.17). "Convém que eu faça as obras daquele que me enviou, enquanto é dia; a noite vem, quando ninguém pode trabalhar" (Jo 9.4). Jesus nos dá o maior exemplo, pois em toda sua vida terrena provou ser o maior colaborador do Pai, e este elevadíssimo privilégio de trabalhar para Deus como seus colaboradores nos foi outorgado por Jesus. Vejamos o que diz o Senhor: "A minha comida é fazer a vontade daquele que me enviou e realizar a sua obra" (Jo 4.34). É difícil o trabalho do ministro de Deus, mas precisa ele dar tudo de si para trazer os homens a uma vida verdadeira com Deus, que é a nova criação ou o novo nascimento (Jo 3.5,6; 2 Co 5.17; Gl 6.15; Ef 4.24; Cl 3.10). A tarefa é indubitavelmente muito difícil, embora honrosa demais. Entretanto, temos a confiança na ajuda e assistência permanente do Senhor Jesus (Mt 11.30; 28.20).

3 De suas Relações como Despenseiro dos Ministros de Deus

Despenseiro é o mesmo que provedor ou encarregado da provisão. Isto é, alguém encarregado de administrar alimentos, roupas e instrumentos de trabalho para os servos ou empregados. O ministro, como servo de Deus, é um despenseiro. É encarregado da "despensa" ou "armazém-depósito" de Deus em favor de sua obra na terra. O apóstolo Paulo diz: "Que os homens nos considerem como ministros de Cristo e despenseiros dos mistérios de Deus" (1 Co 4.1). O despenseiro foi colocado como responsável pelos bens alheios — os de Deus. Os bens sob nossa guarda são os maravilhosos mistérios do Reino de Deus. Paulo diz: "Aos quais Deus quis fazer conhecer quais são as riquezas da glória deste mistério entre os gentios, que é Cristo em vós, esperança da glória" (Cl 1.27). "E, sem dúvida alguma, grande é o mistério da piedade" (1 Tm 3.16). "Eis aqui vos digo um mistério: Na verdade, nem todos dormiremos, mas todos seremos transformados" (1 Co 15.51). O apóstolo João diz: "Mas nos dias da voz do sétimo anjo, quando tocar a sua trombeta, se cumprirá o segredo de Deus, como anunciou aos profetas, seus servos" (Ap 10.7). Paulo ainda escreve: "A mim, o mínimo de todos os santos, me foi dada esta graça de anunciar entre os gentios, por meio do evangelho, as riquezas incompreensíveis de Cristo e demonstrar a todos qual seja a dispensação do mistério, que, desde os séculos, esteve oculto em Deus, que tudo criou" (Ef 3.8,9). É maravilhoso pensar na confiança que Deus depositou no homem ao chamar este para a sua obra. Somos responsáveis pela realização de tão árdua e nobre missão. O despenseiro é semelhante ao mordomo. É uma espécie de ecônomo.

4 De suas Relações como Depositário do Evangelho

Há notável diferença entre as funções de despenseiro ou mordomo e depositário. Enquanto a primeira relação é como a existente entre empregado e empregador, a segunda (depositário), com relação ao Senhor, é semelhante à do depositário de uma herança e o testador. É ele encarregado de uma proteção ou guarda legal de bens. É aquele que recebe e tem sob sua guarda e segurança pessoa ou coisa, com a obrigação de a restituir, quando legalmente reclamada. O não-cumprimento dos dispositivos legais por parte do depositário fá-lo depositário infiel. Deus nos colocou como depositários do evangelho vivo, dinâmico e atuante (1 Ts 2.4).

5 De suas Relações como Intercessor

Deus designou o ministro do evangelho também como intercessor perante Ele em favor do povo e dos homens (1 Tm 2.1; 1 Pe 2.9). Da mesma forma como Abraão intercedeu por Ló e foi atendido — sendo Ló salvo com esposa e filhas, e como Moisés intercedeu por toda a nação israelita e foi ouvido pelo Senhor Deus, o Senhor concede ao ministro do evangelho o privilégio de ficar perante Ele intercedendo por seu povo, por pessoas carentes e por aquelas que estão a perecer. Cada crente é encarregado, especialmente o pastor, de exercer a intercessão.

6 De suas Relações como Atalaia

Atalaia era a função de um homem colocado em lugar alto, próximo à cidade ou acampamento, em estado de alerta, como sentinela ou vigia para detectar a presença de inimigo ou pessoa suspeita que oferecesse perigo ou ameaça. O atalaia dava sinal a um posto avançado ou diretamente ao encarregado da segurança para evitar ataque ou penetração do inimigo. O atalaia em serviço não podia dormir nem distrair-se. Era semelhante ao sentinela militar hoje, quer de posto fixo, quer móvel. O atalaia não podia ser negligente. A negligência implicaria grande responsabilidade que lhe seria imputada pelo chefe. Por isso, o Senhor Deus falou por meio do profeta Ezequiel: "Filho do homem, eu te dei por atalaia sobre a casa de Israel; e tu da minha boca ouvirás a palavra e os avisarás da minha parte. Quando eu disser ao ímpio: Certamente morrerás; não o avisando tu, não falando para avisar o ímpio acerca do seu caminho ímpio, para salvar a sua vida, aquele ímpio morrerá na sua maldade, mas o seu sangue da tua mão o requererei" (Ez 3.17,18). O ministro do evangelho é posto na igreja como atalaia e o Senhor exige dele o cumprimento de suas ordens. Daí o ser vigilante e esforçado. Somos atalaias, não somente junto à igreja, mas a todos os homens.

Essa vigilância dá a nosso ministério valor incalculável. O nível espiritual da igreja reunida e até o de cada indivíduo em particular adorando a Deus deve merecer a máxima atenção do pastor, que é atalaia, para evitar que algo estranho perturbe as atividades cúlticas. Muitos lobos rodeiam o rebanho, e leões indomáveis querem atacá-lo. Nosso trabalho é afastá-los e oferecer ao rebanho do Senhor segurança e proteção. Os que tropeçam e caem devem ser levantados e os desviados dos santos caminhos, achados, trazidos de volta e reconduzidos aos pastos e às águas tranqüilas (Ez 34.4; Sl 23.2). O pastor não deve parar de cuidar de sua gente com extremo desvelo.

7 De suas Relações como Pastor Subordinado ao Sumo Pastor

O pastor é servo de Cristo Jesus. É colocado na igreja por Jesus, com dom especial para o exercício (Ef 4.10,11); está sujeito ao controle do Senhor (Ap 2.1,20), e a Ele é submisso, pois é Jesus o Sumo Pastor, *i.e.*, o Pastor maior. Tem Ele inúmeros pastores ou todos os fiéis pastores às suas ordens, que obedecem as suas instruções e executam as tarefas que lhes são determinadas (At 20.28; 1 Pe 5.2-4). O Supremo Pastor nos dará sua eficaz assistência até o fim (Mt 28.20).

8 De suas Relações como Dirigente

A Igreja, como uma grande família, a família de Deus, é em seu todo dirigida por Jesus, mediante o Espírito Santo que a guiará a toda a verdade (Jo 16.13). As igrejas locais ou regionais precisam de dirigentes, e para isso foi o pastor constituído por Deus (At 20.28). Como acontece em qualquer família, especialmente as numerosas, ou grupos de pessoas, surgem questões de ordem e disciplina e outros problemas próprios da natureza humana, os quais exigem ordem, liderança e autoridade; do contrário, estabelecer-se-ia a anarquia ou o caos. As congregações locais logo se desintegrariam. Caso não houvesse líderes que exercessem autoridade, coordenação e controle, as assembléias locais se desfariam completamente. Daí a exigência da Palavra de Deus de o pastor saber governar bem sua família para capacitar-se a governar ou dirigir a igreja de Deus (1 Tm 3.4,5).

a) Não se pode pensar em ser um homem capaz de dirigir e instruir os outros se não for capaz de agir exemplarmente no ambiente familiar, especialmente em seu próprio lar.

b) É realmente atraente exercer liderança em uma grande igreja evangélica. Muitos até cobiçam e brigam por essa posição. No entanto, compete-nos lembrar que o cargo exige alto grau de maturidade cristã e espiritual, tino administrativo, dedicação, fidelidade e oração. O dirigente tem de ser mais piedoso (não fanático) que os membros da igreja que dirige. Sua autoridade é sempre proporcional a suas realizações. Bom exemplo temos em

Paulo que convida os crentes a o imitarem como ele imitava a Cristo (Fp 3.17; 1 Tm 1.16). Ele colocou-se como modelo a ser seguido.

9 De suas Relações como Provedor

O provedor é o administrador, a pessoa encarregada de não deixar faltar nada ao estabelecimento. Até certo ponto, é sinônimo de despenseiro. O provedor deve fiscalizar o depósito ou armazenamento de víveres, instrumentos de trabalho, objetos de uso pessoal na organização, distribuição de mantimentos e roupas para o exercício das funções dos empregados e outros objetos de provisão. O pastor ou ministro do evangelho foi posto na família de Deus com o propósito de dar assistência aos servos do Senhor, que são os crentes — "o sustento a seu tempo" (Mt 24-45). Como no lar, nas grandes organizações ou comunidades, em quartéis, hospitais e outros precisa-se de alimento material, remédio, roupas e outros meios de sustentação ou provisão, assim na igreja do Senhor, sob nossa responsabilidade, há necessidade de cuidados especiais por parte do ministro, a quem o Salvador constituiu para dar assistência aos servos em sua obra (Mt 24.45).

a) A tarefa do pastor não consiste só em conhecer o alimento espiritual, mas também em prepará-lo e servi-lo de modo conveniente.

b) O armazém espiritual e moral sob os cuidados do ministro deve conter provisão para todos os membros da igreja.

c) O pastor deve servir alimento tanto aos novos convertidos como aos mais antigos crentes de maneira adequada.

d) Sem o devido provimento espiritual, todas as demais atividades se tornam carentes e improdutivas.

e) O ministro não pode ser negligente nem incapaz nessas atividades, pois isso trará graves prejuízos à Casa de Deus.

10 De suas Relações com o Presbitério

Nem todas as igrejas evangélicas têm corpo de presbitério. Há igrejas que têm presbíteros; outras acham que presbítero e pastor são sinônimos. Qualquer que seja o sistema, a igreja tem um corpo de auxiliares do pastor; quer presbíteros, quer diáconos, existe esse corpo de assessoramento.

a) Deve haver entre o pastor e o corpo de auxiliares um círculo íntimo de comunhão eclesiástica. No caso das igrejas que possuem o corpo de presbitério, esses auxiliares são de muita valia para a obra, contanto que sejam bem escolhidos e orientados. As relações do pastor com eles devem ser vinculadas pelo amor cristão e mútuo, para que todas as dificuldades na obra surgidas por acaso sejam sanadas.

b) O pastor deve entender que é também líder dos auxiliares, mas estes são seus companheiros na luta. Deve haver franca e fiel camaradagem entre eles e o pastor, num sentido mais íntimo e mais estreito do que com os demais membros da igreja local.

c) Sempre haverá questões que devem ficar em segredo entre todos. O pastor deve inspirar confiança no grupo de auxiliares, e estes devem conquistar a confiança do pastor e tornar-se cada vez mais dignos dessa confiança.

11 Da Função de Diácono e de Presbítero-Pastor

A instituição e função dos diáconos aparecem no capítulo 6 do livro de Atos dos Apóstolos. É bom que se estudem as relações entre pastor, presbítero e diácono demoradamente. Deixamos de discutir a etimologia das palavras "bispo", "presbítero" e "diácono" para fazê-lo em outra oportunidade (neste trabalho). Precisamos dizer, no entanto, ratificando o que já falamos em outras palavras, que há presbíteros em cargo de apascentar; logo, é pastor este presbítero; há outros que ajudam o pastor na direção, na fiscalização, na administração e em outras atividades; estes não são pastores. Todo pastor em atividade é presbítero ou bispo; nem todo presbítero ou bispo é pastor, em *lato sensu*. Lembremos que não encontramos na Bíblia apóstolos além dos escolhidos por Jesus ou por eles mesmos, a não ser Paulo, Barnabé e Silas. Mas os apóstolos também eram presbíteros (1 Pe 5.1; 2 Jo 1.1). Eles eram também pastores, e pastores superintendentes ou pastores, bispos e presbíteros gerais, sob cuja fiscalização, direção, orientação e coordenação estavam as vidas da Igreja do primeiro século. Comparemos com outros dois termos seculares bem conhecidos: "soldado" e "general". Todo general é soldado, mas nem todo soldado é general. A recíproca não vale. Assim é para pastor e presbítero. Ninguém, em sã consciência e com natural modéstia, evoca para si o título de apóstolo, nem o dá a outrem, como forma honorífica ou de tratamento. Houve, e há em nossos dias, verdadeiros apóstolos em suas funções. Lembremo-nos de vidas como a de Martinho Lutero, Gunnar Vingren, Daniel Berg, Samuel Nistron, Cícero Canuto de Lima, Paulo Leivas Macalão, e comparemo-las com Paulo, João, Pedro, Barnabé. Que diferença há? Nenhuma! Simplesmente nenhuma! Entretanto, não consagramos apóstolo, não chamamos oficialmente nenhum desses servos de Deus de apóstolo.

12 Do Presbitério na Igreja Local

Deve haver na igreja local um corpo coeso e dinâmico de presbíteros, que forma o presbitério local, os quais são os auxiliares mais próximos do pastor da igreja. São instituídos pela Palavra de Deus, pois os encontramos nas Escrituras: "E, havendo-lhes por comum consentimento eleito anciãos em cada igreja, orando com jejuns, os encomendaram ao Senhor em quem haviam crido" (At 14.23). Paulo escreveu a Timóteo: "... sejam estimados por dignos de duplicada honra, principalmente os que trabalham na palavra e na doutrina" (1 Tm 5.17). A Tito recomenda: "... para que pusesses em boa ordem as coisas que ainda restam e, de cidade em cidade, estabelecesses presbíteros, como já te mandei" (Tt 1.5). De Mileto Paulo manda chamar os presbíteros da Igreja de Éfeso (At 20.17).

Pode-se perguntar: "presbítero", "pastor", "bispo" são palavras sinônimas? São a mesma coisa? Presbítero é ministro do evangelho? Analisemos algumas passagens bíblicas e a prática da Igreja dos apóstolos.

a) Pedro se considerava presbítero, embora fosse, como sabemos, apóstolo. Assim escreveu: "Aos presbíteros que estão entre vós, admoesto eu, que sou também presbítero com eles [...] *apascentai* o rebanho de Deus que está entre vós. [...] E, quando aparecer o Sumo Pastor, alcançareis a incorruptível coroa de glória" (1 Pe 5.1-4). Não paira dúvida sobre o ministério de Pedro como pregador e apóstolo do maior quilate. Ele instruía os presbíteros, em termos de ministério, afirmando ser ele mesmo um presbítero, colega, portanto, deles, a que exercessem o pastorado. Compreendendo como compreendia Pedro, concluímos que os presbíteros exercem um ministério.

b) A tradição é unânime em afirmar que as epístolas atribuídas ao apóstolo João como seu autor foram realmente escritas pelo apóstolo do Amor, o filho de Zebedeu, irmão de Tiago. Esse João, que era apóstolo de Jesus Cristo, na segunda e terceira epístolas, a si mesmo se designou de "presbítero" (1 Jo 1; 3 Jo 1).

c) Pela leitura de Atos 11.30; 15.2-4,6,22,23; 20.17,28 e particularmente Tito 1.5,7, é evidente que os vocábulos "presbítero" e "bispo" (ambos significando supervisar) são sinônimos. Vejamos os versículos 5 e 7: "... de cidade em cidade, estabelecesses presbíteros, como já te mandei. [...] Porque convém que o bispo seja irrepreensível como despenseiro da casa de Deus, não soberbo, nem iracundo, nem dado ao vinho, nem espancador, nem cobiçoso de torpe ganância". Observamos que o versículo 5 fala de "presbítero" e o 7, "bispo", referindo-se à mesma consagração, ao mesmo oficial da igreja, a homens que em sua experiência espiritual exerçam, como "presbítero" (às vezes, traduzido por ancião) ou "bispo", a superintendência, supervisão ou fiscalização da obra do Senhor.

A conclusão segura a que se pode chegar é que na Igreja do primeiro século havia pluralidade de presbíteros (ou anciãos) em cada igreja local, exercendo as funções de pastor, sendo um responsável e outros auxiliares. A bem da verdade, é bom que se esclareça que nos dias dos apóstolos Paulo e Pedro, o Novo Testamento ainda não estava completo, pelo que não se pode esperar, e muito menos exigir, padrões fixos de oficiais da igreja e suas funções com delimitações a serem seguidos, a ponto de podermos evocar o Novo Testamento para resolver todas as questões de nossas igrejas hoje. Não obstante, havia certa distinção entre estes presbíteros; é o que nos parece quando lemos 1 Timóteo 5.17, que mostra que alguns trabalhavam mais arduamente na Palavra e no ensino. Paulo orienta Timóteo no sentido de considerar digno de salário o obreiro (presbítero) mais capacitado e investido da responsabilidade maior.

Em face do exposto, é nosso entendimento, como naqueles dias entendiam os apóstolos, que o presbítero pode servir em outras funções espirituais ou administrativas, até mesmo como responsável por congregações ou igrejas, estando capacitado a exercer eventualmente o ministério de pastor.

13 Do Conceito de Oficiais da Igreja

Há denominações que só entendem como oficiais da igreja local o pastor e o diácono. Para essas, as designações de "bispo" e "presbítero" têm aspecto apenas funcionais, não constituindo cargo diferente do de pastor. Tanto o presbítero como o bispo ou ancião e pastor, entendem essas denominações, são um e o mesmo ofício eclesiástico, recaindo na mesma pessoa as mesmas atribuições, de acordo com as necessidades do trabalho que impõem fases diferentes em sua missão. Para corroborar com esse entendimento, evocam a seguinte passagem bíblica registrada por Lucas: "De Mileto, mandou a Éfeso chamar os anciãos da igreja. E, logo que chegaram junto dele, disse-lhes: Vós bem sabeis, desde o primeiro dia em que entrei na Ásia, como em todo esse tempo me portei no meio de vós, servindo ao Senhor com toda a humildade e com muitas lágrimas e tentações que, pelas ciladas dos judeus, me sobrevieram; como nada, que útil seja, deixei de vos anunciar e ensinar publicamente e pelas casas. [...] Olhai, pois, por vós e por todo o rebanho sobre que o Espírito Santo vos constituiu bispos, para apascentardes a igreja de Deus" (At 20.17-28). Nesse texto, temos os títulos de presbítero e bispo sendo usados indistintamente e ligados à função de pastor, que é apascentador.

14 Dos Títulos: "Bispo", "Presbítero" e "Pastor"

O apóstolo Paulo usa as palavras "... com os bispos e diáconos" (Fp 1.1); "... outros como pastores e doutores" (Ef 4.11). Nas cartas pastorais, os escritores só tratam de pastor e diácono, usando a palavra "bispo" como sinônimo de "pastor". Assim, diz Paulo: "Esta é uma palavra fiel: Se alguém deseja o episcopado, excelente obra deseja. Convém, pois, que o bispo seja irrepreensível, marido de uma mulher. [...] Da mesma sorte os diáconos sejam honestos" (1 Tm 3.1-8). Casos há em que a palavra "presbítero" aparece com o mesmo sentido de "pastor", como é encontrado no ensino do apóstolo Pedro: "Aos presbíteros que estão entre vós, admoesto eu, que sou também presbítero com eles, e testemunha das aflições de Cristo, e participante da glória que se há de revelar: apascentai o rebanho de Deus que está entre vós, tendo cuidado dele, não por força, mas voluntariamente; nem por torpe ganância, mas de ânimo pronto" (1 Pe 5.1,2). O impasse e a dúvida desaparecem quando examinamos textos como o seguinte: "Os presbíteros que governam bem sejam estimados por dignos de duplicada honra, principalmente os que trabalham na palavra e na doutrina" (1 Tm 5.17). À luz do texto, entendemos que havia presbíteros que eram pastores, e outros que não exerciam a função de pastores, embora tivessem atividades nas igrejas. Também dá-nos a entender o texto que havia duas classes de presbíteros: os que trabalhavam na igreja como auxiliares, não investidos do ministério da palavra e do ensino, e os que dedicavam suas vidas ao santo ministério. A expressão "duplicada honra" diz respeito à remuneração ou ajuda financeira a que tinham direito os que exercem a direção da igreja e se dedicavam ao ensino da Palavra. Isso fica mais claro quando lemos o versículo 18: "Pois a Escritura declara: Não amordaces o boi, quando pisa o grão. E ainda: O trabalhador é digno do seu salário".

15 Da Escolha de Presbíteros e Diáconos

Em muitas igrejas evangélicas, como já tivemos oportunidade de discutir, os presbíteros formam uma classe de auxiliares do pastor como a dos diáconos. E em algumas delas, o pastor nomeia os presbíteros e diáconos, o que não nos parece de todo arbitrário gesto. Outros, entretanto, indicam nomes previamente examinados à igreja, com o *ad referendum* do presbitério ou ministro, tendo consultado primeiramente cooperadores que tenham contato direto com o povo na igreja, a quem cabe a aprovação final, visto que nossas igrejas são na sua maioria de regime congregacional, como a Igreja Primitiva. É como entendemos os textos de Atos 6.1-8 e Tito 1.5.

a) Temos a promessa de Jesus de o Espírito Santo nos guiar em toda a verdade (Jo 16.13) e de residir em sua Igreja (Jo 14.16). O ministro de Deus precisa reconhecer essa grande verdade.

b) O Espírito Santo separa para a obra aqueles que Ele quiser (At 13.1-5).

c) Jesus partilha com sua Igreja a seleção ou escolha de seus ministros (Jo 15.16).

c) Os pastores, de igual modo, devem dividir com suas igrejas a responsabilidade e a satisfação de separar ou escolher os presbíteros e diáconos (bem como os ministros). É o que aprendemos em Atos 6.3,5,6 e 14.23: "Mas, irmãos, escolhei dentre vós sete homens de boa reputação, cheios do Espírito e de sabedoria, aos quais encarregaremos deste serviço; O parecer agradou a toda a comunidade; e elegeram... Apresentaram-nos perante os apóstolos, e estes, orando lhes impuseram as mãos" (vv. 3,5,6, ARA). "E, promovendo-lhes em cada igreja eleição de presbíteros, depois de orar com jejuns, os encomendaram ao Senhor em quem haviam crido" (14.23, ARA). Podemos constatar, facilmente, a participação do povo na escolha dos obreiros. Achamos ser a melhor forma. É assim que temos a orientação da Palavra de Deus.

16 Da Responsabilidade do Diácono em suas Funções

Não são todos os pastores que, ao indicarem nomes ao ministério ou presbitério e à igreja local para separação de auxiliares para o diaconato, instruem esses irmãos sobre suas atribuições, direitos e deveres. Muito menos fazem estudos especiais para os candidatos ao diaconato. A função do corpo diaconal reveste-se de real importância na vida da igreja. Muitas vezes, por falta de instrução e entendimento, esses homens escolhidos erram num destes dois sentidos-chave: ficam excessivamente exaltados e se excedem em suas funções e prerrogativas, querendo ocupar (ou como se ocupassem) cargo de direção administrativa ou ministerial, ou não se mostram à altura das responsabilidades que lhes são entregues pelo ministério e pela igreja. Uns pensam no cargo de diácono como trampolim para o púlpito ou direção de congregação; outros pensam que agora são levantadores de oferta e distribuidores dos elementos da ceia, apenas. Tanto estes quanto aqueles estão errados. E mais errados ainda os que não os instruíram e os separaram para as funções diaconais.

a) As Escrituras Sagradas nos mostram claramente que esses servos, quando foram escolhidos na Igreja Primitiva, o foram para cuidar da ministração ou do serviço diário e assistencial: "... sirvamos às mesas" (At 6.2).

b) Obviamente, temos de compreender que as funções do diácono não devem, na igreja moderna, com tantos atributos, jungir-se apenas à parte assistencial. Mas não devemos desviar suas funções da natureza que o Espírito Santo, a Igreja Primitiva e a tradição lhes atribuiu — providenciar o atendimento e suprir as necessidades materiais dos crentes, ajudando na administração das questões materiais das igrejas, para que essas não pesem excessivamente sobre os ombros dos pastores que devem se dedicar mais ao ministério da palavra e da oração (At 6.4). É pena que estamos colocando hoje pastores nas funções precípuas de diácono. Chegamos a encher secretarias e tesourarias de igrejas com pastores em serviços burocráticos e deixamos diáconos competentes sem fazerem nada.

17 Do Relacionamento do Diácono com o Pastor

São altos os qualificativos bíblicos para o diaconato. Diáconos escolhidos de acordo com os padrões da Palavra de Deus podem formar um corpo consultivo do pastor, no que diz respeito aos trabalhos materiais da igreja local. Como o presbitério, o corpo diaconal pode ajudar muito o pastor da igreja na administração.

a) Os diáconos são obreiros leigos e membros da igreja como os demais crentes. Por isso mesmo encontram-se em situação favorável para conhecer bem e sentir os pontos de vista e os problemas dos demais irmãos. Talvez, pela intimidade que têm os membros da igreja com os diáconos, encontrem mais facilidade de levar a seu conhecimento fatos que necessitariam comunicar ao pastor. Esses servos de Deus, se andarem na orientação do Espírito Santo, podem ser considerados de real valor nas atividades administrativas do pastor.

b) Os diáconos devem ser antes e depois da separação instruídos sobre seus deveres, pois não foram escolhidos para assuntos ministeriais ou do ministério da palavra. Por isso, não devem se imiscuir em áreas que pertencem exclusivamente ao pastor, ao ministério ou presbitério da igreja. Miriã e Arão foram repreendidos duramente pelo Senhor Deus quando cuidaram ser iguais a Moisés (Nm 12). O Senhor destruiu tanto a Coré como os que seguiram suas idéias rebeldes (Nm 16). Por outro lado, temos exemplos de servos maravilhosos e dignos de serem imitados, como Arão e Hur, quando se colocaram à direita e à esquerda de Moisés, bem perto dele, num gesto de cooperação e de fidelidade, sustentando seus braços cansados na peleja (Êx 17.12).

18 Do Mandato de Presbítero ou de Diácono

Tanto diácono como presbítero têm mandato para a igreja local. A escolha é por tempo indeterminado, podendo ser reconhecido ou separado para tais funções em outra igreja, em outro ministério (At 6.1-8; Tt 1.5).

19 De suas Relações com os Não-crentes

O trabalho da Igreja é a salvação do mundo. Jesus instruiu os crentes a se empenharem nesse sentido. Para isso, terá de fazer tudo para que as almas se cheguem a Deus. A Igreja ainda não está completa e não sabemos quando ficará. Estamos em plena dispensação da graça ou do Espírito Santo. O Senhor Jesus não deixará de agir enquanto sua Igreja não chegar à plenitude. Jesus continua buscando e salvando os perdidos, curando os enfermos e batizando com o Espírito Santo. Só os que estão cheios do Espírito Santo farão esse trabalho. Não esqueçamos que, para o mundo que nos cerca, a Igreja e o pastor servem de "luz do mundo" (Mt 5.14; Fp 2.15).

a) Compete-nos ser exemplo da maravilhosa graça salvadora de Jesus Cristo e condutores de bênçãos dos céus.

b) Cabe-nos demonstrar o grande poder transformador do Senhor e a atuação do Espírito de Deus na vida do homem.

c) Em algum sentido, a igreja é salvadora e o obreiro é salvador. Paulo diz: "Fiz-me como fraco para os fracos, para ganhar os fracos. Fiz-me tudo para todos, para, por todos os meios, chegar a salvar alguns" (1 Co 9.22).

d) O obreiro serve de farol para o navegante mar da vida, e de piloto do barco da existência.

e) Ardente paixão pelas almas e zelo por sua salvação deve predominar no coração do ministro do evangelho que culmina em norma para sua conduta e para nortear sua mensagem. Por essa causa, Paulo exorta Timóteo a executar bem o trabalho de evangelista (2 Tm 4.5). Isso ratifica o conceito de que em dias especiais, como domingo à noite, no culto público, deve o pastor destinar tempo para um sermão evangelístico e apelo às pessoas não crentes.

20 Da União Fraternal entre o Ministro e a Igreja

Para esse capítulo do ministro do evangelho e suas relações, convém que se adicionem alguns concertos básicos acerca da correlação entre pastor e igreja. Do mesmo modo como o Pai celestial e seu Filho Jesus são um, em essência e substância, e amam-se mutuamente; da mesma forma que marido e esposa são uma só carne, tanto quanto em espírito e objetivos na vida, o esposo como cabeça do casal e a esposa respeitando-o, o pastor e a igreja devem manter estreita e íntima união. Como a cabeça e o corpo formam um todo, o pastor e a igreja local são um todo indivisível. Ele é o líder; ela a seguidora, mas nem se faz necessário lembrar a mútua subordinação. As Escrituras Sagradas dizem que o pastor deve:

a) servir a seu povo (2 Co 4.5);
b) amá-lo fervorosamente (1 Ts 2.8; Fp 1.7); e
c) sacrificar-se sem hesitação em favor dele (2 Co 12.15).

O povo de Deus deve:

a) servir ao pastor alegremente (2 Co 8.5);
b) amá-lo respeitosamente (1 Ts 5.13); e
c) contribuir generosamente para o seu sustento e bem-estar (1 Co 9.11; Gl 6.6).

13

Do Ministro do Evangelho e seu Ministério

Notadamente, existem tarefas específicas que estão afetadas exclusivamente ao ministro do evangelho, e estas tarefas visam a determinados objetivos que devem ser alcançados.

1 Da Pregação da Palavra de Deus

A pregação da Palavra de Deus é a principal tarefa do ministro do evangelho, a qual é ordenada pelo Senhor com o objetivo de alcançar os pecadores, levando-lhes a mensagem de salvação. A isso Paulo chama "loucura da pregação" (1 Co 1.21). Deus fala e manifesta sua vontade por meio de sua Palavra escrita na pregação (Tt 1.3). O incansável apóstolo Paulo assim cria e assim praticava. Pregou ele de Jerusalém até o Ilírico (Rm 15.19), e Deus o protegeu, salvando-o das garras de Nero, a fim de que por seu intermédio o evangelho se tornasse plenamente conhecido entre os gentios (2 Tm 4.17). Indubitavelmente, há extraordinário poder na Palavra de Deus, ao ser esta transmitida pelo pregador aos ouvintes. Ela é poderosa em si mesma. Pode salvar e regenerar as almas dos homens (Tg 1.21; 1 Pe 1.23). A Palavra de Deus alimenta e faz crescer espiritual e moralmente o recém-nascido na fé (1 Pe 2.2). Essa poderosa verdade tem poder santificador (Jo 17.17). Produz pureza no coração para o homem não pecar contra o Senhor (Sl 119.11). Tem tanta capacidade de penetração no coração, no íntimo do homem, que revela até os pensamentos (Hb 4.12). A Palavra de Deus sempre produz os efeitos que o propósito do Senhor estabelece (Is 55.11). Propicia no coração do homem fé (Rm 10.17), constituindo padrão de vida e comportamento segundo os quais serão julgados todos os homens no último dia (Jo 12.48). Podemos ter excepcionais qualidades pessoais: cultura, inteligência, bondade, hospitalidade, fraternidade e tantas outras. Não são nossas experiências, nossa educação, nossas realizações pessoais como homens públicos ou até como pregadores que devem ser anunciadas. É o nome de Jesus Cristo que deve ser pregado a todo o mundo. Paulo ensinou a Timóteo: "... pregues a palavra" (2 Tm 4.2). Preguemos a Jesus Cristo, nosso eterno Senhor e Salvador!

2 Do Ensino Paralelamente à Pregação do Evangelho

Não existe pregação sem ensino, nem é possível ensinar a Palavra de Deus sem a pregação. Confunde-se ensino com pregação. Enquanto Jesus pregava, ensinava. Era chamado de Mestre porque ensinava nas cidades e aldeias (Mt 9.35). Na grande missão aos discípulos, deu-lhes ordem para ensinar (Mt 28.19,20) e pregar o evangelho (Mc 16.15). Paulo, durante sua prisão domiciliar em Roma, em uma casa alugada sob suas expensas, "Pregando o Reino de Deus, e, com toda a intrepidez, sem impedimento algum, ensinava as cousas referentes ao Senhor Jesus Cristo" (At 28.31). Por isso, entendemos que o Senhor Jesus instituiu o Ministério do Mestre ou Magistério, como instituição permanente na Igreja (1 Co 12.28; Ef 4.11). O dom do ensino está relacionado entre os dons do Espírito Santo, outorgado à Igreja: "... se é ensinar, haja dedicação ao ensino" (Rm 12.7). Este dom está intimamente ligado ao de pastor, como dádiva do Cristo ressurrecto: "E ele mesmo deu uns para apóstolos, e outros para profetas, e outros para evangelistas, e outros para pastores e doutores" (Ef 4.11). Há tanta intimidade entre os dois últimos dons que entendemos que o pastor também deve ser mestre, obrigatoriamente.

3 Dos Propósitos da Pregação da Palavra e do Ensino

Na grande missão, Jesus deixou claro seus objetivos da pregação do evangelho e do ensino de sua Palavra ou doutrina. Dá-nos a impressão de uma escola em que o diretor determina que o corpo docente divulgue os planos da escola, convide candidatos a matricular-se, efetue a matrícula dos candidatos que se apresentarem e dê início ao curso, ministrando aos alunos aulas específicas, de acordo com a orientação pedagógica do grande Mestre e Diretor da escola. Assim, vejamos: "Ide por todo o mundo, pregai o evangelho a toda criatura" (Mc 16.15). Não ignoramos o que alguns dizem da originalidade do texto de Marcos 16.9-20. Qualquer que seja o conceito, a mensagem aqui contida está em perfeita harmonia com o querigma do Cristo Ressuscitado (mensagem pascal). Vejamos o que registra Mateus em seu Evangelho: "Portanto, ide, ensinai todas as nações, batizando-as em nome do Pai, e do Filho, e do Espírito Santo; ensinando-as a guardar todas as coisas que eu vos tenho mandado; e eis que eu estou convosco todos os dias, até à consumação dos séculos. Amém!" (Mt 28.19,20). Concluímos que, mediante a pregação, os homens são levados a pertencer ao Reino de Deus e que, mediante o ensino da Palavra, são firmados e fortalecidos na fé em Jesus Cristo. Cabe-nos cuidar disso com muito interesse, para que possamos seguir as instruções do Senhor Jesus Cristo. Para tanto, precisamos aprender dEle o máximo para dar a outros o melhor que temos em matéria de ensino e pregação da maravilhosa Palavra de vida.

4 Da Direção do Culto na Igreja

Compete ao pastor zelar cuidadosamente pelos cultos na Igreja. Quando o povo se reúne no templo para adoração, louvor, oração e pregação da Palavra, o Espírito de Deus deseja operar e encontrar ambiente propício a seu trabalho. Os cultos devem ser mantidos em atmosfera espiritual. Não deve haver extremos. A forma sempre é essencial à beleza e à ordem, mas a formalidade sem vida espiritual é semelhante a um cadáver. Nos excessos de formalidades, encontramos em lugar de ordem um silêncio sepulcral. Reunião cristã ou cúltica precisa de vitalidade, vibração e realidade espiritual. E entendemos como realidade a manifestação da presença de Deus, e não o fanatismo ou supostas manifestações espirituais ou de milagres não verdadeiros. Jesus quer assim, ensinou assim e precisa ser assim: "... os verdadeiros adoradores adorarão o Pai em espírito e em verdade, porque o Pai procura a tais que assim o adorem. Deus é Espírito, e importa que os que o adoram o adorem em espírito e em verdade..." (Jo 4.23,24). A falta de vida em cultos evangélicos é exatamente a "prisão" dos ministros à formalidade. Chegam muitos cultos a ser menos fervorosos do que os de igrejas católicas. Esquecem-se de que "... onde está o Espírito do Senhor, aí há liberdade" (2 Co 3.17).

Por outro lado, é desagradável para o Senhor e totalmente contra a edificação dos crentes o procedimento de muitos, quando toda a igreja se porta como se não houvesse comando, direção e unidade. Cada um faz o que quer. Uns falam em línguas, outros profetizam, outros tentam interpretar línguas, outros glorificam variamente, enquanto o pregador tenta pregar. Há outras extravagâncias que podem levar os ouvintes a pensar que estamos desvairados, como correr pelo santuário, gritar, estrebuchar-se, cair, dar socos. Existe distinta e ordeira norma bíblica a respeito da operação dos dons do Espírito Santo, e aqueles que se amoldam a ela descobrirão que nesses dons há muito poder, grande beleza e força edificadora.

Alguns há que não aceitam, por serem rebeldes, o conselho de Paulo aos coríntios, que diz: "os espíritos dos profetas estão sujeitos aos profetas" (1 Co 14.32). Não há necessidade de fanatismo, nem de qualquer outro tipo de exagero, e muito menos de falsa manifestação espiritual. Basta que o crente se submeta à vontade e direção do Espírito do Senhor. Deve haver um ponto de equilíbrio: nada de extremos para a direita ou para a esquerda. Os cultos devem ser racionais (com entendimento) e espirituais (1 Co 14.15; Ef 5.18). Cremos que a vontade de Deus é que todos os crentes recebam o batismo com o Espírito Santo (At 2.38,39). A Palavra do Senhor nos aconselha: "Não extingais o Espírito. Não desprezeis as profecias [...] procurai com zelo os dons espirituais, mas principalmente o de profetizar [...] e não proibais falar línguas" (1 Ts 5.19,20: 1 Co 14.1,39). Os *dons* do Espírito Santo são como a própria palavra diz: "dom". Jó o chama preciosas dádivas do Senhor Deus, as quais não devem ser negligenciadas e muito menos desprezadas ou rejeitadas.

5 Da Unidade Cristã na Igreja

É função, obrigação e dever do pastor, custe o que custar, manter a paz, o amor, a comunhão e a unidade cristã na igreja ou congregação. A mais forte tática do inimigo de nossas almas é procurar romper a unidade, semeando inveja, contenda, fuxico, dissensão e intriga. Onde isso acontece só aparece confusão e obra má. Tiago, irmão do Senhor, diz: "Porque, onde há inveja e espírito faccioso, aí há perturbação e toda obra perversa" (Tg 3.16). É sagrado dever do pastor manter contato íntimo com os crentes membros de sua igreja e fazer o máximo para apagar ameaças de dissensão e contenda, a fim de que a unidade da igreja não seja abalada. A ordem do Senhor a seus discípulos é: "Que vos ameis uns aos outros; como eu vos amei a vós, que também vós uns aos outros vos ameis" (Jo 13.34). O amor fraternal é a principal parte dos frutos do Espírito e é chamado de caminho excelente, sem o qual todos os dons se tornam nulos (Gl 5.22; 1 Co 12.31). A responsabilidade do pastor nessa tarefa é muito grande. Cabe-lhe promover o amor, a comunhão e a paz. Esse trabalho pode ser considerado o mais importante dos trabalhos que sobre seus membros repousam.

6 Da Obra Aperfeiçoadora do Pastor

As Sagradas Escrituras ensinam-nos que a finalidade dos dons ministeriais, e especialmente a obra do pastor, tem como divino objetivo "... o aperfeiçoamento dos santos, para a obra do ministério, para a edificação do corpo de Cristo" (Ef 4.12). Notemos alguns exemplos.

a) Procura o apóstolo fazer tudo para que os crentes não se desviem dos caminhos do Senhor, antes, cresçam espiritual e moralmente, tendo Jesus Cristo como padrão ou medida aferidora: "... para que apresentemos todo homem perfeito em Jesus Cristo" (Cl 1.28).

b) Paulo mostra aos irmãos da Igreja de Colossos seu trabalho, para que cada um seja apresentado perfeito em Cristo Jesus: "Até que todos cheguemos à unidade da fé e ao conhecimento do Filho de Deus, a varão perfeito, à medida da estatura completa de Cristo" (Ef 4.13).

c) Paulo disse aos presbíteros da Igreja de Éfeso que deviam evitar todos os esforços para evitar desvios de comportamento e engano por parte de falsos obreiros. "Olhai, pois, por vós te por todo o rebanho sobre que o Espírito Santo vos constituiu bispos, para apascentardes a igreja de Deus, que ele resgatou com seu próprio sangue" (At 20.28).

d) O Senhor Jesus tinha extremado zelo por seus discípulos. Observe o registro que João faz de suas palavras: "Estando eu com eles no mundo, guardava-os em teu nome. Tenho guardado aqueles que tu me deste, e nenhum deles se perdeu, senão o filho da perdição, apara que a Escritura se cumprisse" (Jo 17.12).

e) Ao pastor, cabe a responsabilidade de observar nos membros da igreja os valores ou talentos escondidos, úteis à obra, bem como a tarefa de oferecer-lhes oportunidade, estímulo e necessário treinamento para que se aperfeiçoem no exercício dos dons espirituais e evidenciem qualidades mais seguras e atividades produtivas no trabalho do Senhor. Cada talento deve ser sabiamente investido para o Senhor (Mt 25.14,30).

f) Por exemplo, a escola dominical exige trabalho especializado de muitos professores, e é excelente oportunidade de o pastor descobrir aqueles que por ventura sejam capacitados para o grande ministério do ensino da Palavra. Os cultos ao ar livre ajudam o pastor a descobrir os mais talentosos para pregação da Palavra.

g) Paulo era extremamente observador e procurava aproveitar da melhor maneira as pessoas para a cooperação na obra do Senhor. Um deles foi Timóteo, a quem deixou essas instruções: "E o que de mim, entre muitas testemunhas, ouviste, confia-o a homens fiéis, que sejam idôneos para também ensinarem os outros" (2 Tm 2.2). Ver 1 Coríntios 4.17. Essas instruções são tão vitais para nossos dias como o eram para os dias apostólicos.

h) O pastor pode também preparar a igreja para a obra missionária e evangelística. A missão de Jesus Cristo foi a de buscar e salvar o perdido; a da Igreja é a mesma. O Espírito é o mesmo; o sentimento é o mesmo.

7 Da Mensagem por meio da Cura Divina

Aprendemos com Jesus a esse respeito. Quando o Senhor saía a pregar o evangelho do Reino e ensinar nas sinagogas dos judeus, curava também toda enfermidade e doença entre o povo (Mt 9.35).

É princípio de fé da Igreja o que está registrado por Marcos: "E estes sinais seguirão aos que crerem [...] imporão as mãos sobre os enfermos e os curarão" (Mc 16.17,18). A saúde pertence a Deus. A cura de nossas enfermidades faz parte integrante da expiação efetuada na cruz (Is 53.5). O Espírito Santo tem cooperado grandemente com a Igreja de Jesus Cristo nessa doutrina, operando poderosamente. Não podemos descuidar dessa doutrina e desse princípio de fé, para que não venhamos perder as bênçãos a ela referentes, como aconteceu com a igreja da Idade Média. Esse assunto deve ser sempre enfatizado nos cultos de doutrina e sermões públicos. A vida e a saúde são de Deus, e Ele no-las dá!

8 Da Visão Espiritual como Base para a Vitória

O pastor precisa ser homem de fé, de caráter firme, de profundo conhecimento da Palavra de Deus, de oração, de coragem e visão. A visão parece muito com o dom de conhecimento. O homem sem visão é semelhante à pessoa de vista curta. É míope, sem óculos especializados; não vê ao longe. Deus cooperou com Moisés e Josué, mas eles eram também homens de visão. Em caso contrário, não teriam contribuído para o povo tomar posse da terra prometida. Quando o homem não consegue ver, deve perguntar a Deus. Moisés perguntou e o Senhor lhe disse: "Dize aos filhos de Israel que marchem" (Êx 14.15). "Então, o SENHOR me falou, dizendo: Tendes já rodeado bastante esta montanha; virai-vos para o norte" (Dt 2.2,3). Não devemos confundir visão de Deus com algo como simples impressão ou desejo de que algo aconteça como a pessoa deseja. É o caso do visionário. A imaginação espiritual deve ser de acordo com a Palavra de Deus; é equilibrada, corajosa e de bom senso. Não erra o homem que se lança à tarefa por visão de Deus, pois é ato de inteligência. Às vezes, as pessoas menos espirituais não entendem e até duvidam. Por isso, o pastor precisa ter paciência com os mais fracos. A fé, a visão e o espírito de liderança do pastor devem ser acompanhados de paciência e longanimidade para evitar choque com membros da igreja mais conservadores, gerando conseqüências desastrosas para a unidade cristã da igreja. O homem de Deus deve tentar grandes coisas para Deus e esperar maiores ainda de Deus.

O Espírito Santo propicia grandes ideais, ânimo e fé nos membros da igreja, mas o pastor é o condutor, moderador e coordenador dessas maravilhosas sensações, para que a igreja seja firmemente conduzida na direção do êxito.

9 Do Ministério Pastoral e o Crescimento da Obra

Os diversos aspectos do ministério pastoral abordados neste capítulo são força vital para o desenvolvimento da igreja local e geral. São como o alimento, a água, o ar e o exercício físico para a criança e o adolescente em fase de crescimento físico e mental. A Igreja tem vida porque recebe de Deus por meio de Jesus Cristo (Jo 15.1-14). O pastor funciona como lavrador ou agricultor. A santa vontade de Deus é que sua Igreja fique repleta: "... para que fique cheia a minha casa" (Lc 14.23). Deseja o Senhor que sua Igreja alcance grande maturidade: "Até que todos cheguemos à unidade da fé e ao conhecimento do Filho de Deus, a varão perfeito, à medida da estatura completa de Cristo" (Ef 4.13; ver 2 Pe 1.8; 3.18). Vem tudo de Deus. Paulo diz: "Não que sejamos capazes, por nós, de pensar alguma coisa, como de nós mesmos" (2 Co 3.5). Jesus disse: "... sem mim nada podereis fazer" (Jo 15.5). Paulo escreve à Igreja de Corinto: "nossa capacidade vem de Deus" (2 Co 3.5). Jesus falou a Paulo: "A minha graça te basta" (2 Co 12.9). Inspirado nessa divina exortação e nesse maravilhoso conforto, escreveu o apóstolo dos gentios, aos filipenses: "Posso todas nas coisas naquele que me fortalece" (Fp 4.13), e aos romanos: "... somos mais do que vencedores, por aquele que nos amou" (Rm 8.37).

14
DO MINISTRO DO EVANGELHO E A POLÍTICA

São divergentes as opiniões no que diz respeito às relações do ministro do evangelho com o mundo político. Uns acham que o ministro ou obreiro deve participar ativamente; outros defendem que ele deve apenas orientar os membros da igreja sobre candidatos; ainda outros acham que o obreiro deve ficar neutro a qualquer ideologia política.

1 Das Relações do Pastor ou Ministro do Evangelho com a Política

Antes de tudo, o que significa política? Política não é demagogia ou forma de enganar o povo. Demagogia significa conduzir o povo (gr. *de demos*, povo; *agogòs*, condutor, + *suf. ia*). Política é a arte de governar um Estado, uma nação, um país, promovendo o bem-estar do cidadão. Vem de *politikè* (gr.), e refere-se à administração pública, ao governo da Nação, dos Estados, dos municípios, ao Congresso Nacional (Câmara dos Deputados e Senado Federal), às assembléias legislativas e às câmaras municipais. Os cidadãos maiores de 18 anos devem participar de sua formação, pois é política de interesse geral. A política partidária concentra segmentos da sociedade, grupos e opiniões, as mais divergentes e convergentes possíveis. Aos partidos políticos, além de criarem sua plataforma própria de cada grupamento, aliam-se entre si e digladiam-se por interesses defendidos pelas agremiações que representam. Então, pergunta-se: O ministro do evangelho deve entrar na política? Sim, no primeiro caso; não, no segundo. Seus direitos são os mesmos de todos os cidadãos. É lícito ao ministro, portanto, entrar na política partidária; mas não é conveniente. Tem ele amplos direitos e deveres cívicos como qualquer outro. Suas atividades devem contribuir para a grandeza e o enobrecimento da Pátria. Tem o dever de trabalhar por ela e por seus filhos. Seu trabalho, como pastor, evangelista ou pregador do evangelho, é já excelente e de indizível valor para a Nação. No entanto, entrar em política partidária com o intuito de eleger-se a um ou outro cargo ou como cabo eleitoral de qualquer candidato, chefe político ou função parecida, não é conveniente nem compatível com a posição de um homem cuja chamada é exclusive para a causa do Mestre. Para que foi ele chamado? Para pregar o evangelho!

2 Das Inconveniências e Incompatibilidades da Função de Ministro e de Político

Como poderia um pastor de uma grande igreja em São Paulo, por exemplo, dirigir as atividades da igreja e suas congregações e estar presente a todas as sessões da Câmara dos Deputados ou do Senado Federal em Brasília? Como vereador ou deputado estadual, teria de pertencer a um partido. Por isso, estaria incompatível com os membros da igreja sob sua direção e com grupos e segmentos da sociedade, e com número considerável de membros de outros partidos. Assim, ele poderia criar problemas muito sérios para si, dos quais poderia estar livre se tivesse se mantido fora da política partidária. Um pregador inimigo político de alguém ou com um inimigo político atingiria tal coração com a mensagem do evangelho? Não teria ele mais ferrenha oposição, por rivalidade política, nas assembléias ou sessões da igreja? A nosso ver, e de acordo com a experiência, a obra do Senhor sairia perdendo. Os prejuízos, tanto para ele como para o ministério e para a igreja, seriam tamanhos que não compensaria arriscar.

3 Da Responsabilidade do Ministro com Relação à Política

Ficar totalmente alheio à política não é conveniente ao ministro. Deve ele orientar os crentes ou membros da igreja a cumprirem seu dever cívico. Há responsabilidade muito grande nesse sentido, pois existem pessoas que nada entendem de política e votam indiscriminadamente em qualquer um ou deixam de votar apenas porque nada acham na política. Assim, o pastor ou pregador não pode ficar indiferente; é seu dever guiar os membros de sua igreja ao cumprimento do dever para com a Pátria e seus serviços, especialmente no que se refere à administração pública. Em todas as igrejas, há evangélicos capazes de exercer a contento cargos políticos, quer no executivo, quer no legislativo, não havendo necessidade de o pastor ou evangelista embrenhar-se por veredas tão perigosas para seu ministério, em detrimento dos interesses da obra para a qual fora chamado. É mesmo desaconselhável o pastor ou pregador tomar partido a favor desse ou daquele candidato, usando o púlpito da igreja para fazer pronunciamento a esse respeito, ou permitir que o próprio candidato o faça. O púlpito da igreja é lugar de se ensinar as verdades divinas, e não de se tornar em palanque político.

a) Pode, sim, o pastor orientar os membros da igreja sobre o perfil de candidatos e prestar informações sobre os partidos a que pertencem.

b) Não é de boa postura a orientação para o povo votar na situação por mera fidelidade ao governo, sem reflexão, sem análise da situação e oposição e necessidades sociais. Se o governo é bom, muito bem; se ruim, corrupto, anárquico, como pode um pastor aconselhar os membros de sua igreja a votarem em candidatos que ele sabe dar continuidade àquilo que deveria ter fim? Se não é possível aconselhar bem, de maneira objetiva, deve-se orientar no sentido de cada um pensar no que vai fazer, para não errar, ou errar menos.

c) O ministro do evangelho não deve ser um conservador estático, mas um homem de visão, que conheça bem os problemas de seu país e de sua gente, capaz de saber escolher bem o que mais convém a seu povo, a sua cidade, a seu Estado ou à nação.

d) Não deve o ministro ser extremista, nem de direita, nem de esquerda, e muito menos conspirador.

e) Deve ser, e ensinar o povo a ser, fiel a seu país, às leis do país, à constituição e ao governo legitimamente constituído, não esquecendo que o governo é constituído por três poderes: executivo, legislativo e judiciário.

f) O pastor ou pregador do evangelho tem uma sagrada preocupação em suas atividades que é a reforma dos corações, do caráter, de propósitos na vida espiritual e moral dos homens. Não é ele obrigado a concordar com o governo desse ou de qualquer grupo político, mas deve obedecer, honrar e respeitar as autoridades públicas, mesmo não concordando com elas em alguns pontos. A respeito dos impasses, existe o poder Judiciário para definir e decidir. A este devem ser encaminhados os recursos, nunca mediante meios subversivos ou ilícitos. O pastor deve enaltecer o princípio de autoridade, recomendar a obediência ao governo e cooperar com a implantação do respeito, da ordem, da dignidade e do bem-estar da sociedade. Jesus, a quem o pregador anuncia, aquEle que é o Rei dos reis e Senhor dos senhores, ensinou-nos a dar "a César o que é de César, e a Deus o que é de Deus" (Mt 22.21). Paulo recomenda a seu companheiro, Tito: "Admoesta-os a que se sujeitem aos principados e potestades" (Tt 3.1). O grande sábio rei de Israel, Salomão orienta: "Teme ao SENHOR, filho meu, e ao rei" (Pv 24.21).

15

Do Ministro do Evangelho e o Exercício de outras Atividades

A situação financeira das pessoas é assunto problemático. As necessidades reais e as criadas pela forma de vida das famílias são diversas e complexas. É difícil, portanto, orientar alguém no campo financeiro, uma vez que as opiniões são divergentes e cada indivíduo tem sua maneira de ver e sentir seu problema. O pastor ou ministro do evangelho, embora deva ser mais controlado, não deixa de enfrentar os problemas de ordem econômica que lhe sobrevêm como qualquer homem. Não há, portanto, regra especial para se ensinar ou se seguir sobre esse assunto. As muitas necessidades de aquisição das coisas levam o pastor, muitas vezes, a aceitar emprego ou dedicar-se a atividades estranhas ao ministério da Palavra. E aí surge a pergunta: deve o pastor ou ministro do evangelho ser comerciante? Pode representar firmas ou empresas comerciais? É lícito ser representante ou agente de companhias de seguros? Pode ele ser lavrador, criador, proprietário rural? É lícito ser industrial?

a) Os problemas de subsistência em muitos casos é que conduzem as atividades do homem para essa ou aquela função, preconizam a conveniência ou necessidade de entrar para esse ou aquele ramo de trabalho. Seria bom que o ministro do evangelho apenas se dedicasse ao trabalho do evangelho. Não deixa de ser prejudicial ao ministério o exercício de atividades estranhas por parte do ministro. No entanto, não é proibido ao pastor trabalhar com as próprias mãos, ou com o intelecto. Tudo depende das responsabilidades da igreja sob sua direção; muitas são as recomendações para que o ministro exerça bem seu ministério, mas não lhe é proibido trabalhar e ganhar o pão fora da área ministerial. Veja algumas recomendações ao ministro:

- Não pode abandonar seu ministério: "Não é razoável que nós deixemos a palavra de Deus e sirvamos às mesas" (At 6.2).

- Sua chamada específica é para pregar o evangelho. "Paulo, servo de Jesus Cristo, chamado para apóstolo, separado para o evangelho de Deus" (Rm 1.1).

- Deve trabalhar e lutar pela Causa com dedicação. "Este mandamento te dou, meu filho Timóteo, que, segundo as profecias que houve acerca de ti, milites por elas boa milícia, conservando a fé e a boa consciência" (1 Tm 1.18,19).

- O exercício na adoração ou devocional, a leitura e o ensino da Palavra são necessários: "... exercita-te a ti mesmo em piedade" (1 Tm 4.7-8). "Persiste em ler, exortar e ensinar" (1 Tm 4.13). "Medita estas coisas, ocupa-te nelas..." (1 Tm 4.15). "Não desprezes o dom que há em ti..." (1 Tm 4.14).

- Merece ser ajudado financeiramente. "Os presbíteros que governam bem sejam estimados por dignos de duplicada honra, principalmente os que trabalham na palavra e na doutrina" (1 Tm 5.17).

- Deve dedicar-se à pregação sem cessar: "... pregues a palavra, instes a tempo e fora de tempo" (2 Tm 4.2); "... faze a obra de um evangelista, cumpre o teu ministério" (2 Tm 4.5).

- Não pode descuidar do rebanho de Deus. "Olhai, pois, por vós e por todo o rebanho sobre que o Espírito Santo vos constituiu bispos, para apascentardes a igreja de Deus, que ele resgatou com seu próprio sangue" (At 20.28).

- Precisa fazer com que os homens o vejam como servo especial de Cristo Jesus. "Que os homens nos considerem como ministros de Cristo e despenseiros dos mistérios de Deus" (1 Co 4.1).

- Deve fazer tudo para que nada atrapalhe seu ministério. "Ninguém que milita se embaraça com negócio desta vida, a fim de agradar àquele que o alistou para a guerra" (2 Tm 2.4).

b) O trabalho como corretor ou agente de companhia de seguros poderá ser feito em horas de folga ou vagas. Entretanto, muitos são os compromissos de vistorias, de fiscalização de prestação de serviço pela companhia e aborrecimentos por que poderá passar o pastor-corretor. De igual modo, no comércio. O campo poderá ser promissor, mas exige muita atividade e horários especiais, especialmente em dia (fim de ano, por exemplo) que o obreiro deveria dedicar à obra do Senhor.

c) O pastor ou pregador poderá ser lavrador ou proprietário rural, criador ou industrial. Isso pode torná-lo economicamente independente e proporcionar-lhe possibilidade de fazer um trabalho mais desembaraçado de cuidados financeiros. Entretanto, precisa ele ter muito cuidado para evitar que as sobrecargas de atividades e compromissos roubem-lhe o tempo disponível e o trabalho do Senhor sofra. Estariam sempre em jogo os interesses do serviço da lavoura, da criação, da indústria como da igreja. Para tudo ir bem, o obreiro precisa ter muito autocontrole e dedicação, além da saúde boa e capacidade de trabalho extraordinária.

d) Não deve o obreiro colocar seu coração na ganância pela riqueza. Jesus disse: "Ninguém pode servir a dois senhores. [...] Não podeis servir a Deus e a Mamom" (Mt 6.24). Paulo orienta Timóteo a escolher homem que não seja avarento (1 Tm 3.3).

e) O ideal é as igrejas cuidarem bem de seus obreiros para que esses não tenham necessidade de dedicar parte de seu tempo em outras atividades. Devem as igrejas dar-lhes o suficiente para que eles tenham vida digna e possam dedicar tempo integral à obra do Senhor. O obreiro precisa cuidar de si mesmo, de sua família, manter seu nome limpo na praça, a fim de que possa andar de cabeça erguida e pregar a Palavra de Deus em qualquer lugar sem constrangimento.

1 Da Situação Financeira do Ministro

Quanto a sua situação financeira, devem ser levados em conta determinados cuidados, para que o homem de Deus não venha a ficar comprometido moralmente na sociedade ou na igreja, com problemas que poderiam ser evitados. Devendo ser o pregador homem de vida íntegra, especialmente o ministro do evangelho, sua vida econômica ou financeira tem de condizer com o título que o acompanha. Assim, precisa de cuidados especiais:

a) quanto a seu salário;

b) quanto à maneira de manejar ou administrar suas finanças;

c) quanto aos resultados práticos na vida cristã, em face da boa ou má orientação que der ele a seus vencimentos.

Os homens de negócio julgam os pregadores do evangelho, e até mesmo os crentes, e sua religião pelo modo como eles satisfazem seus compromissos comerciais. Se o pregador é pontual em satisfazer seus compromissos financeiros, sua religião é verdadeira e a melhor do mundo. Dizem: "Seu Fulano é que é crente", "que é pastor". Se não, nem ele, nem sua religião valem algo. Sua garantia está na própria moral e no controle da administração de seu próprio dinheiro. O pastor ou ministro não é, normalmente, um funcionário ou operário da igreja, nem a igreja é órgão patronal propriamente dito, embora o sustento do obreiro venha dela. Ele é um representante da igreja e recebe uma espécie de ajuda de custos pelo trabalho eclesiástico.

2 Da Obrigação da Igreja para com o Ministro

O título neotestamentário para o homem de Deus é o correto — ministro ou servo. É uma escolha do Espírito Santo, não precisamente da igreja, embora ela participe, mas como instrumento. Antes de tudo, o ministro é servo de Deus e enviado pelo Espírito. Não obstante, a igreja onde serve em nome do Senhor e de seu ministério tem o sagrado dever de sustentá-lo. Como pregador do santo evangelho, ele tem sua chamada e seu sustento espiritual vindo do Espírito de Deus; como homem, no entanto, é igual a qualquer outro ser humano, dependendo do trabalho para sustento próprio e de sua família. A igreja que se beneficia de seu tempo, de seu trabalho e missão de ensinar e instruir, deve arcar com a responsabilidade de sustentá-lo e protegê-lo financeiramente. Com sobeja razão, o apóstolo Paulo diz: "Quem jamais milita à sua própria custa? Quem planta a vinha e não come de seu fruto? Apascenta o gado e não toma do leite do gado? [...] Se nós vos semeamos as coisas espirituais, será muito que de vós recolhamos as carnais? [...] Não sabeis vós que os que administram o que é sagrado comem do que é do Templo? [...] Assim ordenou também o Senhor aos que anunciam o evangelho, que vivam do evangelho" (1 Co 9.7-14).

a) A igreja que convida um pastor para assumir a direção do trabalho, ou que o envia para a obra missionária ou para o campo evangelístico ou ainda para um setor seu, deve dar-lhe o sustento e sustento digno. O ajuste desse sustento é melhor que seja na base de salário, para evitar mal entendido e parecer exploração de um lado ou de outro. A igreja não precisa e nem deve explorar, como não deve ser, em nada, explorada.

b) A igreja precisa entender que o obreiro tem necessidade de subsistência, tem encargo de família, educação dos filhos, vestimenta, condução, e que o pastor, evangelista ou missionário é seu representante como o é de Cristo. É representante da igreja, da denominação perante o público e perante outras denominações. Portanto, de maneira nenhuma deve apresentar-se como mendigo, envergonhado e desgostoso. Aquele que dá também precisa receber; *i.e.*, tem direito a receber. O ministro do evangelho precisa fazer estudos especiais, atualizar seus conhecimentos, fazer constantes leituras, possuir meios de comunicação e de transporte. Em caso contrário, ficará atrás da sociedade e dos membros de sua igreja. Como já dissemos, é ele pastor e representante da igreja do Senhor, e não de miseráveis. Há pessoas com o nome em rol de membros nas igrejas que procuram murmurar, não contribuir e prejudicar a vida, a alegria, o estudo, as oportunidades e até o sustento do pastor da igreja. Murmuram até pelo fato de o pastor andar de carro.

3 Dos Cuidados Especiais do Obreiro com a Situação Financeira

Não é prudente, tampouco honroso, ao ministro do evangelho estar preso a dívidas. Se o pastor não comprasse a crédito, seria melhor. Entretanto, não é desonrosa essa prática. Ele deve dar preferência a compras à vista. Se fizer compras no crediário, que seja pontual nos pagamentos, especialmente se a compra for por meio de fiador ou avalista. E não deve o ministro ficar devendo no comércio, muito menos a membros da igreja que dirige. O pastor só deve contrair dívidas além de suas posses em casos inesperados, como doenças ou perdas extraordinárias. Ele precisa ter força moral para ensinar e exortar os membros de sua igreja sobre esses assuntos.

4 Dos Cuidados para com o Dinheiro da Igreja

Não fica bem ao ministro do evangelho usar dinheiro que lhe foi confiado pela igreja (na obra ou de terceiro) em suas necessidades particulares e não ter condições de restituí-lo no momento de fazê-lo. Todos saberão, o que será deprimente. Com tal prática, sua influência como pastor ou pregador sofrerá graves conseqüências, e o ministro não poderá manter o mesmo nível de confiabilidade que todos dele exigem e que deve oferecer. A administração do dinheiro da igreja tem grande influência na atuação do pastor, fazendo crescer ou diminuir o seu conceito. Poderá ele cavar com as próprias mãos sua ruína perante a comunidade cristã, com reflexo em toda a denominação e até extrapolando os limites desta. Deve ele ser, também nisso, o exemplo dos fiéis (1 Tm 4.12). Se boa, séria e segura for sua administração, inclusive nesse mister, seu prestígio crescerá, sua confiança perante a igreja se avolumará, seu nome imporá respeito e sua palavra terá peso e poder para condenar atos de rebeldes e desobedientes. Seu trabalho e sua missão serão elevados e exaltados por Deus, pelo povo e perante o mundo.

16

Do Pastor, da Igreja e de Convenções — sua Cooperação

As igrejas evangélicas possuem órgãos coordenadores e promotores de união das igrejas da mesma denominação, da manutenção dos princípios morais e espirituais, de observância da doutrina bíblica, manutenção de editora, incentivo à pregação do evangelho e zelo pelos interesses da denominação. Esses órgãos, de acordo com a denominação, recebem nomes diferentes, tais como "convenção", "concílio", "sínodo" e outros. Cuidam também do registro de instituições da denominação e da disciplina de obreiros, além de orientar e decidir sobre circunscrições de igrejas ou campos ministeriais. Esses órgãos não exercem autoridade sobre ministérios, denominações ou igrejas em sentido absoluto, mas funcionam como segunda instância em dissídios ou impasses surgidos entre igrejas, ministérios ou campos de trabalho evangelístico ou pastoral. De modo geral, as convenções, tanto geral como regional, têm um papel de confraternização. Elas não possuem autoridade divina; a Igreja é a única organização no mundo com autoridade divina.

a) Compete ao pastor e é seu dever cooperar com as convenções, de acordo com sua filiação e com o sistema denominacional.

b) Deve o ministro (pastor, evangelista) contribuir particularmente como membro inscrito da convenção e com ajuda de sua igreja naquilo que a convenção precisar (a convenção não exige). A Igreja não é organizada; organiza-se a si mesma e, por isso, com delegações divinas, tem autoridade dos céus.

c) A Igreja está subordinada diretamente a Jesus Cristo. A convenção é uma associação de indivíduos e representantes de igrejas.

d) Há igrejas (denominações) que organizam suas convenções com membros de igrejas; outras há que organizam suas convenções com membros exclusivamente do ministério (pastores e evangelistas).

e) Normalmente, convenção é uma instituição ou associação permanente de caráter deliberativo, cooperativo e inspirativo de natureza religiosa, sem fins lucrativos, com reuniões periódicas para tratar de assuntos de interesse de igrejas. Suas reuniões se chamam assembléias. Mesmo que sejam dados outros nomes conforme a denominação, o sentido é basicamente o mesmo.

f) Todos os ministros têm direito a voto ou participação dos debates. Os mensageiros das igrejas são chamados delegados.

g) As convenções não mudam as decisões das igrejas nem dão ordens a elas; sugerem, orientam e propõem solução para problemas. Às igrejas assiste o dever de acatar as sugestões da convenção, modificar ou rejeitar sua proposta.

h) O pastor não está na convenção para fazer política ou politicagem, mas para cooperar no sentido de decidir tudo a contento, de acordo com as necessidades do trabalho do Senhor. Ele é representante de sua igreja; precisa honrá-la.

i) Como delegado da igreja, deve procurar ser ativo e objetivo, tratando dos interesses da igreja ou do ministério como se fossem seus particulares.

j) Não é bom que uma igreja ou ministério possua duas convenções idênticas.

l) O melhor é que a igreja ou obreiro faça parte da convenção geral e da regional, se houver.

m) O pastor é um cooperador da convenção de sua igreja, de seu ministério e de sua denominação.

17

DO MINISTRO DO EVANGELHO E OS PROBLEMAS DO MINISTÉRIO

Na espinhosa tarefa de ministro do evangelho, o homem de Deus enfrenta problemas de difícil solução, mas que precisam ser solucionados. Suas múltiplas atividades o levam a inúmeras situações que requerem dele coragem, persistência, fé e firmeza.

1 Da Direção do Culto

Durante o culto (público, de oração e doutrina, ou de membros, ou culto especial), deve haver três condições especiais e indispensáveis para que todas as atividades cúlticas possam ir bem e alcancem os objetivos propostos, as quais são: unidade de pensamento em todos os membros da igreja, interesse comum e absoluta impressão religiosa. É indispensável a predominância de idéia religiosa ou pensamento espiritual em torno do qual todas as atividades gravitam. Quem dirige os serviços religiosos tem o sagrado dever de proporcionar condições favoráveis ao ambiente e dar ao culto esse cunho. Os hinos, as orações principais e a leitura da Palavra ou texto escolhido das Sagradas Escrituras devem, sempre que possível, estar relacionados e de acordo com os objetivos. O obreiro que pede a um irmão ou mesmo a um colega presente para fazer a primeira oração de abertura do culto pode contribuir para que a unidade do culto seja prejudicada e a relação entre o sermão e a oração, entre o hino e a mensagem fique comprometida pela falta de harmonia. Bom é que haja perfeita sintonia entre todas as partes do culto: oração, hino que precede o sermão, hino que o sucede, bem como a oração que precede ou sucede a mensagem da Palavra. Quando há perfeita harmonia entre essas fases do culto, as atividades têm mais força, o aproveitamento por parte do auditório é maior e facilita ao pregador a seqüência do culto. É uma força inspiradora. Vejamos algumas observações úteis nesse sentido:

a) O pregador não deve falhar na maneira de entregar a mensagem da Palavra de Deus. Essa é a parte mais importante, especialmente em culto público.

b) O excessivo cansaço do pregador ou do auditório é altamente prejudicial ao aproveitamento do culto. Isso traz desinteresse e conseqüente perda dos salutares efeitos nas vidas.

c) Pessoas levantando, andando, conversando, cochichando, lendo ou dormindo, crianças andando, chorando, brincando na congregação durante o serviço religioso, especialmente na hora da pregação, abatem terrivelmente o entusiasmo e causam efeitos negativos incalculáveis.

d) Pode-se dizer o mesmo acerca de distrações de qualquer natureza durante o culto.

e) Prolongar demais os exercícios do culto traz enfado e diminui o interesse e o nível de espiritualidade do ambiente.

f) O pregador enfraquecido por doença, estado nervoso ou qualquer outro motivo que lhe empreste ar sombrio ou abatimento perceptível nas forças físicas não deveria pregar, pois os efeitos da mensagem geralmente são diminuídos. A falta de entusiasmo ou alegria dá, conseqüentemente, tom pesado e triste à adoração.

g) Esgotamento nervoso ou cansaço é fator de monotonia e falta de interesse no culto.

h) Por essas causas, as igrejas deveriam ajudar e cooperar com seus pastores, dando-lhes mais assistência, como férias anuais e proporcionando-lhes descanso reparador.

i) O ideal é que o pregador enfrente bem descansado o auditório para pregar. Todo sermão exige do pregador tempo, força física, mental ou intelectual e espiritual.

j) O pregador deve ter condições de causar grandes e profundas impressões religiosas e espirituais sem se valer de afetações desnecessárias e até ridículas; impressões que traduzem suas emoções sinceras e seus sentimentos reais para com Deus (Pai, Filho e Espírito Santo).

l) O pregador precisa contribuir para que o culto seja bem fervoroso. Ele é receptor e transmissor divino.

2 Dos Dois Lados da Vida do Pastor ou Ministro do Evangelho

Toda criatura humana tem dois lados: o lado público e o lado íntimo ou privado. Não é diferente o ministro do evangelho. Em sua vida pública, ele ocupa uma posição definida, admirável muitas vezes, e de destaque. A essa fase estão ligados seus círculos de relação e deveres. É a mais perceptível parte de sua vida. Ele precisa ser homem exemplar. Paulo ensina a Timóteo: "Ninguém despreze a tua mocidade; mas sê o exemplo dos fiéis, na palavra, no trato, na caridade, no espírito, na fé, na pureza" (1 Tm 4.12). O nível de sua vida deve ser de alta moral, conquistando o respeito, a admiração e a confiança de todos, tanto de dentro como de fora da igreja. Assim, o ministro necessita:

- ser homem de uma só palavra (sim, sim; não, não);
- ser correto e fiel em seus negócios e tratos;
- ser cortês para com todos, crentes ou não crentes, embora deva evitar camaradagem ou intimidade excessiva com indivíduo de compostura moral negativa e de vida duvidosa ou escandalosa;
- honrar o lugar que ocupa e não apenas ser honrado por ocupar tal posição.

a) Não se pode admitir falta de educação e gentileza no ministro do evangelho, servo de Jesus Cristo. A grosseria esteja longe dele em quaisquer relações e especialmente no púlpito. Jesus sempre foi manso, humilde e educado. Sempre praticou e viveu o que ensinou.

b) Que se pode dizer de um pregador do evangelho que fuma ou bebe a ponto de desequilibrar-se? É o lado íntimo de sua vida que vai comandar seu comportamento, e esse lado íntimo deve ser diferente do mundo. Sua vida é, para o mundo, um jardim fechado, uma cidade murada com segurança. O mundo é profanador e o ministro deve esconder sua vida na presença do Senhor Deus, em constante comunhão.

c) Se o ministro cuida e ensina coisas espirituais, precisa ele ser homem profundamente espiritual. A força espiritual do obreiro do Senhor vem de dentro da alma, pois tem o amor de Deus como centro de gravitação.

d) A vida do ministro de Deus deve falar mais alto que suas palavras. Sua palavra, sua influência, tudo deve ser determinado pelo Espírito de Deus, a fim de que possa falar aos homens do amor e da graça do Senhor Jesus Cristo.

e) O sermão para o pregador do evangelho se origina na Fonte de vida, que é o próprio Senhor Jesus Cristo, e sua finalidade é trazer e transmitir vida aos ouvintes. É o Espírito Santo que dá força e vida à mensagem. Paulo diz: "... mas a nossa capacidade vem de Deus, o qual nos fez também capazes de ser ministros dum Novo Testamento, não da letra, mas do Espírito; porque a letra mata, e o Espírito vivifica" (2 Co 3.5,6). É comparável à força transmitida por um fio elétrico. A força não vem do fio, mas da bateria ou gerador de corrente. O poder do pregador não está nele, no seu talento, no seu estilo, em sua cultura, em sua capacidade oratória, mas na ligação e dependência do Espírito Santo. Martinho Lutero dizia que a oração, a meditação e a tentação fazem o ministro. E Payson, em seu leito de morte, disse que a primeira coisa, a segunda coisa e a terceira coisa necessárias a um ministro é a oração. Jesus deu este exemplo e seus apóstolos o seguiram, tornando-se grandes servos do Senhor, extraordinários pregadores e heróis da fé.

3 Da Necessidade de o Ministro Orar

Antes de tudo, o crente, o cristão, precisa orar. No plano de salvação de Deus, que deve alcançar com a mensagem todas as criaturas, está incluída a invocação do nome do Senhor. Todos, portanto, precisam orar. Mas o ministro do evangelho precisa mais do que todos. É ordem divina orar. Orar é grande privilégio do homem, e muito mais do ministro, que é porta-voz da mensagem da cruz e da ressurreição do Senhor. A oração é um privilégio porque põe o homem em contato direto com Deus; e o homem de Deus, mais do que ninguém, precisa ter uma vida de íntima comunhão com Ele, o que é impossível sem constante oração.

a) Paulo exortou seu companheiro Timóteo a que, antes de tudo, fizesse súplicas, orações, intercessões e ações de graças pelos homens (1 Tm 2.1). Prelecionou os efésios a se prevenirem com oração e súplica em todo tempo no Espírito (Ef 6.18). Aos tessalonicenses, aconselhou: "Orai sem cessar" (1 Ts 5.17).

b) O Senhor Jesus aconselhou os discípulos a orar e vigiar para que não caíssem em tentação (Mc 14.38).

c) Na vida do ministro do evangelho (pastor, evangelista, missionário) e do pregador em geral, a necessidade de orar é vista de duas maneiras especiais. A primeira diz respeito a sua vida privada. Precisa ele orar constantemente, como já vimos. Mas, esta oração constante se reveste de características especiais. Em todos os lugares e situações, ele pode orar ao Senhor. Entretanto, deve dedicar tempo especial para oração em forma de consagração por tempo considerável. Há pregador que ora até o meio-dia, outros há que passam a noite inteira orando. São muitas as razões que levam o pregador a orar, especialmente o pastor. Precisa ele orar pelo despertamento da igreja, para o Senhor enchê-lo de graça e fervor, para o Senhor dar-lhe mensagem de vida, para que seu sermão seja poderoso, para obtenção de dons espirituais, para conversão de pecadores, para o retorno de desviados, para solucionar os problemas da igreja ou do ministério local ou geral, etc. O fato é que, sem oração, não há vitória! Daí a grande importância dos conselhos do Senhor Jesus e de Paulo sobre orar, orar sem cessar. A segunda maneira de considerar a necessidade de o pastor orar está ligada à oração pública nos cultos, nas reuniões de obreiros, nas reuniões de caráter festivo ou solene, como em cultos de ação de graça, de casamento, aniversários, bodas de prata ou de ouro, cultos fúnebres, e cultos em residências de irmãos.

d) Normalmente, as orações constam de invocação, súplicas intercessoriais, ações de graças e confissões. Bom é que sigamos o exemplo de Jesus, começando com glorificação ao nome do Senhor: "... santificado seja o teu nome" (Mt 6.9). A oração em público deve ser necessariamente em linguagem humilde, reverente, sem ostentação de qualquer natureza, sem preocupação retórica ou de agradar aos ouvintes. Deve ser dirigida de fato ao Senhor Deus, com a mente voltada exclusivamente para Ele em espírito e em verdade. Além disso, não é bom que a oração pública seja demasiadamente extensa, cansativa, especialmente aos assistentes.

e) Não há dúvida de que a oração é importante na vida do pregador. Ela se transforma em um ministério de muito poder espiritual para sua vida, pois ele atrai com essa prática a unção do Espírito Santo, sua consolação e a graça divina. Às vezes, torna-se necessário o jejum em oração e consagração, repetidas vezes em muitos casos, várias vezes, centenas de vezes. Lembremo-nos de que Moisés passou no Monte Sinai quarenta dias e quarenta noites sem comer e beber, em profunda comunhão com Deus. Elias, de igual modo; Jesus, após o batismo, procedeu do mesma maneira. Lembremos o trabalho deles! Não devemos esquecer que os maiores homens de Deus não são os mais cultos, os que mais recursos naturais possuem, mas aqueles que mais se consagram e se enchem do Espírito do Senhor pela oração e comunhão íntima com Ele.

4 Da Queda e Reabilitaçao do Ministro do Evangelho

Naturalmente, como há na igreja para seus membros, deve haver disciplina para os ministros e obreiros em geral. O ministro também está sujeito a queda. Todos os apóstolos eram ministros do evangelho, e a Bíblia registra fatos desagradáveis a respeito de alguns. Houve reabilitação, e houve caso sem reabilitação.

a) Na história da Igreja Cristã, tem havido muitas quedas desastrosas desde o primeiro século, com trágicos resultados para o pregador, que exerceu grande influência no ambiente cristão e social, e para a própria igreja a que estava filiado ou servia. Assim sendo, como há disciplina para o membro da igreja, deve haver para o pastor, para o evangelista, missionário, bispo, presbítero e para o diácono, bem como para qualquer auxiliar de trabalho ou cooperador.

b) O pastor é o líder, o guia, na igreja. Para salvaguardar sua posição diante da igreja, para evitar injustiça, desastre maior para a comunidade cristã e efeitos mais danosos do que o caso em si poderá trazer, a Bíblia cerca o pastor de garantias para que a igreja, ou ministério, conselho, sínodo, concílio, não haja precipitadamente, cometendo injustiça ou divulgando antecipadamente notícias que poderiam ser evitadas. Assim, ensina Paulo: "Não aceites acusação contra presbítero, senão com duas ou três testemunhas" (1 Tm 5.19; ver Dt 19.15; Mt 18.15,16).

c) A queda do pastor é um verdadeiro desastre para a igreja local e para sua influência na sociedade, além de repercutir negativamente em toda a denominação e Igreja de Jesus Cristo.

d) Há pecados que não se podem tolerar nos crentes em geral, e muito menos no pastor ou membros do ministério. Há casos em que o ministério pode fazer alguma coisa para tirar o ministro de seu mau caminho; há casos que não permitem ação externa para solução, como é o de pecado consumado. As situações são diversas e cada caso é um caso. Existem aqueles que tomam o ministro passível de conselho ou exortação, por meio de um companheiro bem conceituado ou do pastor presidente do ministério ou de uma comissão. Outros há que forçam o ministério ou a igreja (depende do sistema denominacional) a tomar medida disciplinar punitiva. Podemos citar como exemplo situações que envolvem ideologias, crenças filosóficas ou regimes políticos incompatíveis com o ministério. Dependendo do envolvimento, é possível dissuadir-se o ministro e ele não precisa ser disciplinado. Há outros envolvimentos que colocam o comportamento do ministro tão fora dos princípios do evangelho, da moral cristã e pública, que não restará nenhuma providência senão a exclusão.

e) Atos heréticos põem o pastor fora de seu ministério e de sua igreja e denominação. Não pode continuar. Quebrou o compromisso com a doutrina e com a igreja da qual é pastor, evangelista ou missionário (representante em outro país daquela igreja). A heresia em quem possui poder da palavra e força persuasiva é altamente prejudicial, contaminante e danosa. Ele mesmo deveria pedir seu afastamento, exoneração ou exclusão. Em caso de não o fazer, o ministério, a convenção, deve fazê-lo, demitindo-o do cargo. Se continuar como membro da igreja, deve congregar em outro lugar.

f) É conveniente ao pregador que se exonera do cargo por desânimo ou falta de tempo para continuar a dar assistência ao trabalho mudar para outra igreja. Nos casos de grandes ministérios, poderá congregar na sede e ficar à disposição da igreja e do ministério como na reserva ou agregado, prestando eventuais e voluntários serviços.

g) O pregador pode cair por desonestidade no trato com o dinheiro da igreja. O dinheiro tem sido uma terrível provação para muitos obreiros que se têm deixado atrair por ele. Tropeçam no dinheiro e caem em seguida, ou pouco adiante, visto terem se enfraquecido. Muitos têm desviado o dinheiro da igreja que lhe é confiado, fazendo uso próprio, com a boa intenção de restituí-lo. Depois, vindo os imprevistos, não conseguem mais fazer o ressarcimento daquela importância, e aí vem o escândalo. Outros homens mais desonestos, de má índole, desviam o dinheiro intencionalmente para uso próprio, como se fosse de sua propriedade. Esta queda é triste, vergonhosa e revoltante!

h) Ainda há os que caem por pecado de imoralidade ou impureza contra seu próprio corpo e a honra de sua família, deles próprios ou família de outros. Não podemos esquecer que os pecados citados no item anterior também são de imoralidade. É lamentável a queda do obreiro, especialmente do pastor, por pecado de fornicação, adultério e prostituição. Neste caso, não há meio-termo. A exclusão se faz necessária tanto do ministério, da convenção, como da igreja, o que significa ser cassado de todas as responsabilidades e funções imediatamente.

i) O ministro do evangelho deve ser um homem santo, de sentimentos elevados, de moral impoluta e comportamento inatacável. Se a fornicação é pecado grave e o adultério em si é imoral, a prostituição é de tão baixo nível que não comporta qualificação. As conseqüências de tal pecado são tão desagradáveis na vida do homem, e tão danosas ao evangelho, que a igreja local, setorial, o ministério e a convenção não podem tolerar ou arranjar paliativo. É pecado contra Deus, contra a Igreja de Jesus Cristo, contra a família, contra a sociedade, contra a pureza, contra o indivíduo que o comete.

j) É possível a reabilitação de um ministro caído, arrependido e corrigido. Cada caso é um caso, como já o dissemos. Indubitavelmente, tem de haver uma ética ministerial e eclesiástica para a reabilitação do ministro que sofreu um acidente em seu ministério. Cada caso exige boa dose de prudência, bom senso, sensibilidade e isenção de ânimo, e precisa ser examinado com muita oração, amor e muita reserva. O Espírito de Deus dará o caminho a ser seguido. A reabilitação de um ministro envolve, inclusive, a igreja de onde deixou o ministério ou foi excluído, a denominação, as igrejas filiadas, o ministério local ou geral e a convenção da denominação, quer regional, quer geral. Sem dúvida, o primeiro passo é reconciliar-se com a igreja a que pertencia, mesmo que tenha sido excluído como pastor dela. Essa reconciliação, entretanto, não constitui razão suficiente para sua restauração e recondução ao ministério. Mesmo porque, a essa altura, já existe na igreja local outro líder, outro pastor. Por outro lado, são necessários tempo, observação e prova em âmbito de ministério (pastoral, evangelístico), visto que ele perdeu tudo, todos os privilégios. É reconciliado apenas um membro da igreja, ex-pastor, ex-evangelista. Além do mais, devem ser vistas as conveniências favoráveis à igreja. O maior interesse a ser respeitado é o da igreja. Havendo conveniências desta, com o *ad referendum* do ministério, o pastor presidente ou presidente da convenção local proporá ao ministério ou aos membros da convenção a reabilitação do ex-pastor, visto estar ele dando provas de sua reabilitação espiritual e moral. Aceito em solenidade, de preferência, perante o ministério ou a convenção, será apresentado à igreja, com o resultado, sem mais histórico para não ser de qualquer maneira o fato explorado por pessoas de má-fé. As outras igrejas do mesmo ministério já se fizeram representar por meio de seus pastores em reunião de ministério, quando o fato foi ventilado e decidido. Restauradas as funções, não deve haver restrições por parte da igreja ou do ministério que restaurou as funções ao ministro. Dependendo do sistema denominacional, a própria igreja local pode restaurar o ministro, pois é soberana; só não pode impor às igrejas co-irmãs e a obreiros sua decisão, uma vez que as outras também são soberanas.

l) Pode acontecer de a exclusão do ministro ter sido efetuada em conseqüência de campanha apaixonada e injusta de membros da igreja local, de colegas inescrupulosos, de casos mal apurados. Neste caso, a exclusão não foi conseqüente de queda moral ou ato causador de escândalo para o evangelho e a Igreja. São pontos de ética cristã muito úteis. É o que entendemos da Palavra de Deus e o que temos aprendido com a experiência e que julgamos de bom senso.

m) Embora seja uma decisão respeitada, o critério de muitos companheiros, ministérios e até mesmo de convenções segundo o qual o ministro excluído em conseqüência de pecado sexual consumado não pode ser reabilitado para o ministério não encontra amparo na Palavra de Deus.

18

Da Autoridade do Pastor

Há muita confusão acerca do que se entende sobre a autoridade do pastor. Não é fácil afirmar quem tem autoridade, mesmo adaptando esse entendimento às definições dos melhores dicionários. "Autoridade (s.f.): império, domínio, poder, jurisdição, mando. Pessoa revestida de poder, de jurisdição. Lat. *auctoritatem*" (F. S. Bueno, *Grande Dicionário Et. Pros. da Líng. Port.*, vol. 1, p. 445, 1ª ed., Ed. Saraiva, 1963, São Paulo). "Autoridade (do lat. *auctoritate*): S.f. 1. Direito ou poder de se fazer obedecer, de dar ordens, de tomar decisões, de agir, etc. 5. Domínio, jurisdição. 6. Influência, prestígio, crédito" (A. B. Holanda, *Novo Dicionário Aurélio*, p. 163, Ed. Nova Fronteira, 1ª ed., Rio de Janeiro). A autoridade não está no indivíduo, mas no mandato que ele exerce, no grupo que ele representa, na convenção que lhe outorgou poderes. O Vocabulário Jurídico de Plácido e Silva diz: "Autoridade... é largamente aplicado na terminologia jurídica como o poder de comando de uma pessoa, o poder de jurisdição ou o direito que se assegura a outrem para praticar determinados atos relativos a pessoas, coisas ou atos... noutros casos, assinala o poder que é conferido a uma pessoa para que possa praticar certos atos, sejam de ordem pública, ou sejam de ordem privada. Em sentido geral, assim, autoridade indica sempre a concessão legítima outorgada à pessoa, em virtude de lei ou de convenção, para que pratique atos que devam ser obedecidos ou acatados, porque eles têm o apoio do próprio direito, seja público ou seja privado" (p. 253, Vol. 1 A-C, Rio de Janeiro, 1982). O mesmo autor (p. 254) diz: "Autoridade civil. Assim se diz da autoridade que dirige negócios de ordem meramente civil, ou seja, aquela em que os indivíduos são considerados em sua qualidade e condição de cidadãos, componentes da sociedade em que vivem". Como se vê, não é para se dizer que o pastor não é autoridade. É autoridade eclesiástica, com jurisdição em seu campo, com poderes outorgados pela convenção da denominação, para agir, tanto na esfera religiosa, como na administrativa. Naturalmente, deve se levar em conta a função que o pastor exerce. Às vezes, é pastor auxiliar, dirigente de um setor subordinado administrativamente a um ministério grande, que por sua vez tem um presidente eleito, com mandato de um, dois ou mais anos, ou até vitalício. Há um estatuto, uma convenção, um regimento. Isto tem força de lei.

a) Na Igreja Católica, o poder da autoridade se exerce segundo sua organização político-religiosa e hierárquica: papa, cardeais, arcebispos, bispos, vigários e padres, cada um em sua esfera. Na Igreja Anglicana e na Episcopal, há semelhança com a Católica. A autoridade maior é do arcebispo, depois bispos, clérigos e juntas. Nas igrejas presbiterianas, a autoridade se exerce, em parte, pela igreja, pelo presbitério, pelos sínodos e pela assembléia geral constituída de um ministro e um ancião de cada presbitério. O pastor com seu presbitério local constitui a autoridade local. O pastor não é membro da igreja, mas do presbitério. Na Igreja Metodista, a autoridade é exercida pelo bispo, por meio das conferências. O bispo é a autoridade principal de decisão, de escolher e disciplinar. A Igreja Congregacional exerce autoridade mediante os presbíteros regentes e docentes (pastor) em conjunto com a igreja, sendo desta a palavra final. A Igreja Batista exerce autoridade por intermédio de suas assembléias. O pastor é o moderador, presidente da assembléia. O pastor não impõe obediência aos membros da igreja; apenas os guia a isto. A igreja é soberana. O pastor é um membro da igreja, em pé de igualdade com os outros membros, sujeito às mesmas penas. Assim, ele administra com os diáconos (não têm presbíteros; para eles, presbítero, bispo e pastor são a mesma coisa) e a igreja. Todas as decisões são tomadas com a igreja. A Igreja Evangélica Assembléia de Deus exerce sua autoridade pelo pastor presidente do ministério. O ministério, que é composto de pastores e evangelistas, decide os casos que fugirem à alçada do pastor presidente, mas sempre presidido e coordenado por ele. Os atos administrativos que envolvam a igreja são decididos em assembléia geral. Há os presidentes das convenções, mas estes não exercem autoridade sobre as igrejas. As convenções decidem sobre campos ou jurisdição de igrejas e homologam disciplina ou aceitação de ministros. O pastor local, no sistema orgânico das Assembléias de Deus, exerce autoridade de decisão dirigindo a administração, as atividades eclesiásticas, representando a igreja em juízo e fora dele, como chefe de uma sociedade civil. Exerce sua autoridade em nome da igreja e do ministério que preside (se houver ministério, *i.e.*, mais de um ministro), do presbitério e do corpo diaconal. Não reconcilia nem exclui membro da igreja; não recebe membros de outras igrejas, não compra nem vende imóveis sem a aquiescência da igreja. Esses atos são praticados com a igreja em reunião ou assembléia.

b) O ministro nas suas relações oficiais com a igreja preside as deliberações coletivas, orientando os trabalhos e desempatando nas decisões, se necessário. Na igreja, sua palavra deve merecer respeito e acatamento, prestígio pela sua moral e sua vida espiritual, pelo seu saber, pela sua cultura e honestidade e pela função que exerce, não como quem manda, mas como quem serve. O pastor deve ser uma autoridade digna de todo o respeito, acatamento e obediência. Sua autoridade consiste principalmente em ser ele porta-voz da mensagem da Palavra de Deus. Quando ele do púlpito ensina esta Palavra correta e lealmente, então sua voz tem autoridade como se o próprio Deus estivesse falando aos ouvintes, porque ele está pregando a Palavra de Deus, dizendo o que Deus disse e mandou dizer.

19

Da Igreja e sua Organização

A organização da Igreja é apresentada, em muitos casos, como figura, na descrição do apóstolo Paulo: "do qual todo o corpo, bem ajustado e ligado pelo auxílio de todas as juntas, segundo a justa operação de cada parte, faz o aumento do corpo, para sua edificação em amor" (Ef 4.16). O apóstolo vê a necessidade da integração de cada junta e parte, formando uma unidade do organismo cristão que funciona com vida, eficiência e harmonia perfeitas.

1 Dos Objetivos da Organização Eclesiástica

O propósito da organização da Igreja é tríplice: amoldar-se à natureza de Deus, prover o máximo em eficiência e assegurar probidade em sua administração.

1.1 A Igreja, em sua organização, tem de se amoldar à natureza de Deus.

Como não poderia deixar de ser, o Senhor Deus é ordeiro. Seu imensurável universo, com incontáveis corpos celestes, se movimenta com tanta precisão que possibilita aos astrônomos preverem movimentos exatos de astros, o surgimento de eclipses, aparecimento de cometas e tantos outros fenômenos celestes e atmosféricos. O universo, portanto, obedece a uma ordem divina.

a) Os israelitas, durante a longa jornada do Egito para a terra prometida, foram instruídos por Deus para se locomoverem em certa formação, determinada ordem, atendendo a condições de precedência de grupos e de tribos, bem como à posição que deveriam ocupar no acampamento.

b) Quando o Senhor Jesus multiplicou os cinco pães e os dois peixes e alimentou cerca de cinco mil homens, determinou aos discípulos que organizassem a multidão em grupos de 100 e de 50 pessoas para receberem alimentação (Mc 6.35-44). A disposição da multidão em ordem facilitaria a distribuição de alimentos.

c) Se observarmos o corpo humano, obra das mãos do Criador, notaremos que o tanto que tem de complexo tem de maravilhoso. Basta pensarmos na sincronização das batidas cardíacas com a respiração e funções pulmonares; a alimentação do coração pelos pulmões e por si mesmo; o processo digestivo e suas relações com o sistema nervoso, as distribuições dos elementos ou partículas alimentares a todo o corpo, e constataremos que tudo se ajusta e todos os órgãos cooperam uns com os outros de forma perfeita, funcionando automática e involuntariamente.

d) A Igreja recebeu do próprio Deus a simbologia do corpo humano — Corpo de Jesus, o Filho do Homem, o Filho de Deus. Ela tem de ser perfeita. Sua organização deve obedecer a uma ordem tão harmoniosa quanto o plano daquEle que a criou. Precisa amoldar-se à natureza de Deus.

1.2 A Igreja, em sua organização, deve prover o máximo em eficiência.

Para entendermos bem essa afirmação, basta pensarmos numa tropa de choque da Polícia com cem homens, contra dois mil desordeiros. Os cem homens vencem não apenas porque estão bem armados, mas pelo treinamento, pela disposição em ordem de combate, pela ação do comando e obediência a uma disposição técnica ou estratégica, e preciso atendimento à voz do comando. A tropa ataca, defende-se e vence. O mesmo acontecerá com uma igreja bem organizada, que procura obter vitória em todas suas atividades, e tem como objetivo principal alcançar o maior possível rendimento para o Reino de Deus, o máximo de eficiência em seu trabalho. Com uma congregação relativamente pequena, pode prover o máximo de recursos e alcançar grandes vitórias em trabalho de evangelização, missão, atividades musicais, ensino, trabalho com jovens e crianças, e revolucionar a cidade ou até o país com a mensagem de salvação e fé.

1.3 A Igreja, em sua organização de igreja local, visa a assegurar probidade em sua administração.

A integridade de caráter de cada membro da igreja é necessária e indispensável, especialmente daqueles em sua administração. É muito comum um pequeno grupo procurar monopolizar a posse de determinados bens e privilégios, se a igreja não tiver uma administração segura, se não for bem organizada, com funções administrativas bem distribuídas e dirigentes altamente capacitados técnica, espiritual e moralmente. Essa administração, boa ou ruim, reflete na vida do ministério, presbitério, corpo diaconal e em outras funções. Se tudo for bem cuidado, evitar-se-á parcialidade na distribuição das tarefas do ministério e das atividades da igreja local, permitindo absoluto controle de todos os trabalhos e proporcionando atos e atendimentos justos para todos os membros da comunidade cristã.

2 Do Material Humano que Compõe a Igreja

Ao abordarmos o assunto de organização de uma igreja, pressupomos notadamente a existência de considerável grupo de pessoas realmente regeneradas ou nascidas de novo. O material para levantamento de uma igreja (local) é o humano; é o único material. O fundamento, a base, é Jesus Cristo (1 Co 3.11). Os membros da Igreja de Jesus são os mesmos que devem compor seus seguidores, adeptos ou súditos do Reino de Deus — os convertidos (Mt 18.3) e nascidos de novo, do Espírito (Jo 3.3, 5). O apóstolo Paulo considera qualquer outro material que não sejam almas regeneradas pelo poder de Deus, nascidas de novo pelo poder do Espírito Santo, como feno e palha, que naquele dia desaparecerá, consumido pelo fogo da provação de Deus (1 Co 3.12,13). Por isso, devemos empregar esse material de qualidade extra: Jesus Cristo e almas regeneradas. Nosso trabalho permanecerá eternamente e receberemos o eterno galardão como arquitetos sábios, servos bons e fiéis.

3 Do Controle de Membros da Igreja

Jesus disse aos discípulos: "Portanto, ide, ensinai todas as nações, batizando-as em nome do Pai, e do Filho, e do Espírito Santo; ensinando-as a guardar todas as coisas que eu vos tenho mandado..." (Mt 28.19, 20). Observemos que, para haver um trabalho de continuidade do ensino aos discípulos, é necessário que haja controle. O simples fato de conseguir-se um aglomerado de pessoas para prestar culto a Deus em determinado lugar não constitui igreja. Não se está com tal ato edificando igreja. Por mais elementar que seja a idéia de igreja, exigirá certa organização. Deve haver um ato de instituir e de pôr em ordem o grupo de pessoas para que se pense nele como igreja, em caráter permanente.

a) O primeiro passo em direção a uma organização de igreja local é reconhecer certo número de membros efetivos na congregação. Para esse controle, faz-se necessário um rol de congregados batizados, cujo registro dependerá dos recursos do lugar (estado, município, cidade) e da comunidade cristã em organização.

b) Parece até instintivo o pensamento de cada crente se tornar filiado a esse novo lar, o lar espiritual que é a igreja local. A igreja passa a ser seu segundo lar, onde pretende se estabilizar como membro atuante. Naturalmente, não há interesse das pessoas em investir em algo transitório ou que não lhes ofereça segurança.

c) É mister criar-se um ambiente onde os crentes possam se encontrar, filiar-se e sentir-se bem, desfrutando de aconchego familiar de comunhão e amor que lhes proporcione grande satisfação. Então, passa o crente a ser membro da congregação, da igreja local. Pela leitura simples de Atos 5.13,14, entendemos que havia na Igreja Primitiva certo controle ou sistema demarcatório entre discípulos ou fiéis e as demais pessoas. Observemos que, no Dia de Pentecostes, eram cerca de cento e vinte os discípulos congregados no cenáculo que receberam o batismo com o Espírito Santo (At 1.12-15; 2.1-4), mas já havia provavelmente mais de quinhentos irmãos, conforme se vê em 1 Coríntios 15.6 (talvez no dia da ascensão do Senhor Jesus). O número era de cinco mil homens pouco tempo depois (At 4.4).

d) Havendo controle, a disciplina é possível. Paulo recomenda à Igreja de Corinto a exclusão de um membro que cometia iniqüidade. Naturalmente, se não houvesse controle, para que excluir? O próprio Senhor Jesus instruiu os discípulos a adotarem todos os recursos apropriados para trazerem à reconciliação o irmão faltoso. Caso se mostrasse irreconciliável o irmão, que fosse considerado como *persona non grata* (gentio ou publicano; Mt 18.17). Por isso, Paulo recomenda a rejeição do herege após a primeira e segunda advertências (Tt 3.10). Daí, perguntamos: como poderia ser tomada essa atitude se não houvesse um grupo definido, harmônico, do qual pudesse ser excluído o herege? Veja 2 Tessalonicenses 3.6,14,15.

e) O crente passa a freqüentar uma igreja, torna-se membro dela, começa a tomar gosto, e passa a fazer nela investimentos tanto em dinheiro como em atividades, tornando-a seu lar espiritual, seu segundo ou terceiro lugar de atividade ou trabalho (se não o primeiro, como é o caso do pastor). Ali, adquire o membro da igreja direito de voto, de opinar, de controlar bens e participar da vida da organização. Passa a ter deveres e direitos em toda a vida da igreja local. Por isso a grande necessidade de tudo fazermos corretamente. Paulo ensina: "pois zelamos o que é honesto, não só diante do Senhor, mas também diante dos homens" (2 Co 8.21).

4 De Como Tornar-se Membro da Igreja Local

Antes de se elaborar uma lista de membros da igreja, é necessário determinar quais são os requisitos para alguém tornar-se membro, para ser aceito ou rejeitado como membro, bem como para ser excluído. São questões que devem ser decididas pela igreja, e não pelo pastor sozinho, ou por seus auxiliares, sem a participação da congregação. Deve haver uma norma escrita, baseada na Palavra de Deus, para que se chegue a uma decisão imparcial e segura sobre o futuro de tal pessoa na igreja.

a) Na justiça secular, há leis, normas, acórdãos e jurisprudências que são aplicados às pessoas físicas ou jurídicas. Por que não agimos de igual maneira? As normas não devem ser apenas subentendidas, e aplicadas muitas vezes de maneira vaga, imprecisa, deixando margem a diversas interpretações. Há casos de disciplina por mero entendimento do pastor, sem nenhum respaldo da Palavra de Deus. Por isso tem havido tantos desentendimentos entre obreiros e membros de igreja.

b) Necessário é que haja claro entendimento sobre as diversas questões. Tudo deve ser redigido em linguagem clara, concisa e precisa, e aprovado pelo voto voluntário da igreja local ou setorial, da sede do ministério ou convenção, ou ainda pelos membros oficiais representantes ou delegados da igreja ou denominação. Isto trará perfeita harmonia nas muitas atividades administrativas da igreja e não surgirão argumentações contraditórias e confusas altamente prejudiciais à igreja e seu ministério.

c) Como já vimos, a experiência da nova vida ou novo nascimento é imprescindível para que alguém se torne membro da Igreja de Jesus Cristo, e conseqüentemente da igreja local. "Assim que, se alguém está em Cristo, nova criatura é: as coisas velhas já passaram; eis que tudo se fez novo" (2 Co 5.17).

d) Há grupos evangélicos ou denominações que se contentam apenas com os termos de profissão de fé e a confissão: "creio em Jesus Cristo como o Filho de Deus". Para nós não basta isto. É necessário que o candidato tenha passado por transformação de vida. O ensino da Palavra de Deus é: "Pelo que saí do meio deles, e apartai-vos" (2 Co 6.17). "Sede santos, porque eu sou santo" (1 Pe 1.16). "Se alguém ama o mundo, o amor do Pai não está nele" (1 Jo 2.15). Em face do exposto, como poderíamos aceitar como membros de nossas igrejas pessoas amantes do mundo, *i.e.*, apegadas a vícios, imoralidades, corrupções e outros atos indignos, se a ira de Deus repousa sobre os filhos da desobediência, os quais de maneira nenhuma entrarão no Reino de Deus? (Gl 5.19-21) Não nos compete ser mais tolerantes do que Deus. Portanto, não temos o direito de aceitar tais pessoas como membros em comunhão em nossas igrejas.

e) Precisamos esperar de nossas igrejas e contribuir para que elas possuam alto padrão espiritual e moral. A experiência espiritual com seus efeitos na vida moral de cada membro da igreja é que permite esse alto nível que o Senhor deseja e do qual necessita a sociedade. Jesus disse aos discípulos: "Porque vos digo que, se a vossa justiça não exceder a dos escribas e fariseus, de modo nenhum entrareis no Reino dos céus" (Mt 5.20). E podemos ir mais além. Se nossa igreja não é diferente, para melhor, das demais, por que existimos como denominação? Para sermos mais uma? Não justifica. O cristianismo já se encontra dividido em dezenas de denominações chamadas cristãs e seitas, cada uma arrogando para si o título de igreja verdadeira, muitas das quais completamente longe dos parâmetros bíblicos. Se não houver profundas e claras justificativas para a existência de nossa denominação, estamos pecando contra o Senhor e sua Igreja por aumentar o número de divisões.

f) Nossa existência como igreja impõe-nos a responsabilidade de exigirmos alto padrão espiritual e moral daqueles que se dispõem a tornar-se membros da comunidade cristã de que fazemos parte. Temos de exigir certas qualificações bíblicas ou impostas pela Palavra de Deus daqueles que querem tornar-se membros de nossa igreja. Essas qualificações é que vão qualificar a igreja local, a setorial, a denominação, com reflexo em todo o cristianismo. Uma santa igreja local gozará da aprovação do Senhor Deus; o Espírito Santo operará nela, e será uma força atrativa para os homens. Necessário é que o crente, membro da igreja, aproxime-se o máximo do estado a que Paulo se refere: "... igreja gloriosa, sem mácula, nem ruga, nem coisa semelhante, mas santa e irrepreensível" (Ef 5.27). E aí Deus derramará sobre nós suas copiosas bênçãos!

5 Dos Cooperadores da Igreja

É necessário que, por ocasião da organização da igreja, fique definido o corpo de cooperadores ou auxiliares. Os principais são os oficiais da igreja (além do pastor): presbíteros e diáconos. Após a aceitação de membros dentro dos conceitos e padrões supracitados, o próximo passo é o da escolha desses auxiliares.

a) O padrão bíblico para a escolha de presbíteros encontra-se definido pelo apóstolo Paulo em 1 Timóteo 3.1-7. Paulo instrui Tito a constituir presbíteros na Igreja de Creta (Tt 1.5; cf. 20.17-35).

b) Os primeiros diáconos foram escolhidos entre os crentes, na Igreja Primitiva, conforme está registrado em Atos 6.1-7. O padrão bíblico para a escolha e o exercício do diaconato encontra-se em 1 Timóteo 3.8-13.

c) Conforme lemos em Filipenses 1.1, havia na Igreja de Filipos presbíteros e diáconos. A existência desses auxiliares na organização da igreja local é imprescindível. É necessário na igreja um bom número de cooperadores ou auxiliares, muitos destes podendo exercer algumas das funções de presbítero diácono.

20

Da Administração da Igreja

A organização da igreja local consiste em prover sistematicamente meios adequados para seu governo. Isto implica pô-la em funcionamento como um organismo vivo. Cremos, e a experiência nos dita, que o mesmo Deus que inspira o homem a instituir uma organização cristã chamada de *Igreja* também poderá capacitá-lo a cuidar de sua vida material, *i.e.*, de sua administração. A propósito, é até difícil na igreja, em alguns casos, separar-se a vida espiritual da material. De qualquer forma, é necessário que a igreja seja não apenas bem organizada, mas que se constitua em verdadeiro organismo vivo, administrado de maneira eficiente e fiel a seus objetivos.

O problema de disciplina na igreja é um dos mais difíceis para o pastor. Também é uma questão muito relativa. Cada feito moral do homem, cada mentalidade formada, cada modo próprio de ver as coisas, segue sua maneira particular de encarar a questão de disciplina. Disciplina, na mente de muitos, é apenas castigo, punição, repulsa e exclusão. Para os de mente legalista, o padrão não é Cristo nem seus ensinamentos, mas a concepção deles. Há irmãos na igreja que são capazes de excluir um irmão porque quebrou uma regrinha que a igreja adota ou votou, e deixa no seu meio o avarento, enganador, odiador e outros pecadores nocivos. Há obreiros que partem mais do princípio de Cristo, o amor. Em regra geral, a paciência, o conselho, a advertência ajudam mais um irmão do que a lei e a punição. Conheci um irmão, numa igreja, que se tornou uma espécie de fiscal, ou de polícia secreta. Onde via um irmão cheirando a fumo ia logo denunciá-lo à igreja. Tinha prazer especial em denunciar e excluir os tais. A igreja sofreu grandemente, a intriga se estabeleceu, o escândalo foi grande, muitos bons irmãos foram prejudicados para sempre devido ao ambiente ali criado. Mas o tal irmão que não fumava era o tipo perfeito de caloteiro. Ai de quem lhe emprestasse algum dinheiro ou vendesse alguma coisa fiado ou a prazo! Estava perdida a importância.

a) Destacamos alguns casos dignos de análise. O adultério, a fornicação, a prostituição, a pederastia ou homossexualidade são pecados graves. Mas não é menos grave o furto e o roubo; não é menos grave o ódio (que é o oposto do amor). Quantas coisas toleramos altamente pecaminosas. Quantos desvios de dinheiro toleramos. Quanto material alheio desaparece e deixamos de apurar, e se apuramos a responsabilidade, não punimos os culpados. Quanto procedimento proveniente do ódio manifesto deixamos passar impunemente e não deixamos de usar de misericórdia para com aquele que teve seu nome envolvido em problemas de ordem sexual! Às vezes, formamos conceitos que não têm fundamento na Palavra; fazemos distinções que a Bíblia não faz e deixamos de agir em casos considerados criminosos pela lei penal. Conhecemos casos de igrejas que tinham fiscal para ver se as irmãs usavam meia ou se os homens usavam chapéu.

b) Outro ponto grave é a mudança para tolerar costumes ou criar novos pecados em face dos costumes da sociedade. É o caso de televisão. Há irmãos que excluem membro da igreja, outros são privados de cooperar na obra, por terem televisão; mas não são barrados por serem murmuradores e fuxiqueiros. Quantos foram punidos por terem rádio! Quem responderá diante de Deus?

c) Não é de bom arbítrio permitir-se que, em sessão da igreja, qualquer um tenha o direito de denunciar. Não convém. Bom é que tudo seja conduzido pelos canais competentes. Quando o assunto merecer consideração da igreja, deve ser trazido ao conhecimento do pastor antes da reunião para tratar do fato. Pode ser que o acusado só deva ser advertido ou aconselhado. Se necessário, uma comissão altamente qualificada, nunca "vitalícia", faz averiguação do caso. Se necessário, examinam-se as acusações em reunião de obreiros para depois, se for o caso, levá-las à sessão da igreja ou a culto de membros.

d) Não se deve excluir sem primeiro nomear comissões de sindicância, e assim com muito amor e paciência estudar o assunto até chegar a conclusão segura. Há casos em que o pastor é acusado (não só pelo punido, mas por muitos na igreja) de responsável por todo ato de disciplina punitiva praticado injustamente pela igreja. O pastor não deve permitir entrar na disciplina a paixão que cega e leva ao absurdo. Deve ser dado amplo direito de defesa ao acusado.

e) O pastor precisa saber quais são os casos de exclusão. Não há meio-termo. Se o membro da igreja não presta, a única solução é excluí-lo. No entanto, não é essa medida o primeiro passo a dar. Deverá ser o último e inevitável. Cada caso é um caso; cada caso tem suas circunstâncias a serem estudadas. Questões entre irmãos só terão caso de exclusão quando houver escândalo que afete a igreja e, às vezes, é bom excluir os dois lados para não haver injustiça. Mas é necessário que haja juízo e bom senso, antes do passo final.

f) Falhas comuns ou fraquezas humanas que não quebrem as leis morais do evangelho, que não arranquem a fé, devem ser tratadas com muita prudência e paciência. Os casos pessoais com o pastor nunca devem, salvo raras exceções, constituir motivo de exclusão proposta por ele. Bom é esperar que a igreja, um cooperador, um companheiro tome as dores para propor a punição daquele que, por exemplo, tenha resolvido injuriar e enxovalhar o nome do pastor, ainda mais quando não exista razão para tal.

g) Atos de imoralidade e impureza são dignos de punição imediata. Atos que quebrem as leis morais merecem punição. Apostasia ou abjuração da fé e negação do evangelho de Cristo são passíveis de exclusão imediata. A blasfêmia não pode deixar de ser punida com a exclusão do blasfemo.

h) A indiferença, ausência permanente sem justificação, incredulidade, desrespeito, ter em pouco caso as decisões da igreja, rejeitá-las, com o argumento de que não tem que dar satisfações à igreja, como se esta nada tivesse com a vida do faltoso, constituem caso de exclusão, porque a igreja apenas confirma o que o próprio crente já fez, voluntariamente. Se ele não liga para a igreja, ele mesmo já se desligou ou se excluiu. Contudo, não se deve punir sem dar ao acusado a devida oportunidade de arrepender-se e voltar para a igreja. Deve ser visitado ou advertido por carta (se a visita pessoal de um crente, de uma comissão e, melhor, do pastor for impossível).

i) Há muitas concepções erradas. Para o crente legalista e intolerante, se a igreja não agir como um tribunal de justiça é relaxada e mundana. São esses os que menos trabalham para ganhar almas para Cristo. Há outros de sentimentos farisaicos. São pessoas perigosas dentro da igreja. São aqueles que se julgam os únicos santos e justos. Os tais puros e justos às suas próprias vistas são estrelas cadentes. Deus não julga segundo a aparência, mas segundo a verdade, e olha para o coração.

j) Deus não dá a salvação ao pecador pelo que ele é, mas por Jesus. Não troca por nossas obras. Ele vê o coração quebrantado e humilde. O crente humilde não está à procura dos males e defeitos dos outros para enaltecer a sua própria superioridade, pelo contrário, ele se acha o mais fraco e humilde e faltoso e olha para Jesus, donde vêm sua justiça, sua força, sua salvação. Ele sabe que cada um dará conta de si mesmo a Deus. Nunca será um indiferente, mas também nunca será um acusador. Velará por sua igreja, pelo seu bom nome por meio de vida, zelo e oração.

l) Nos casos de pecado, o Senhor Jesus nos ensina como tratar o pecador perante a igreja: "Se teu irmão pecar contra ti, vai e repreende-o entre ti e ele só: se te ouvir, ganhaste a teu irmão. Mas, se não te ouvir, leva ainda contigo um ou dois, para que, pela boca de duas ou três testemunhas, toda palavra seja confirmada. E, se não as escutar, dize-o à igreja; e, se também não escutar a igreja, considera-o como um gentio e publicano. Em verdade vos digo que tudo o que ligardes na terra será ligado no céu, e tudo o que desligardes na terra será desligado no céu" (Mt 18.15-18).

Essa passagem tem sido muitas vezes posta de lado; é a melhor que existe para nos conduzir a resultado satisfatório nos casos de disciplina. Conhecemos caso de um irmão ser denunciado, e uma comissão ser nomeada mais com o fito de investigar para ver se apanha o acusado em falta (quase como cilada). O irmão não foi chamado a justificar-se ou não lhe foi dado o direito de defesa; não fez-se acareação entre as partes envolvidas, e foi o irmão, que se propôs até a apresentar testemunhas (suas) que o inocentassem, simplesmente punido. A comissão declarou ser desnecessária a apresentação de testemunhas e o acusado acreditou na comissão, sendo severamente punido. Este não é o ensino da Palavra de Deus; e não tem valor perante Deus!

m) Seja como for, o Senhor Jesus deixa com a igreja a sua própria disciplina. Um irmão, um pastor, um obreiro qualquer, fica com a iniciativa de buscar o transgressor e levá-lo ao arrependimento. Se não o conseguir, deve tentar outra vez, levando consigo testemunhas. Se desse modo, não conseguir que o transgressor se reconcilie com Cristo, pedindo-lhe perdão, então o caso deve ser trazido à igreja e o transgressor, excluído.

n) A igreja tem pois autoridade de separá-lo e terá sido confirmado no céu o seu ato de disciplina. Naturalmente, o Senhor não quis dizer com isso que só há um modo de encaminhar a disciplina na igreja, mas o que fica claro é a autoridade e soberania da igreja para disciplinar. Por isso, o assunto deve ser bem conduzido, para não ser a igreja induzida em erro. A igreja não pode ser induzida a praticar injustiça. Ele ensinou também a orar, mas não restringiu ao modelo todas as orações dos seus servos. Ele mesmo exemplificou, e os apóstolos exemplificaram, e todas as orações seguem as linhas mestras traçadas no "Pai Nosso". Se o crente desviado não ouve a igreja, ele pode desprezá-lo, separando-o de si como rebelde e pecador renegado e indigno. Lembremos que a disciplina não é só correcional; é também formativa e cirúrgica. A vitória é dos fiéis e não dos que correm melhor.

1 Da Administração Patrimonial

A administração dos negócios da Igreja do Senhor deve merecer do pastor todo o cuidado e a atenção, para que seja eficiente e completa. Tudo deve ser feito com a maior lisura possível. As propriedades dos lugares onde se culta a Deus e os bens relacionados devem merecer o maior e mais eficiente cuidado para que haja segurança total em todos os sentidos. O nome e endereço da igreja local devem constar clara e legivelmente nos títulos de compra, além de seu registro no cartório de imóveis competente. Isto evitará qualquer sombra de dúvida sobre a legalidade da propriedade e da posse. A guarda desses documentos deve ser confiada a uma pessoa honesta e em lugar seguro. É prudente ter no arquivo da igreja cópia do original de tais escrituras, bem como conservar todos os títulos, papéis de seguro, atas, escrituras, relatórios em local à prova de fogo ou em cofre de um banco ou cartório. Caso haja perda acidental ou extravio de qualquer natureza do título original, é fácil obter-se cópia ou certidão do órgão expedidor. Na igreja, o secretário ou tesoureiro são os guardiões oficiais dos documentos da comunidade cristã, qualquer que seja a natureza destes. Mas o pastor deve e precisa ter acesso livre a eles sempre que necessário. Veja no capítulo seguinte o tópico Sistema de Arquivo e Controle.

2 Das Finanças da Igreja

O problema das finanças da igreja local, setorial ou sede de grande ministério é sempre muito sério. Já nos dias do apóstolo Paulo, tomava ele sérias precauções quando levava contribuição das igrejas gentílicas aos santos da Jerusalém, para que nenhuma suspeita ou acusação fosse levantada contra ele, com relação ao uso ou manuseio do dinheiro dos irmãos (2 Co 8.20,21). Tão séria foi sua atenção para esse trabalho que deixou-nos a sábia instrução de prover coisas honestas diante de todos os homens (Rm 12.17).

a) Sabemos que há membros da igreja que desconfiam de todo mundo. Sempre que necessário, o pastor não deve negar informação a qualquer membro da igreja que deseje saber como andam os negócios da igreja.

b) A igreja, por esse motivo, deve ter no órgão de finanças um tesoureiro bem habilitado, honesto, muito crente, devidamente eleito pela congregação, que receberá todas as ofertas, dízimos e contribuições ou donativos, registrando cuidadosamente cada recebimento e depositando-o no banco escolhido pelo pastor ou diretoria da igreja, e em nome sempre da igreja.

c) O dinheiro deve, após a coleta ou o recolhimento, ser contado sempre por mais de uma pessoa (de preferência três), registrado em guia devidamente numerada, e entregue ao tesoureiro, que o registrará e fará constar do relatório mensal.

d) Melhor seria que a igreja tivesse um sistema computadorizado para os registros. No entanto, se não o tiver, os livros de escrituração e registros devem ser exatos, conforme métodos contábeis. Se possível, registrados em máquinas autenticadoras. Deve ser mantido um conjunto de livros que possa, a qualquer tempo, ser examinado pela comissão de contas que verificará a correção de entradas e saídas, bem como a legalidade de despesas. Essa comissão deveria examinar os registros, de preferência, trimestralmente. A comissão de contas ou comissão fiscal pode comunicar à igreja a situação em que as contas se encontram. O relatório deve ser apresentado à igreja, no mínimo, uma vez por trimestre.

21

Da Aplicação de Disciplina

1 Da Disciplina na Igreja

Notadamente, aqueles que se desviam dos caminhos do Senhor ou deixam de viver de acordo com os padrões bíblicos devem merecer da igreja local atenção particular e especial. As instruções que a Palavra de Deus nos dá, como vemos em Mateus 18.15-17, devem ser seguidas ou observadas à risca, se quisermos obter os resultados que Deus deseja que obtenhamos. "Se teu irmão pecar contra ti [...] se também não escutar a igreja, considera-o como um gentio e publicano."

a) O apóstolo Paulo ensina: "Irmãos, se algum homem chegar a ser surpreendido nalguma ofensa, vós, que sois espirituais, encaminhai o tal com espírito de mansidão, olhando por ti mesmo, para que não sejas também tentado" (Gl 6.1).

b) Diz mais o apóstolo: "Instruindo com mansidão os que resistem, a ver se, porventura, Deus lhes dará arrependimento para conhecerem a verdade e tornarem a despertar, desprendendo-se dos laços do diabo, em cuja vontade estão presos" (2 Tm 2.25,26).

c) O obreiro, para tal, precisa ser cauteloso, persistente e vigilante, levando em conta a grande importância de seu trabalho e os efeitos que deseja obter. Se depois de esgotados todos os recursos não conseguir tais efeitos, será necessário tomar medidas disciplinares punitivas, excluindo o faltoso (ou faltosos) do rol de membros. Paulo diz: "Estais inchados e nem ao menos vos entristecestes, por não ter sido dentre vós tirado quem cometeu tal ação" (1 Co 5.2). "Mas Deus julga os que estão de fora. Tirai, pois, dentre vós a esse iníquo" (1 Co 5.13). Diz mais o apóstolo: "Mandamo-vos, porém, irmãos, em nome de nosso Senhor Jesus Cristo, que vos aparteis de todo irmão que andar desordenadamente e não segundo a tradição que de nós recebeu" (2 Ts 3.6). "Mas, se alguém não obedecer à nossa palavra por esta carta, notai o tal e não vos mistureis com ele, para que se envergonhe" (2 Ts 3.14). "Todavia, não o tenhais como inimigo, mas admoestai-o como irmão" (v. 15). Essa medida não deve ser tomada pessoalmente pelo pastor. Tudo deve ser bem apurado, os membros de comissão ou do presbitério ou de diaconal devem ser ouvidos, para então o caso ser levado à igreja para decisão, ou ao ministério, conforme o caso. O Senhor Deus é Santo. Jesus repreendeu severamente a Igreja de Pérgamo por permitir que continuassem em seu seio os que adotavam a doutrina de Balaão. A Igreja de Tiatira foi duramente repreendida por tolerar o ensino e a influência daquela tal de Jezabel (Ap 2.14,20). Por outro lado, lembremos que o Senhor apoiou a Igreja de Éfeso por não tolerar os iníquos (Ap 2.2).

2 Da Apuração de Falta Cometida

a) Não se deve aceitar acusação formulada por pessoa suspeita de possessão demoníaca.

b) Cada caso é um caso: cada situação nova merece novo tratamento.

c) Deve haver isenção de ânimo no julgamento.

d) Cada caso deve merecer rigorosa averiguação, para que tudo seja apurado.

e) Nos casos de denúncia, queixa ou reclamação, tudo deve ser bem averiguado.

f) As averiguações devem ser feitas de maneira sigilosa para evitar exploração do nome, e mácula à honra da pessoa apontada.

g) A comissão nomeada para apurar fatos deve ser composta de pessoas idôneas.

h) As pessoas não podem responder por faltas cometidas antes de se tornarem membros da igreja.

i) Ninguém será punido por suspeita.

j) Ninguém será punido por intenção (supondo-se ter pensado tal coisa).

l) Não se pode entender como pecado ato que não se enquadre na Bíblia ou lei civil ou penal.

m) O fato só deve ser publicado, se necessário, depois da devida apuração.

n) Deve ser punido o obreiro ou membro da igreja que divulgar fato tido como irreal. De igual modo, o membro da comissão que der conhecimento a terceiros antes da apuração.

o) Sempre que possível, devem ser arroladas testemunhas.

p) Devem ser levadas em conta a natureza dos depoimentos e a qualidade das testemunhas.

q) Testemunhas que se contradisserem serão excluídas do rol de testemunhas.

r) Pairando dúvida, será feita acareação (ouvidas as partes juntas).

s) Deve ser dado ao acusado amplo direito de defesa.

t) É expressamente proibida a coação.

u) O flagrante preparado será anulado. É considerado cilada.

v) A testemunha falsa será severamente punida com exclusão.

x) Igualmente, será passivo de exclusão o que fundamenta queixa falsa.

3 A Aplicação de Corretivo

3.1 Membro da igreja

a) advertência;
b) suspensão da atividade, se tiver;
c) suspensão da comunhão;
d) exclusão do rol de membros.

3.2 Diácono

São aplicáveis as mesmas penas relacionadas em 3.1, e não ascensão ao púlpito.

3.3 Presbítero (e dirigente de trabalho)

São aplicáveis as mesmas penas indicadas para membros e diáconos.

3.4 Evangelista

a) advertência;
b) suspensão da atividade ministerial;
c) não ascensão ao púlpito;
d) suspensão da comunhão da igreja;
e) exclusão do rol de membros; e
f) comunicação à convenção para homologação da exclusão.

3.5 Pastor

São aplicáveis as mesmas penas indicadas para evangelistas e perda do pastorado local, se o tiver.

4 A Natureza das Faltas

A natureza das faltas pode ser Leve, Média, ou Grave.

a) Para uma falta *leve*, cabe a advertência particular ou no círculo de seus pares.

b) A falta *média* acarreta suspensão de atividades e até suspensão da comunhão.

c) Para a falta *grave*, cabe suspensão de atividades, da comunhão (se for primário), exclusão do rol de membros e comunicação à convenção, se for ministro, para homologação. O *Pastor* e o *Evangelista* não devem ser repreendidos perante a igreja. Depois de disciplinados perante o ministério, se convier à disciplina, pode ser o fato levado à igreja, em forma de comunicação. Se excluído, precisa ser excluído também pela igreja. O ministério não pode excluir sozinho. O ministro é membro do ministério e da igreja.

d) Às vezes, a falta não é tão grave, mas a repercussão é danosa. Às vezes, a falta é grave, mas muito tempo transcorreu e não houve repercussão.

e) Não devemos esquecer que a aplicação da pena pode produzir efeitos negativos e positivos. Deve ser aplicada com muita consciência e amor. O objetivo é corrigir e evitar mau exemplo.

5 Do Salário do Pastor

Sobre este tópico poderíamos falar muita coisa, especialmente como deve ser o pastor remunerado, as possibilidades da igreja, o tempo de trabalho ou atividade que o pastor oferece à igreja local ou setorial, o sistema de remuneração (se com vínculo empregatício ou não, se a título de gratificação ou ajuda de custos). De qualquer forma, essa providência se torna necessária e urgente quando a igreja se personaliza.

A congregação local se torna organização definida com características de igreja, tomando aspectos de pessoa jurídica, já possuindo seu corpo de presbíteros, diáconos e cooperadores para as várias atividades. Todos os recursos financeiros recolhidos são registrados, controlados e contabilizados, os planejamentos de receita e despesas são feitos, bem como controle de patrimônio, rol de membros e outros meios controladores. Os encargos e trabalhos executados servem para estimular nos membros o senso de responsabilidade pelo sustento do pastor, praticamente a título até de incentivo.

a) Recomenda-se, portanto, que seja escolhida uma pessoa idônea (homem ou mulher) para o cargo de tesoureiro, para ajudar na administração — entradas e saídas de verba, inclusive encargos com salários, ajudas financeiras e auxílios.

b) O presbitério ou ministério ou diaconato, dependendo do sistema da organização denominacional, definirá o sistema de remuneração do pastor.

c) Os vencimentos ou salários do pastor devem ser pagos em dia. No caso de as entradas normais não serem suficientes, levantar-se-ão ofertas especiais para esse fim. O que não pode é a igreja fechar a mão para seu pastor.

6 Da Casa Pastoral

Embora nem todas as igrejas locais possuam casas pastorais próprias, sempre que possível, a igreja deve oferecer moradia a seu pastor, bem como arcar com despesas de água, luz, gás, telefone, combustível e manutenção do automóvel de uso na obra. Se a igreja pode fornecer automóvel para o trabalho pastoral, melhor. O salário do ministro é determinado pelo ministério local ou setorial, presbitério ou outro sistema centralizado de administração, à vista da extensão das responsabilidades ministeriais, dentro das proporções de funções, das atividades e representação social do obreiro. O pastor é representante da igreja na sociedade. Os irmãos, especialmente membros da diretoria, devem lembrar-se de alterar os vencimentos do pastor sempre que houver aumento do custo de vida ou que seus encargos de trabalho aumentarem ou quando houver aumento dos salários em geral. Os membros da igreja devem se sentir satisfeitos em prover ao pastor perfeitos meios de subsistência, conforme seus merecimentos à frente da igreja.

a) Não se cuida em despertar avareza no pastor. Tratamos da responsabilidade da igreja. O pastor não deve abrigar em seu coração qualquer semente de ganância por dinheiro ou por qualquer outra coisa. Deve ser ele isento de cobiça ou lucro impróprio (1 Tm 3.3; 1 Pe 5.12). É para todos nós a advertência que o apóstolo Paulo faz em 1 Timóteo 6.9-10.

b) O pastor deve pôr em seu coração o desejo ardente de buscar mais o Reino de Deus e sua justiça, crendo que o Senhor, o Rei, cuidará do resto (Mt 6.33).

c) É bom lembrar que, qualquer que seja o salário do pastor, a igreja deve ter conhecimento. Não deve a diretoria da igreja ou seu ministério ou presbitério deixar margem a especulação por parte de pessoas murmuradoras e faladoras. Por outro lado, devem os crentes ser ensinados a não serem miseráveis, para que seu pastor, que é representante da igreja, não pareça mendigo ou tenha que arranjar outro emprego para manutenção própria.

d) Quando for apresentado relatório completo sobre as atividades financeiras da igreja (uma vez por ano, no mínimo) pelo tesoureiro da entidade, devem se destacar as despesas com o pastor ou pastores, de forma clara e discriminada.

7 Da Administração e Diretoria

É de considerável destaque o lugar do corpo administrativo da igreja local. Logo após a organização da igreja, com escolha de presbíteros, diáconos e cooperadores com função definida, torna-se necessário, conveniente e bíblico, a consagração pública desses obreiros. Lembremos que, ao serem escolhidos os primeiros diáconos, foram eles apresentados aos apóstolos, que por eles oraram, com a tradicional imposição de mãos (At 6.6). Tal ato contribui para que os novos presbíteros e diáconos adquiram mais prestígio perante a igreja, oferecendo-lhes mais autoridade em seu campo de ação, e demonstra a aceitação, sem restrição, por parte do pastor.

a) O secretário da igreja, escolhido pelo presbitério, ministério e igreja, é o responsável pelo arquivo de documentos de caráter administrativo (exceto, em alguns casos, dos de tesouraria, que estão sob os cuidados do tesoureiro).

b) Faz-se necessária a realização de reuniões periódicas, se possível mensais, do ministério ou presbitério. Ou em outras datas, sempre que houver assunto de relevante interesse para tratar.

c) Há necessidade absoluta de companheirismo e conselhos. Todas as reuniões devem ser precedidas de um período de oração fervorosa em favor do bem-estar espiritual, moral e social de toda a igreja e dos assuntos a serem tratados.

d) O ideal seria que o secretário lavrasse ata de todos os assuntos tratados nas reuniões, mesmo não se tratando de assembléias.

e) O pastor é o coordenador de tudo; ele é o dirigente. Portanto, reuniões periódicas do pastor com outras comissões da igreja tornam-se necessárias.

f) O pastor deve se reunir com oficiais ou professores da escola dominical, com dirigentes de congregações e outros para orientação e ensino. É dispensável dizer que é dever do pastor fazer-se presente nessas reuniões. Sua presença não só contribui para o bem de todos, com seus conselhos e orientações, como exerce ele sua salutar influência, visando a aprimorar o conhecimento dos crentes e auxiliares, além de manter melhor fiscalização e controle sobre tudo. É, também, uma forma de valorizar as pessoas que a ele são ligadas funcionalmente.

8 Da Eleição ou Escolha do Pastor como Presidente

O pastor é dado à Igreja pelo Senhor Jesus (Ef 4.11). Quanto à função na diretoria, para satisfazer não só a um sistema orgânico mas também a exigências legais, depende de um processo seletivo ou de escolha. O pastor da igreja local ou setorial, ou ainda do ministério geral, é sempre presidente da diretoria, qualquer que seja o título, de acordo com os mais coerentes estatutos.

a) O melhor é o pastor ser eleito presidente em caráter permanente, enquanto for pastor da igreja (primeiro pastor). Será apresentado um obreiro como vice-presidente para homologação pela assembléia. O vice-presidente, como os demais membros da diretoria (menos o pastor presidente), deve ser eleito para um mandato de dois, três ou quatro anos, conforme determinar o estatuto; nunca para espaço inferior a dois anos, a não ser nos casos de completar tempo de outro por vacância. O pastor precisa ter tranqüilidade para ação.

b) O primeiro ano de atividade é sempre para uma tomada de posição, para organizar um programa de trabalho para uma obra eficaz. O pastor precisa de, no mínimo, um ano para familiarizar-se com os membros da igreja, especialmente se for grande a igreja.

c) Um planejamento inteligente e eficaz exige antecipação de um ano para sua elaboração e aplicação, a fim de surtir os efeitos desejados: construção de templos, sede, programação de escolas bíblicas, convenções, escolas bíblicas de férias, cursos para professores de escola dominical, criação de escola, início de obra missionária, etc. Cremos, de acordo com a Palavra de Deus, que o pastor é colocado por Deus e deve ficar na igreja enquanto Deus o queira ali. Por isso, deve ele tomar posse como se seu cargo fosse vitalício. Daí a eleição do presidente deve ser feita só uma vez para o pastor: enquanto ele estiver na direção da igreja é o presidente; é o melhor método.

9 Da Gestão e do Mandato de Diretores

Como já dissemos em linhas anteriores, o mandato dos membros da diretoria pode ser de um, dois, e até quatro anos. Entretanto, não achamos aconselhável passar de três anos. O ideal seria que não passasse de dois. O que se destacar por seu trabalho e atuação próspera pode ser reeleito. Quanto ao pastor, se houver um só, será ele o presidente. Se houver mais de um, um será o pastor-presidente, que responderá pela igreja ou ministério em juízo e fora dele, bem como pela direção espiritual dos membros da comunidade cristã; e o segundo será o vice-presidente, que responderá pela direção na ausência ou no impedimento do presidente, conforme termos estatutários. Se a igreja só possuir um pastor, o vice-presidente poderá ser um presbítero. Não achamos conveniente o vice-presidente ser de outro ministério, mesmo ligado pela mesma convenção.

10 Das Reuniões ou Assembléias Periódicas da Igreja

Trata-se de reuniões necessárias e indispensáveis. Podem ser anuais e de caráter administrativo, pedagógico, social ou teológico. Quaisquer que sejam os assuntos, evitem-se práticas contraproducentes. Por exemplo, permitir-se que membros da igreja ou pessoas inábeis discutam ou façam discursos sobre assuntos polêmicos ou de solução difícil. Contudo, deve ser-lhes dado direito de discordarem conscientemente. Há casos de o membro da igreja fazer observação tão descabida que provoca nos participantes dúvida, descontentamento e tumulto, fazendo com que os objetivos da reunião sejam grandemente prejudicados, além da perda de tempo que geralmente causa tal comportamento.

a) É necessário que se elabore, antes da reunião, uma pauta para evitar o dissabor e a perda do precioso tempo das pessoas convocadas.

b) Os presbíteros, por sua vez, podem participar das reuniões ou assembléias, dependendo do caso, como delegados de igreja. Isto é conveniente nos casos de eleição de membros da diretoria, pois esses oficiais da igreja são auxiliares tanto da igreja como do pastor. Nessas assembléias, apresentam-se relatórios, escolhem-se candidatos para o presbitério ou diaconato, propõem-se alterações de estatutos ou regimentos e outras medidas administrativas.

c) A igreja inteira pode participar dessas assembléias.

d) No caso de eleições, podem ser realizadas de várias maneiras: por escrutínio secreto, por aclamação (levantando a mão), pondo-se de pé ou ficando assentados os que discordam ou concordam.

e) O escrutínio secreto deixa o membro ou partícipe com mais liberdade de ação, não dando pretexto para suscitar alguma idéia de constrangimento.

f) Os relatórios, inclusive os do pastor, de tesouraria, de secretaria e de direção de departamentos devem ser lidos em voz alta e bem audível pelos responsáveis ou representantes do setor ou departamento.

g) Cabe ao secretário relatar o crescimento, o desenvolvimento da igreja e de suas congregações no que diz respeito a número de membros em comunhão, batismos, desligamentos, recebimentos de novos membros durante o ano, almas salvas, reconciliadas, batismos no Espírito Santo, número de visitações pastorais e de comissões, campanhas de evangelização, de reavivamento, cultos especiais, trabalhos missionários, programas de rádio, televisão, trabalhos sociais e outros. Deve, de igual modo, ser registrado e apresentado em relatório trabalho sobre a escola dominical, sobre obras educativas ou culturais. Todos esses trabalhos são importantes. Todos esses itens são de grande utilidade, pois inspiram o membro da igreja e glorificam o Senhor nosso Deus.

22

Do Sistema de Arquivo e Controle

Há vários sistemas de arquivo de documentos. Há diversos sistemas de controle de número de funcionários, de empregados, de instalações, de prédios, de móveis e utensílios, de equipamentos, instrumentos, espécies de atividades, imóveis e departamentos. O sistema de controle depende muito das condições financeiras ou recursos econômicos do órgão controlador, ou detentor da carga. Entre muitos, podemos destacar:

a) *Fichário*. Pode ser manual, em ordem alfabética de todas as palavras (ex.: Pedro, Joaquim da Silva, cujas letras iniciais são PJS, mas devem ser observadas as letras que sucedem às iniciais), ou numérica, se o controle é por meio de número de ordem (ex.: De 0001 a 0100; de 0101 a 0200, etc.). Esse controle serve para arquivo de fichas individuais, fichas de móveis, arquivo de ofícios ou outros documentos numerados. É um sistema pobre e ultrapassado para quem possui recursos eletrônicos.

b) *Arquivo em Pastas*. Obedecendo o critério acima, presta-se para controle de documentos de tamanho grande, como ofícios, cartas, escrituras, certidões, etc.

c) *Livro*. Com índice nominal ou alfabético, que só obedece à primeira letra do nome (prenome). Pode ser por assunto. É recurso ultrapassado, válido para organização de poucos recursos.

d) *Microficha ou Microfilme*. Este é sistema eletrônico, econômico, seguro, que ocupa pouco espaço. No entanto, depende de máquina especial para ampliar a microficha ou o microfilme —

pequena ficha ou pequeno filme —, projetar em tela ou extrair cópia (já ampliada).

e) *Computador*. É o recurso mais avançado. Os dados são programados, registrados na memória do computador ou em discos rígidos, com capacidade de retenção de milhares de informações em pequeno espaço e de fácil consulta, para isso bastando ter um sistema organizado na sede, com terminais onde precisar, sob a responsabilidade de pessoa para isto especialmente treinada. Tudo pode ser controlado por esse sistema: rol de membros, de obreiros, número de igrejas, congregações, entrada e saída de dinheiro, bens patrimoniais, móveis, utensílios e equipamentos.

f) *Arquivamento de escrituras ou outros documentos de propriedade de imóveis*. Esses documentos exigem cuidados especiais. De preferência, devem ser guardados em cofre à prova de fogo ou em tabelião que mantenha sistema seguro de arquivo. O órgão proprietário, no caso, a Igreja, deve possuir seu registro em lugar seguro e de fácil consulta e controle. Não é admissível o pastor ou secretário da igreja desejar consultar uma escritura de um imóvel e não saber onde está. A resposta para essa consulta deve demorar no máximo cinco minutos. Mesmo em cofre, à prova de fogo ou água, os documentos devem estar guardados em pastas ou outro tipo de invólucro numerado e com o nome do documento escriturado devidamente. Todos os documentos relativos a taxas ou impostos que digam respeito a tais escrituras ou contratos devem constar do mesmo sistema de controle. De preferência, juntos, formando único processo (de cada imóvel).

Os sistemas acima indicados servem para todos os documentos que se possam imaginar, de estatuto a ficha de membro. Tudo depende de se organizar conscientemente tudo, colocando cada coisa em seu devido lugar.

g) *Controle de móveis, utensílios e equipamentos*. Cada escrivaninha, cadeira, órgão, banco, etc., deve ser registrado em ficha ou livro para isto designado, com a especificação da peça, que é sua identificação. Cada peça deve portar uma ficha patrimonial que corresponde ao registro no fichário ou livro próprio. Se esse controle for feito pelo sistema eletrônico, melhor. Todos os instrumentos musicais devem ter seu registro em livro próprio ou outro sistema mais eficiente, como o indicado nas letras *d* ou *e*. Os instrumentos musicais são geralmente distribuídos entre os músicos. Deve haver controle do detentor do instrumento. Nunca uma máquina de escrever ou um piano deve ser emprestado a outro departamento ou órgão da igreja sem a devida anotação e recibo de pessoa responsável pela nova carga e com o consentimento do órgão provedor ou detentor efetivo da carga. O tempo de duração varia muito. Cada órgão provedor poderá determiná-lo.

h) *Incineração*. Todos os documentos que não impliquem finanças ou escrituras ou sejam pessoais podem ser incinerados. Para isso é necessário que se lavre um termo. O tempo de duração de documentos interlocutórios seria de cinco anos.

1 Dos Departamentos e Atividades da Igreja

À proporção que a igreja local ou setorial cresce e se desenvolve, obviamente vão surgindo necessidades novas de criação de departamentos para ajustarem as necessidades às possibilidades e fazer frente às muitas responsabilidades e atividades da obra. Não há número de departamento a se fixar num trabalho como este; isso depende das necessidades locais, setoriais, regionais.

2 A Igreja e a Escola Dominical

A igreja não pode prescindir de órgão interno destinado ao ensino da Palavra de Deus, da doutrina cristã, e dos dogmas da Igreja ou denominação da igreja local. Não há dúvida de que o órgão mais eficiente, neste setor, é a tradicional escola dominical. A igreja que contar com número suficiente de jovens deve convidá-los a se organizarem em classe ou grupo de estudos. Esse trabalho pode se estender até os setores de evangelização e visitas, a cultos de mocidade, cultos para treinamento de jovens. Se houver músicos e cantores e outros grupos musicais, esses devem ser aproveitados, de acordo com suas possibilidades e habilidades. O trabalho de escola dominical, que pode resultar em um departamento da igreja local, é de grande alcance, muito útil e pode produzir grandes e maravilhosos resultados em benefício da obra do Senhor e da Igreja.

3 A Escola Dominical e seus Departamentos

A escola dominical destaca-se como departamento de ensino da igreja. É um dos mais importantes. Além do mais, representa uma atividade que observa grande parte do tempo e de atenção do pastor da igreja e de seus auxiliares. Todos os membros da igreja devem se esforçar para se matricular na escola dominical e serem freqüentadores assíduos. Por outro lado, o pastor e seus auxiliares devem conseguir o maior número possível de matrículas, inclusive superior ao do rol de membros e de freqüentes normas dos cultos oficiais, pois o número de alunos da Escola Dominical deve e pode ultrapassar o rol de membros da igreja local. A escola dominical pode ter como alunos os membros da igreja local, as crianças, que ainda não são membros, e visitantes não membros da igreja, mas matriculados e freqüentes na Escola Dominical. Assim podemos destacar os itens:

a) A escola dominical deve ser cuidadosamente organizada. Pode ter seus próprios planos de trabalho, embora vinculada à igreja toda, no que diz respeito à visitação de alunos ausentes, doentes ou com problemas sociais graves.

b) Pode a escola dominical trabalhar com afinco na multiplicação de seus alunos e na motivação destes para os demais trabalhos da igreja.

c) Pode ser criada uma extensão da escola dominical com várias designações, tais como departamento de lar e de berço (berçário). O primeiro deve cuidar da assistência aos lares em suas dificuldades, nos casos de alunos da escola dominical ou familiares que estejam passando por necessidades de quaisquer natureza. O segundo, de berço, pode ocupar-se de visitações a parturientes crentes, ofertando-lhes alguma ajuda de caráter financeiro (se possível) e ao recém-nascido, algumas roupinhas, em se tratando de pessoas pobres. Nesse trabalho, são encontradas várias dificuldades pelas quais a família poderá estar passando. Cada caso é um caso. No entanto, o sucesso da comissão encarregada de tratar disso depende da habilidade e orientação do pastor da igreja. Dele é o sucesso ou fracasso. A escola dominical ganha ou perde com isso. Se ganhar, todos ganharão; se perder, todos, inclusive e especialmente a igreja, perderão.

4 Da Escola Bíblica de Férias

A Escola Bíblica de Férias consiste em aulas durante o período de férias escolares. Essas aulas, dependendo das possibilidades da igreja, poderão ser ministradas durante duas ou três horas por dia, duas ou três vezes por semana, em 15 dias; ou uma semana, com aulas todos os dias. Se puder ser realizada durante um mês inteiro, melhor. Bom é que sejam dadas oportunidades para todos: professores de Bíblia (doutrina, teologia, homilética, etc.), de artes, música, recreações, tesouraria, secretaria, trabalhos em memorização de textos, pianistas, organistas, professores de escola dominical em classe de adultos e crianças, missões, evangelização, e tantos outros. Esse trabalho oferece oportunidades de se poder conseguir descobrir muitos e valiosos talentos entre membros da igreja e desenvolver habilidades entre auxiliares e líderes da Igreja do Senhor Jesus.

5 Da Escola Bíblica (Conferências Bíblicas)

É comum as igrejas evangélicas realizarem séries de estudos bíblicos ou teológicos ou conferências periodicamente, especialmente uma vez por ano. Mas isso varia de igreja para igreja. A escola bíblica tem como objetivo aperfeiçoar conhecimentos de obreiros (pastores, evangelistas, presbíteros, diáconos, cooperadores em geral, como professores de escola dominical, dirigentes de congregações, de círculos de oração, regentes de coro, banda, orquestra, conjuntos musicais, etc.). A realização de escolas bíblicas, em algumas igrejas, como na Assembléia de Deus, que já é prática tradicional, poderá produzir excelentes efeitos, se bem organizada e sujeita a uma programação bem elaborada com suficiente antecedência. É bom que se evitem as improvisações. Certos cuidados são indispensáveis.

a) Como já dissemos, a improvisação é prejudicial. Deve ser tudo programado.

b) Devem ser escolhidos preletores ou professores ou ainda conferencistas altamente qualificados e avisados com antecedência suficiente para se prepararem.

c) Como os estudos são realizados durante o dia, muitos obreiros, especialmente os que trabalham fora da igreja, deixam para tirar férias nessa época, a fim de participarem da escola bíblica. Não se pode admitir que um período (manhã ou tarde) seja tomado por pessoa não habilitada, mesmo em se tratando de ministro, para dar estudos bíblicos, apenas por se tratar de pessoa bem conceituada, com o objetivo de prestigiá-la ou agradá-la. Não se deve pôr em jogo os interesses da igreja ou dos obreiros.

d) À noite, durante a escola bíblica, geralmente haverá cultos no templo onde se realizam os estudos, para toda a igreja.

e) Nos casos de grandes ministérios (igrejas grandes, com congregações), os pastores ou dirigentes de congregações ou de setores convidam para pregar em suas igrejas obreiros matriculados na escola bíblica (nos cultos à noite).

6 Do Culto das Crianças

Não é novidade a realização de cultos periódicos com crianças. Os cultos infantis podem ser realizados tantas vezes se desejar e for possível. Há igrejas que celebram esses cultos com grande êxito semanalmente. Outras o fazem uma vez por mês. Os cultos organizados para crianças devem ser semelhantes (não iguais) aos de adultos. O padrão é idêntico, mas devem girar em torno de coisas com as quais as crianças estejam mais familiarizadas para que se facilite sua tenra compreensão. Deve ser empregada linguagem adequada à capacidade léxica e compreensão delas e dizer respeito a problemas infantis ou ligados a crianças: histórias, cânticos, contos. O uso de mímica é importante. Os sermões devem ser breves. Crianças não suportam longos sermões. É bom que se utilizem desenhos em quadro-negro e flanelógrafos bem objetivos, não apenas para divertirem as crianças, mas como meio educativo, com efeitos morais e espirituais. É necessário que haja bastante ação. Nesses cultos, devem ser levantadas ofertas e dízimos como meio educativo. As crianças devem ser empregadas nos trabalhos cúlticos. O nome do Senhor Jesus Cristo deve ser exaltado entre as crianças!

7 Das Instruções Religiosas nas Escolas Públicas ou Particulares

Não é difícil a penetração nas escolas públicas ou particulares com o ensino religioso, especialmente no Brasil, e mais particularmente nos Estados mais adiantados da Federação. O contato com a direção da escola poderá permitir ao ministro do evangelho entrar no estabelecimento de ensino com o ensino religioso, permissão essa dada por várias leis, por muitos decretos e regimentos escolares ou ligados à área de ensino, especialmente na escola pública. A orientação ou o ensino religioso é uma necessidade, e o pastor não deve perder essa oportunidade.

a) Pode haver cooperação entre várias igrejas da mesma cidade.

b) O pastor e seus obreiros devem preparar o currículo que achar melhor e mais adequado.

c) O ministro do evangelho deve assessorar-se de pessoas bem habilitadas (professor, de preferência, ou pessoas com prática de ensino).

Utilizemos todos os meios disponíveis "Para ver se de alguma maneira posso incitar à emulação os da minha carne e salvar alguns deles" (Rm 11.14).

8 Do Relacionamento do Pastor com a Mocidade

Em muitos casos, tem sido desastroso o relacionamento de muitos pastores com a mocidade. Alguns, por falta de atividade da juventude; em outros, por causa da falta de entrosamento entre pastor e juventude. Deve ser criada uma organização que coordene, fiscalize e estimule as atividades dos jovens na igreja. Deve-se criar ou organizar um grupamento de jovens. O propósito desse grupamento na igreja é prover sistematicamente confraternização entre crentes desse nível de idade, de maneira que seja compatível com a adoração e ofereça oportunidade de treinamento no serviço cristão. Aos jovens deve-se oferecer o privilégio de escolher seus próprios dirigentes, sob a orientação do pastor, com o apoio de membros do ministério ou obreiros. O pastor deve dar sua orientação absoluta e fiscalização, pois possui mais experiência e visão. O pastor da igreja, nesses casos, funciona como pai e bom irmão mais velho, coordenador e fiscalizador, dando aos jovens, além de sua orientação espiritual e cristã, experiência e apoio amigo.

9 Do Grupo Juvenil

Pode haver numa igreja número razoável de meninos e meninas de baixa estatura e idade, novos demais para pertencer ao grupo de jovens e que tenham passado da idade para continuarem nos cultos infantis. Para atender a essas necessidades, podem-se criar classes ou associação de incentivo para esses meninos ou meninas, encorajando-os a realizar tarefas sublimes na obra do Senhor, como cânticos, breves sermões, testemunhos, apresentação de números musicais em conjunto, jograis e outros tipos de participação. Crianças de todas as idades devem ser treinadas na obra do Senhor. Isso será muito útil para elas e ótimo para a igreja.

23

Dos Imóveis, Móveis e Utensílios ou Equipamentos da Igreja

Os imóveis são de superior importância na obra do Senhor. Entre eles, destacam-se os templos, que são as casas de adoração, o lugar consagrado ao Senhor, especialmente dedicado ao serviço divino, onde o povo de Deus vai oferecer ao supremo Criador seus louvores e adoração. São de grande valor, também, os equipamentos ou utensílios do templo. O povo não deve descuidar da casa do Senhor e cabe ao pastor profundo zelo pelo santuário e seu equipamento. O profeta Ageu instruiu o povo e exortou a que ouvisse a ordem do Senhor Deus, dizendo: "Subi ao monte, trazei madeira e edificai a casa" (Ag 1.8). Acrescenta ele que Deus havia amaldiçoado a colheita (safra) do campo: "... Por causa da minha casa, que está deserta, e cada um de vós corre à sua própria casa" (Ag 1.9). O mesmo profeta é usado por Deus para pronunciar a bênção do Senhor, ao término da construção do templo. "A glória desta última casa será maior do que a da primeira, diz o SENHOR dos Exércitos, e neste lugar darei a paz" (Ag 2.9). O rei Salomão construiu um majestoso templo ao Senhor. Quis o rei destacar, no templo, a glória de Deus com relação aos deuses do paganismo: "... porque o nosso Deus é maior do que todos os deuses" (2 Cr 2.5). O Senhor Deus aceitou a dedicatória do templo. "E sucedeu que, saindo os sacerdotes do santuário, uma nuvem encheu a Casa do Senhor. E não podiam ter-se em pé os sacerdotes para ministrar, por causa da nuvem, porque a glória do

Senhor enchera a Casa do Senhor" (1 Rs 8.10,11). Não defendemos o investimento de grandes fortunas em construção de um templo que chega a demorar meio século para inaugurar, quando existem urgências também para atender o povo em lugares mais pobres, do mesmo setor ou ministério, ou outras necessidades prementes, como é a proclamação do evangelho. No entanto, cumpre-nos procurar a beleza simples e funcional, o conforto e as acomodações necessárias à vida administrativa e cúltica da igreja do Senhor.

1 Do Planejamento para o Templo

O templo é um salão, um prédio com muitos salões e outras dependências, contendo, obrigatoriamente, sua nave principal, que é o santuário, a parte mais importante de suas dependências. É o templo a primeira construção, como primeiro passo na criação ou organização de uma igreja. No entanto, à medida que vai aumentando a capacidade financeira e vão surgindo novas necessidades, será lógico providenciar melhores acomodações, melhores instalações para o povo de Deus adorar seu o Senhor e Salvador e gerir os bens e as atividades da obra. É o caso da necessidade de gabinete pastoral, sala de oração, salas amplas para classes da escola dominical, ensaios de banda, coral, conjuntos musicais, reuniões outras, berçários, biblioteca, secretaria, tesouraria, sala de som, sala para guarda de instrumentos, sala para contabilidade, alojamento para obreiros, cozinha e refeitório, banheiros diversos, etc.

2 Dos Móveis, Utensílios, Equipamentos do Imóvel e sua Manutenção

É necessário que o templo seja equipado com máquinas e aparelhos que facilitem os trabalhos da administração. Deve ser mobiliado e equipado com utensílios que proporcionem conforto ao público, especialmente aos membros da igreja. Os bancos, se possível com encosto, cadeias confortáveis, púlpito vistoso, seguro e confortável, que cause boa e agradável impressão ao público. Sempre que possível, o sistema de som deve ser bem instalado, de comando, com preferência, em lugar reservado para evitar que os técnicos em som fiquem transitando pelo meio do santuário ou em cima do púlpito. O exterior do edifício, o jardim, o teto, tudo deve ser bem conservado, limpo e tratado. Letreiro atraente deve ser colocado em lugar alto, bem legível, a distância, com o nome da igreja ou denominação. A divulgação do horário de cultos, do número de telefone da igreja, deve ser feita por meio de jornais da cidade, listas telefônicas, bancas de jornais, hotéis, para que, com facilidade, as pessoas interessadas encontrem a casa de oração para se congregarem com os irmãos.

24

Dos Presbíteros e Diáconos

1 Da Orientação Bíblica

A existência de presbíteros e diáconos na Igreja vem do início do cristianismo. Ao escrever a epístola à igreja de Filipos, o apóstolo Paulo reconheceu a existência desses oficiais (Fp 1.1). O padrão cristão e regra de qualificação para a escolha desses obreiros encontra-se em 1 Timóteo 3.1-13. O encargo de diácono e presbítero não é, portanto, mera invenção humana. O próprio Espírito Santo inspirou a criação ou instituição dos diáconos na Igreja nascente, exigindo tão alto grau espiritual e moral que nos deixa impressionados. Fora instituído um grupo de servos ou diáconos, mediante escolha da igreja, oração e imposição de mãos dos apóstolos, para cuidar da administração diária (At 6.1-6). O registro sagrado sobre essa escolha sem par, o conjunto de virtudes requerido desses homens e o modo de proceder servem-nos, de maneira insofismável, de valioso precedente e edificante instrução que todas as igrejas evangélicas devem seguir. Com o crescimento da Igreja, o Espírito Santo providencia, por meio de Paulo, normas para a escolha desses obreiros do Senhor: presbíteros e diáconos.

2 Dos Fatores não Influentes na Separação

A separação para o presbiterato ou diaconato, como para o ministério, deve jungir-se às qualidades espirituais, morais e vocacionais do obreiro. Não devem influenciar na separação dos oficiais da igreja qualidades que dizem apenas respeito ao homem. O dinheiro, a educação ou cultura, a amizade particular, o grau de parentesco com alguém influente ou membro do ministério ou diretoria da igreja local ou setorial, o fato de ser membro de família bem conceituada ou admirada por sua posição social ou econômica — nada disso deverá ser justificativa ou servir de pretexto para a consagração, eleição ou separação de oficiais da igreja. Pode o homem ter essas qualidades, mas as essenciais são as exigidas pela Palavra de Deus. Por outro lado, tais qualidades (de ordem material ou social) não devem prejudicar os servos do Senhor na escolha para a obra.

3 Do Padrão Bíblico para as Funções de Presbítero e Diácono

Examinando-se a Palavra de Deus, especialmente o texto de 1 Timóteo 3.1-13, verificamos que existem vários fatores que desqualificam o homem ou candidato ao oficialato da igreja de Jesus Cristo. O alcoolismo, o amor ao dinheiro, a língua ou linguagem dúplice, a bigamia, o casamento com mulher caluniadora, infiel com falta de seriedade no trato, são qualidades e situações morais altamente prejudiciais ao exercício do presbiterato ou diaconato. Jamais se deve admitir que um presbítero ou diácono fume ou beba. Tanto um quanto o outro devem pautar suas vidas de maneira exemplar, inclusive na contribuição com ofertas e dízimos. Eles precisam ser generosos e honestos no trato com as finanças da igreja que por acaso lhe sejam confiadas.

a) O presbítero ou diácono, como o ministro, precisa e deve ser homem de uma só palavra. A falta de palavra no homem é um caso sério em nossos dias: Diz que vai, não vai; diz que faz, não faz; diz que paga, não paga. A palavra do servo de Deus é "sim, sim; não, não", e o será até Jesus voltar.

b) Esses homens, na qualidade de oficiais da igreja, precisam ter a coragem e a honra de defenderem suas convicções com bastante consciência e respaldo da Palavra de Deus. Não devem ser levados por opiniões alheias, nem mudar de opinião por conveniência própria. Esses homens e servos de Deus são auxiliares do pastor e precisam ser-lhe fiéis. Se suas opiniões são facilmente mutáveis na ausência do pastor, quando indivíduos de opiniões opostas se insurgirem, esses auxiliares poderão ser levados a uma posição contrária aos interesses da obra.

c) As esposas dos presbíteros e diáconos devem ser irmãs de moral elevada e qualificações definidas. Devem ser "... honestas, não maldizentes, sóbrias e fiéis em tudo" (1 Tm 3.11).

d) Quando a Palavra de Deus diz "não maldizentes", quer dizer não murmuradoras. A honestidade, respeitabilidade, é a virtude que se impõe pelo caráter e comportamento digno. A sobriedade diz respeito ao autocontrole ou comedimento, fruto da maturidade espiritual e seriedade. E a Palavra recomenda fidelidade, ao esposo, aos filhos, em tudo. Ninguém merece seu apoio mais que esposos e filhos. A dedicação aos afazeres domésticos, além de ser obrigação social, conjugal e maternal, é parte da fidelidade.

e) Podemos resumir as qualificações básicas para o presbiterato ou diaconato, com algumas variações, por causa das funções diferentes:

— Possui fé cristã (que é diferente de outras crenças; veja 1 Tm 3.9);
— conhece as doutrinas da Bíblia (1 Tm 3.9);
— é controlado pelo Espírito Santo (At 6.3; Ef 5.18-21);
— possui sabedoria do alto (At 6.3);
— é provado por algum tempo antes da separação;
— possui consciência pura;
— é irrepreensível;
— tem boa fama;
— é marido de uma só mulher, se casado;
— governa bem sua própria casa.

f) O presbítero e o diácono devem ser pessoas possuidoras de maturidade na vida de modo geral, mesmo sendo novos na idade, especialmente maturidade na vida cristã, que diz respeito ao bom entendimento, que se desenvolve por meio da diligência ou aplicação aos estudos da santa Palavra de Deus. Esses servos do Senhor precisam ser batizados com o Espírito Santo; mas isso não é suficiente. Devem possuir vida controlada pelo Espírito de Deus (Ef 5.18-21). Parece ser demais exigir que o diácono seja cheio de sabedoria. Na Igreja Primitiva já era assim. E hoje? Precisa ser dotado de sabedoria natural e do alto.

g) Os novos convertidos não devem ser separados para essas funções (1 Tm 3.6). Os diáconos precisam ser homens respeitáveis (1 Tm 3.8), para que possam ser modelo a outros e todos os vejam como pessoas sérias, circunspetas.

h) Nos dias apostólicos, a poligamia era normal no meio pagão. Havia entre judeus. Em 1 Timóteo 3.2,12, Paulo orienta seu companheiro Timóteo a exigir dos candidatos ao presbiterato e diaconato que sejam maridos de uma só mulher (os casados). O objetivo da Igreja Cristã e dos apóstolos era eliminar os maus costumes ou prática de mau caráter no seio da igreja. A licenciosidade moral com relação ao matrimônio é uma das grandes tragédias da civilização moderna em todo o mundo. Não podemos conceber como correto o fato de um crente possuir duas companheiras, e ainda mais ser consagrado para alguma atividade oficial da igreja. Se divorciado, no Brasil, a Convenção Geral das Assembléias de Deus e outras toleram que se torne membro, quando casado. A Convenção Geral não permite acesso ao ministério. Não vemos ao pé da letra a expressão "marido de uma só mulher", no caso. Se está divorciado, a lei não diz que ele tem duas mulheres. Um dos matrimônios foi dissolvido. Mas vejamos o lado moral e prático. Podem surgir problemas sérios para o obreiro em direção de trabalho, com a ex-esposa no mesmo culto, congregando, e outros relacionamentos possíveis. A Bíblia diz que presbíteros e diáconos devem ser capazes de governar bem sua família. Governar bem chega a ponto de serem eles modelo de vida e atração para os filhos ficarem sempre perto do Senhor Deus.

4 Do Bom Relacionamento entre o Pastor e seus Auxiliares

À luz da Palavra de Deus, podemos resumir a necessidade de bom relacionamento entre diáconos, presbíteros e o pastor na cooperação da obra do Senhor. Torna-se necessária a troca de idéias e de companheirismo no trabalho. Faz-se necessária a guarda de respeito e obediência. É imprescindível que haja confiança e fidelidade entre os membros de um corpo e outro, entre esses e o pastor.

a) Paulo ensina: "E rogamo-vos, irmãos, que reconheçais os que trabalham entre vós, e que presidem sobre vós no Senhor, e vos admoestam; e que os tenhais em grande estima e amor, por causa da sua obra. Tende paz entre vós" (1 Ts 5.12,13).

b) O salmista exorta: "Não toqueis nos meus ungidos e não maltrateis os meus profetas" (Sl 105.15).

c) Onde não há respeito, não há governo; há anarquia. O respeito ao pastor, que é o líder da igreja, deve ir até os limites que a Palavra de Deus estabelece: "Obedecei a vossos pastores e sujeitai-vos a eles" (Hb 13.17).

d) Levantar-se-á a hipótese de o pastor desviar-se. Neste caso, ainda cabe aos auxiliares e membros da igreja obedecer-lhe? Respondemos com a Palavra de Deus. Deus cuida disso: "... quem estendeu a sua mão contra o ungido do SENHOR e ficou inocente? [...] Vive o SENHOR, que o SENHOR o ferirá, ou o seu dia chegará em que morra, ou descerá para a batalha e perecerá" (1 Sm 26.9-11). Era assim que Davi, o rei bem-sucedido, o homem segundo o coração de Deus, cria e praticava. Foi assim que se comportou em face das terríveis ameaças de Saul. A seu tempo, Deus tirou Saul do governo de Israel. "O mistério das sete estrelas, que viste na minha destra [...] As sete estrelas são os anjos das sete igrejas" (Ap 1.20). Não ficará impune diante de Deus aquele que chefia rebelião contra o pastor da igreja.

e) Se houver necessidade de medida drástica contra o pastor, será essa tomada por Deus mediante ministério, nunca por intermédio de membro da igreja ou de um companheiro. Apela-se para o ministério ou líderes da denominação. A Palavra de Deus diz: "Tende paz entre vós" (1 Ts 5.13). Paulo e Pedro nos ensinam que aqueles que servem a obra devem fazê-lo de acordo com o dom de Deus pela força que Deus supre (Rm 12. 6,7; 1 Pe 4.11).

f) A palavra *"diakon"*, que igualmente serve de base para o nosso vocábulo "diácono", é a mesma que serve para ministério ou ministro. Ser diácono é ser servidor, servo. Paulo mostra uma perspectiva interessante, quando diz: "Porque os que servirem bem como diáconos adquirirão para si uma boa posição [preeminência] e muita confiança [coragem, bravura, entusiasmo] na fé que há em Cristo Jesus" (1 Tm 3.13). Quão importantes são esses trabalhos afetos a esses servos de Deus! Que o Senhor dê graça a nossos obreiros e auxiliares em sua obra!

5 Dos Meios de Comunicação e Propaganda do Evangelho

Estamos em plena época da informática, das transmissões via satélite. Os sistemas de comunicação hoje são de tão alta precisão, tão sofisticados, de alcance tão poderoso que parece estarmos sonhando. Voz, imagem e fotografia são transmitidas a grandes distâncias. Falamos hoje, em ligação direta com qualquer país do mundo. Qualquer espetáculo é visto pelo brasileiro, no Brasil, ao vivo, ocorrendo em todos os pontos do planeta, e até fora dele. A imprensa, por sua vez, tem alcançado uma força extraordinária, uma perfeição tão grande que já se diz até falada e escrita. A técnica da propaganda, por outro lado, tem avançado tanto que se presta para vender todos os produtos da terra e da mente. O homem se vale dela para anunciar e promover sua indústria, sua oficina, sua técnica, sua capacidade profissional. Uns o fazem com sinceridade, outros enganam os ouvintes e leitores. O evangelho pode e deve ser propagado por intermédio de todos os meios de comunicação, especialmente pelo rádio, pela televisão, jornais e periódicos, telefones, cartazes afixados em muros, lojas, estações, escolas, em praças, e todos os outros métodos tradicionais, como sejam a pregação nos templos, nas praças, nos estádios e outros locais cedidos para esse fim.

a) A Igreja precisa acompanhar os métodos modernos de difusão do evangelho.

b) O pastor precisa preparar a igreja para cada tipo ou série de cultos especiais. No que respeita à propaganda do evangelho, os membros da igreja, e especialmente os auxiliares, devem estar atualizados com os meios práticos e eficientes de como se alcançar as almas.

c) Os cultos de evangelização nas casas, em grupos familiares, são muito eficazes. Produzem até mais que os de ar livre. Há mais intimidade do ouvinte.

d) Os cultos especiais de oração na igreja aumentam a fé e o interesse, e o resultado pode ser um grande avivamento e despertamento total.

e) Os nomes de novos convertidos em todas as situações, bem como nas campanhas, devem ser registrados, acompanhados de endereço completo, para fins de posterior visita.

f) Os crentes devem ter o cuidado de não perderem de vista o novo convertido.

g) Quanto à propagação do evangelho durante o ano, o pastor poderá apelar para distribuição de literatura de casa em casa, com visitas, por correspondência pelo sistema de correio, por cultos ao ar livre, nas residências, por meio de notas em jornais e periódicos, pelo rádio, pela televisão, por mensagem telefônica gravada. A utilização dos meios de comunicação em massa deve ser aproveitada a qualquer custo, pois é de grande efeito, visto ter penetração em todas as camadas sociais.

h) O sistema de evangelização nas casas já era adotado pelos discípulos do primeiro século. Tanto é que os membros do sinédrio os acusaram, dizendo: "... enchestes Jerusalém dessa vossa doutrina" (At 5.28). Eu gostaria de ser acusado dessa prática! Lucas nos informa, em seu evangelho, que Jesus andava "... de cidade em cidade e de aldeia em aldeia, pregando e anunciando o evangelho do Reino de Deus" (Lc 8.1). O mesmo evangelista afirma: "E todos os dias, no templo e de casa em casa não cessavam de ensinar, e de pregar a Jesus, o Cristo" (At 5.42, ARA). O apóstolo Paulo usava também esse método. É o que o médico e evangelista Lucas afirma em Atos 20.20.

i) O pastor pode criar outros sistemas de evangelização, como instituições: escolas, hospitais, asilos, cadeias, casas de custódia, penitenciárias e casas de detenção. O amor de Deus não tem limites e não respeita barreira; pode perfeitamente atingir leitos de hospitais, casas de saúde ou correcionais.

6 Da Necessidade de um Planejamento Anual

Todo trabalho, para ser bem executado, precisa de planejamento. Não se pode pensar diferente da administração eclesiástica. Para ter uma administração eficiente, o pastor deve traçar com bastante antecedência um planejamento ou plano de ação e segui-lo quase à risca durante o ano. Convém planejar tudo: campanha de evangelização, escola bíblica, escola bíblica de férias, construção, reforma de templos, atividades de escola dominical, viagens de visitação a igrejas do campo (se for igreja que possua várias congregações, principalmente em outras cidades), convenções, encontro de mocidade, encontro de irmãs do círculo de oração e tantas outras sociedades existentes nas igrejas e inúmeras atividades de caráter religioso, social e filantrópico. Tudo isso torna necessário um planejamento inteligente com muita antecedência. Planejar com oração concorre para o bom êxito. Nada se faz sem planejar. Separação de obreiros, festa de Natal, eleição de diretoria e outras, só com muita oração e planejamento.

25

Da Igreja como Instituição de Ensino — uma Escola

A Igreja, em sua organização, é a congregação do novo povo de Deus. Sem distinção de raça, cor ou filosofia, o povo utiliza-se da casa de oração, que é o templo, a fim de reunir-se para os atos cúlticos e para assembléias, onde se tratam assuntos de interesse comum. O templo é o lugar onde são ensinadas as verdades divinas, como se fosse uma escola secular, por ser uma escola de Jesus Cristo.

1 Do Ensino e da Educação

Na antigüidade, antes que houvesse escola organizada, com ensino sistematizado, as famílias que viviam sob o regime patriarcal recebiam instruções de vida e educação e cultivavam seus princípios e tradições como norma de desenvolvimento.

a) Abraão, conforme lemos no livro de Gênesis e muitas outras referências no Antigo e Novo Testamento, legou-nos maravilhoso exemplo, quando determinou que todos os seus familiares o seguissem (Gn 18.19). O plano de Deus era: "... para que guardem o caminho do SENHOR, para agirem com justiça e juízo; para que o SENHOR faça vir sobre Abraão o que acerca dele tem falado".

b) Deus constitui Moisés guia do povo. É ele que vai orientar os hebreus em como viver e servir ao Senhor. Por isso, Moisés, em nome de Jeová e de seu povo, vai a Faraó e diz: "Havemos de ir com nossos meninos e com os nossos velhos; com os nossos filhos, e com as nossas filhas [...] porque festa do SENHOR temos" (Êx 10.9). E é nessa maravilhosa missão que Moisés instrui os israelitas: "E estas palavras que hoje te ordeno estarão no teu coração; e as intimarás a teus filhos e delas falarás assentado em tua casa, e andando pelo caminho, e deitando-te, e levantando-te [...] guarda-te e que te não esqueças do SENHOR, que te tirou da terra do Egito, da casa da servidão" (Dt 6.6-12).

c) O grande sacerdote do cativeiro, Esdras, foi usado por Deus para fazer o povo despertar-se espiritual e moralmente. Para isso, empreendeu um trabalho de moralização junto ao povo israelita, vindo do cativeiro, reunindo-o em grande congregação composta de homens, mulheres e crianças, e exortava-os a que retornassem a total obediência às ordens do Senhor (Ed 10.11).

d) O salmista (salmo didático de Asafe) orienta-nos sobre a necessidade de os mais velhos transmitirem aos mais novos a mensagem divina e os mandamentos do Senhor (Sl 78.1-8).

e) O rei sábio Salomão exorta-nos: "Instrui o menino no caminho em que deve andar, e, até quando envelhecer, não se desviará dele" (Pv 22.6).

2 Do Sistema Educativo Judaico

Há mais de dois milênios, as crianças judias, desde a tenra idade, freqüentavam as sinagogas onde aprendiam alfabeto, escrita, literatura sagrada e os rudimentos do decálogo. Até a alfabetização entre os judeus se baseava nas Escrituras (a Torá) e na tradição. Aos doze anos, aproximadamente, as crianças já haviam adquirido certo grau de instrução, podendo ingressar em nível mais adiantado com mestres da Lei. Pelo que lemos em Lucas, tinham o privilégio de participar de debates com os mais velhos, mesmo em se tratando de interpretação das leis do Senhor. Nessa idade, Jesus foi encontrado pelos pais no templo "... assentado no meio dos doutores, ouvindo-os e interrogando-os" (Lc 2.46). Aliás, era prática do jovem Jesus participar dos estudos na sinagoga (congregação judaica) de Nazaré todos os sábados (Lc 4.16). Saulo (depois Paulo) fez seus primeiros estudos em sua cidade natal — Tarso. Posteriormente, subiu a Jerusalém, a fim de completar seus estudos e aprimorar sua educação com o rabino Gamaliel (aos pés de Gamaliel: expressão devida ao fato de os meninos se assentarem no chão; At 22.3). Nós, cristãos de todas as nações, formamos um povo distinto, e, seguindo os exemplos acima, temos razão e forte argumento para convocar os jovens de nossas igrejas para ministrar-lhes a santa Palavra de Deus. Se isso contribuiu poderosamente para preservação dos bons e salutares princípios na nação judaica, de igual modo tem contribuído para preservação dos princípios de fé, norma de vida e regra de conduta dos membros de nossas igrejas evangélicas ou igrejas neotestamentárias.

3 Da Importância do Ensino

A importância do ensino está no que acabamos de mencionar no tópico anterior. Faz parte do ministério da Igreja universal, conforme registra Mateus: "Portanto, ide, ensinai todas as nações, batizando-as em nome do Pai, e do Filho, e do Espírito Santo; ensinando-as a guardar todas as coisas que eu vos tenho mandado; e eis que eu estou convosco todos os dias, até à consumação dos séculos. Amém!" (Mt 28.19,20). Jesus nos deixou precedente com sua vida e com o ensino, como já vimos. Era o Senhor conhecido pelo título de Mestre ou Rabi: "Rabi, bem sabemos que és mestre vindo de Deus" (Jo 3.2). Mateus ainda registra os seguintes procedimentos do Senhor Jesus: "Jesus, vendo a multidão, subiu a um monte, e, assentando-se, aproximaram-se dele os seus discípulos; e, abrindo a boca, os ensinava" (Mt 5.1,2). "E percorria Jesus todas as cidades e aldeias, ensinando nas sinagogas deles, e pregando o evangelho do Reino, e curando todas as enfermidades e moléstias entre o povo" (Mt 9.35).

26

Do Pastor e Oficiais da Igreja

No Novo Testamento, só encontramos para a igreja local três categorias de oficiais, a saber: pastor, presbítero (ou bispo) e diácono. Evangelista é oficial da igreja, mas de ministério itinerante. Pertence ao ministério geral, assim como o apóstolo, profeta e doutor. Mas, o que é oficial? Este é um adjetivo relativo a ofício que emana do governo ou de pessoa qualificada para tal. Servidor que passou a fazer parte do corpo de funcionários de um governo. Aquele que está investido de um *officium* — dever, obrigação, mister, trabalho, profissão. Os oficiais da igreja são pessoas que receberam a chamada de Deus e foram investidas das funções que os trabalhos eclesiásticos lhes impõe. São aquelas pessoas chamadas, eleitas e nomeadas para exercerem oficialmente as atividades de direção e administrativas na igreja.

1 Dos Diáconos como Auxiliares do Pastor

Voltemos aos diáconos como auxiliares do pastor ou do presbítero (se este estiver dirigindo congregação). O diácono foi escolhido para auxiliar o pastor da igreja, pois este está empenhado no ministério da Palavra, como vimos em capítulo anterior. Por isso, é necessário um número razoável de diáconos, maior que o de presbíteros. Aliás, o ideal é um pastor e no máximo dois pastores para a igreja local, com presbíteros e diáconos como auxiliares.

Deve haver uma proporcionalidade entre o número de diáconos e até mesmo de presbíteros e o de membros da igreja local. Quanto à existência de evangelista na igreja, o que determina isso é a necessidade do trabalho, pois esses servos de Deus têm um ministério itinerante. Seu trabalho principal é o de evangelização, de campanha evangelística e abertura de campos de trabalho.

Nem todos os diáconos são bem orientados sobre suas obrigações e seus direitos. Muitos pensam que seu trabalho é pregar. O diácono pode ser pregador, não por ser diácono, mas por ter recebido o dom da Palavra. Assim, vejamos o que a Bíblia diz sobre a instituição do diaconato: "Ora, naqueles dias, acrescendo o número dos discípulos, houve uma murmuração dos gregos contra os hebreus, porque as suas viúvas eram desprezadas no ministério cotidiano. E os doze, convocando a multidão dos discípulos, disseram: Não é razoável que nós deixemos a Palavra de Deus e sirvamos às mesas. Escolhei, pois, irmãos, dentre vós, sete varões de boa reputação, cheios do Espírito Santo e de sabedoria, aos quais constituamos sobre este importante negócio. Mas nós perseveraremos na oração e no ministério da palavra. E este parecer contentou a toda a multidão, e elegeram Estêvão, homem cheio de fé e do Espírito Santo, e Filipe, e Prócoro, e Nicanor, e Timão, e Pármenas e Nicolau, prosélito de Antioquia; e os apresentaram ante os apóstolos, e estes, orando, lhes impuseram as mãos" (At 6.1-6).

O texto é bastante claro. Por ele observamos que a missão do diácono é trabalhar em assuntos referentes aos interesses materiais da igreja, como cuidar das finanças da igreja, tomar conta das contribuições e trazer em dia os negócios materiais da comunidade cristã. Ele auxiliará o pastor, de modo que este possa ficar livre para cuidar das responsabilidades de ordem direcional e espiritual, da preparação e entrega da mensagem, da disciplina, da vida moral e espiritual da igreja, da oração e consagração. Em seu trabalho pastoral, o ministro precisa basicamente pregar, sempre com mensagem nova e meditada, evangelizar, dirigir os cultos de oração e doutrina, visitar os doentes, atribulados e fracos na fé, e buscar os afastados do caminho, contribuindo assim para o crescimento do rebanho do Senhor. Como presidente e moderador, o pastor precisa dedicar-se quase que exclusivamente aos altos interesses da causa de Cristo, sempre como mensageiro do evangelho de Jesus Cristo. Aos diáconos compete, sim, tomar conta das mesas dos pobres, a do pastor, do Senhor. O diácono é um auxiliar e companheiro do pastor nos interesses da vida e dos bens da igreja. Por esse e outros motivos, é necessário que haja bom entendimento entre ele e o pastor; que vivam em perfeita harmonia, pois ambos são servos do Senhor e a causa é dEle.

2 Da Hierarquia na Igreja

Há denominações evangélicas que consideram ainda a hierarquia de presbítero, pastor e bispo, sendo o bispo maior que os dois primeiros. Cabe aqui uma observação com relação a essas nomenclaturas. Há igrejas nos Estados Unidos que têm por pastor geral um presbítero. O termo é usado em seu sentido etimológico real: superintendente. O pastor superintendente ou pastor presidente de várias igrejas ou congregações é o *Presbítero*.

a) O pastor é o que dirige e guia a igreja pela sua missão de bispo, de presbítero. É bom que se diga que os diáconos não são do pastor; são servos de Deus. Não são também donos da igreja nem de seus bens. São mordomos, servos, reconhecidos enquanto bem servirem. Há igrejas que elegem os diáconos por tempo determinado. Não há fundamento bíblico para isto, mas não há nada que diga o contrário. No entanto, é bom que o diácono seja eleito ou escolhido para função permanente, na igreja local. Os primeiros foram eleitos na igreja de Jerusalém. O diácono não tem nenhuma autoridade sobre o pastor. No entanto, há igrejas na América onde o corpo diaconal exerce uma autoridade tão grande que o pastor se curva a ele. Não existe isto na Bíblia. O pastor (nome simples, não pomposo, tirado na vida campesina ou bucólica, mas honroso, visto ser comparado até ao do Senhor em seus cuidados com o rebanho) é o cabeça da igreja local, é o guia, é o superintendente, é o fiscal, é o líder, o diretor, o chefe, o presidente da assembléia e das assembléias. Os diáconos não decidem; sua decisão é incorporada à da igreja, com ela formando uma só comunidade. O pastor é o guia geral e deve ser respeitado e reverenciado em suas funções, pois foi colocado por Deus.

b) Mesmo em se tratando de igrejas que adotam como norma o pastor ser convidado, o que não desmerece em nada o pastor ou seu ministério, nem mesmo as prerrogativas da comunidade, cremos que o pastor é dado por Deus (Ef 4.11).

c) A autoridade soberana nas reuniões é da igreja, presidida pelo pastor. Ele representa a igreja em sua diretoria, mas este mesmo só poderá representar a igreja naquilo que estiver previsto nos estatutos; nunca arbitrariamente. O pastor é o presidente da diretoria. Há casos em que uma igreja possui mais de um pastor ou um pastor e presbíteros, e um presbítero ou um diácono é eleito presidente. É uma aberração. O pastor da igreja é sempre seu presidente. O vice-presidente deve ser sempre outro pastor ou, se não houver mais de um pastor, o presbítero ou o evangelista (embora este de funções diferentes, menos localizadas). O pastor é servo de Cristo e ministro de seu rebanho; o diácono é servo da igreja. Diáconos não podem se reunir sem a aquiescência do pastor para tratarem de interesses gerais da igreja; esta atitude não merece o apoio da igreja, mas censura e até destituição. Tal iniciativa não pertence aos diáconos; é do pastor.

d) No Novo Testamento, a igreja está com seu pastor e seus diáconos, e não com diáconos e sem pastor. Há funções que só o pastor pode exercer. "E ele mesmo deu uns para [...] pastores..." (Ef 4.11).

27

Das Sessões ou Assembléias da Igreja

1 A Sessão ou Assembléia

a) Em suas deliberações, a sessão ou assembléia dirige a igreja em todas as suas atividades e responsabilidades. Nela se resolvem os casos de disciplina quanto à entrada e saída de membros. Ela toma a profissão de fé, resolve batizar o candidato, vota a recepção de membros demissionários de outras igrejas e a reconciliação dos que voltam ao seu seio depois de excluídos; vota os casos de demissão por carta e por exclusão (estando fora de sua alçada os que morrem). Nela, trata-se de negócio de toda natureza, a afetar a sua vida — construção, fundação de escolas, convites e aceitação de pastor, evangelista, presbítero e diácono e outros obreiros, planos para trabalho local e geral, missão e evangelismo, orçamento.

b) A sessão da igreja revela a autonomia da própria igreja. Resolve por si mesma e se errar, erra a igreja por sua conta. Se acertar, é seu dever para o bem.

c) É por meio da sessão ou assembléia que a igreja pratica e desenvolve seus princípios democráticos e cristãos. Tudo se resolve pela maioria absoluta de seus votos — não dos membros da igreja, mas dos membros presentes em sessão. A maioria define suas decisões e as torna em lei. Para os não-presentes, os de opinião contrária, que não constituírem a maioria de votantes presentes na assembléia, os não conformados, o único passo a ser dado é desligar-se da igreja pelo meio justo ou estatutário, conforme o caso aconselhe.

d) O irmão que dirigir a igreja como pastor é o presidente das sessões. Ele não tem poder na votação, pois esta é feita pelos membros da igreja, presentes. Só no caso de empate, cabe-lhe o voto de qualidade, chamado normalmente de voto "Minerva", para decidir. Para isto, a proposta deve ser bem formulada, bem apresentada, não deixando margem à dúvida sobre os objetivos e efeitos. O presidente da sessão, que é o pastor, não deve permitir confusão ou participação que venha tumultuar a reunião. É a casa de Deus!

e) Qualquer irmão que tenha alguma coisa que deseje apresentar deve, por prudência, cortesia e espírito de cooperação, apresentá-la ao pastor antes de pedir a sua colocação na pauta. Dessa maneira, é difícil haver perturbação na sessão ou assembléia.

f) As discussões devem ser livres, em torno do assunto, da tese ou proposição trazidos à assembléia pela proposta, e não em torno de indivíduos, de modo pessoal. Quando isso acontecer, por força da questão em foco, deve ser feito com grande cortesia, delicadeza e amor cristão. Em caso de cassar a palavra de alguém, é preciso habilidade, visão e amor, e isto no tempo próprio e conveniente. É necessário que haja imparcialidade naquele que dirige. Faz mal à igreja uma direção de assembléia por pessoa apaixonada, partidária ou parcial. Os partidos procuram influir e querem ser atendidos. O presidente não se deve deixar levar por simpatia ou paixão por esse ou aquele grupo.

g) O respeito aos direitos alheios é uma necessidade. Na igreja, não deve haver privilegiados. Há casos em que as deferências são prejudiciais. Os direitos são iguais em discutir ou em tratar de assuntos de interesse da igreja. E nesses casos, é a votação que resolve o problema e desfaz o impasse. Conforme o estatuto dispuser, a questão será decidida pelo voto: se de dois terços, se de maioria absoluta (metade mais um). Resolvido o problema pelo voto da maioria ou como prescrever o estatuto, estará a questão encerrada e o pastor tem de respeitar o voto da igreja, cumprindo-o e fazendo-o cumprir. O pastor não pode impugnar o que foi decidido por votação da maioria, de dois terços ou por unanimidade (de acordo com preceito estatutário), mesmo que contrarie sua opinião ou vontade.

h) Essa autonomia da igreja local e sua autoridade de decidir em assembléia, entretanto, não exclui a possibilidade de o pastor, sem procurar exercer influência, emitir seu conselho sábio quando necessário. Sua orientação a título de esclarecimento e encaminhamento dos trabalhos, mostrando causas e efeitos de determinadas decisões, pesa muito e pode levar tudo a bom termo e todos sairão ganhando. Cabe-lhe o direito de esclarecer pontos obscuros e ignorados pelos membros da igreja presentes à assembléia, para que a votação se dê em clima sadio, e os votantes tenham consciência e independência de seu ato.

i) Quanto ao sistema de votação em assembléia, este deve ser de acordo com o estatuto e a critério do pastor ou presidente da assembléia, caso a igreja não tenha ainda estatuto. Pode ser por meio de:

— escrutínio secreto;
— aclamação, levantando a mão;
— permanecendo sentado;
— pondo-se de pé, por exemplo: "os que concordam com... levantem-se; os que discordam permaneçam sentados (ou vice-versa)". Deve ser o caso bem colocado para evitar mal-entendido. Precisa haver um prazo razoável para reflexão e entendimento após cada palavra de ordem.

j) No caso de empate, o presidente da sessão dá o voto de desempate, chamado "voto Minerva".

l) Não podemos esquecer que, antes, durante e depois de uma sessão ou assembléia da igreja, deve haver oração. Só o Espírito de Deus pode orientar bem os trabalhos de sua Igreja, quaisquer que sejam. A igreja local é representante da Igreja geral ou universal, que é a Igreja de nosso Senhor e Salvador Jesus Cristo. O Espírito Santo nos "guiará em toda a verdade" (Jo 16.13).

28

Das Cerimônias Religiosas

O ministério do evangelho, como já tivemos oportunidade de ver, implica uma série de atividades. O ministro evangélico é homem de inúmeras funções. Seu trabalho é polivalente. Embora não esteja contido no ministério evangélico a liturgia religiosa, pois não a encontramos na prática cristã do primeiro século, a evolução social da Igreja, as necessidades surgidas na Igreja do Senhor em seu relacionamento com o mundo e as obrigações e concessões das leis têm atribuído ao ministro muitas obrigações de ordem cerimonial litúrgica, e ele tem de desempenhar bem seu papel. Caso contrário, deixaria de atender a importantes exigências sociais, até com efeitos espirituais, ou deixaria outros ministros ou funcionários de entidades invadirem a igreja em sua privacidade, a fim de efetuarem serviços essenciais sociais e religiosos, embora seculares. Assim sendo, o pastor precisa familiarizar-se com todas as cerimônias que um ministro religioso é chamado a celebrar, aprendendo a celebrá-las com dignidade e correção. As pessoas que o convidam a celebrar esses atos solenes e as que o cercam julgam-nos importantes, e consideram o ministro capaz de desempenhar a contento seu papel. Por isso, devem ser realizados com bastante reverência, enfatizando-se seu valor, para que produzam os desejados efeitos na vida das pessoas interessadas. Naturalmente, não devem esses atos se revestirem de rituais inflexíveis ou artificiais, mas com certa ordem digna de honra. O ministro não deve permitir que a solenidade, a pureza e a reverência sejam violadas. A ocasião exige o máximo de todos. Qualquer efeito positivo ou negativo produzirá efeitos duradouros nas pessoas, especialmente naqueles ligados diretamente ao ato solene. O pastor precisa fazer tudo para que o respeito a ele, como ministro de Deus, e à igreja onde serve ao Senhor, seja mantido e aumentado. Assim fazendo, o nome do Senhor Jesus Cristo e do Senhor nosso Deus será glorificado.

1 Da Cerimônia de Casamento

A cerimônia de casamento deve ser cuidadosamente celebrada, observando-se todos os preceitos e normas existentes, especialmente em lugar onde tenha valor legal. Antes da cerimônia, é imprescindível que o ministro esteja bem inteirado dos costumes locais, das leis vigentes que regem o assunto, e dos princípios não só da sociedade local, como dos noivos e parentes. Precisa ele ter certeza de seu direito de poder oficializar o casamento. É indispensável ter informações precisas sobre a situação civil das pessoas que vão se casar. O ministro deve ter cuidado consigo mesmo, não correndo o risco de prejudicar sua posição na igreja e na sociedade, unindo pelos laços matrimoniais pessoas legalmente impedidas de se casarem. Mesmo no caso de desquitado ou divorciado, o ministro precisa ter muito cuidado, informando-se de antemão sobre o conceito que esses termos têm na sociedade. De preferência, evitar celebrar casamento de pessoa assim. Bem seguro das atribuições legais e do desempedimento dos noivos, deve o pastor ou ministro do evangelho examinar os papéis ou documentos referentes aos nubentes, nomear um secretário *ad hoc* que preencherá o formulário próprio para o ato e colherá assinaturas das testemunhas e dos noivos (no ato). O registro será feito em livro apropriado e exclusivo para esse fim. Este livro, que será cuidadosamente arquivado ou guardado, deverá ficar em lugar sob absoluto controle, onde possa ser encontrado ou examinado a qualquer tempo por quem pelo assunto interessar-se.

a) É bom que antes da solenidade haja planejamento ou até ensaio. O ministro, o noivo e sua testemunha devem aparecer defronte do altar. O ministro, de frente para o auditório e o noivo e sua testemunha postam-se à esquerda do ministro, formando um ângulo de 15° (parcialmente de frente para o auditório e para o ministro).

b) A noiva surgirá e marchará lentamente, acompanhada do pai ou seu representante, que pode ser o padrinho, em direção ao altar, sob o acompanhamento de música nupcial, para encontrar-se com o noivo em frente ao altar. O noivo se desloca para encontrá-la e a receberá com a mão direita, acolhendo-a a seu lado esquerdo, voltando-se, perante o altar, para o ministro. Neste ponto começa a cerimônia propriamente dita. A mensagem deve ser breve. Não é sermão comum.

2 Da Cerimônia Fúnebre

Como no tópico anterior, é aconselhável em cerimônia fúnebre que o ministro esteja bem familiarizado com os costumes da região, das origens do falecido, se isso trouxer alguma influência, e da família. Tem o ministro o dever de adaptar-se aos costumes locais para evitar descontentamentos e censuras. Sempre que possível, o ministro deve atender aos desejos dos familiares do extinto. Deve haver um breve planejamento para o culto fúnebre: cânticos previamente escolhidos, texto de leitura e mensagem (que deve ser curta). A solenidade, de preferência, é em casa ou em velório. No cemitério, é dispensável, a menos que a família solicite. Não podemos esquecer que os funcionários da necrópole não estão à disposição do pastor ou da família do extinto por muito tempo. Há outros para atenderem.

3 O Batismo e a Ceia do Senhor como Ordenanças de Deus

O Novo Testamento ensina que o Senhor Jesus deixou com sua Igreja duas ordenanças: o Batismo e a Ceia do Senhor. Não há outras permanentes no evangelho. Cada uma representa um simbolismo espiritual e belo de relações especiais entre Cristo e seus servos. Essas ordenanças são de caráter obrigatório à igreja e ao crente. Visto ser o celebrante, o ministro do evangelho terá de saber o valor, o lugar e a significação de cada uma delas, bem como:

a) Seu desígnio como símbolos que representam as verdades centrais e vitais do evangelho, que as fazem de igual necessidade em todos os séculos.

b) A observância universal delas depois da descida do Espírito Santo e durante o século apostólico, como se evidencia no livro de Atos e nas alusões epistolares.

c) Os mandamentos explícitos do evangelho que exigem sua observância até a segunda vinda do Senhor (At 10.47,48; 22.16; 1 Co 11.26).

4 Do Batismo nas Águas

Pela ordem, no Novo Testamento, primeiro vem o batismo. Ele é aplicado ao candidato depois de crente, depois de ter aceitado Jesus como seu único e suficiente Salvador, ter-se disposto a segui-lo com vida nova, apresentar-se à igreja e dar sua profissão de fé. Uma vez aceito o candidato pela igreja como em condições de ser batizado, o pastor o receberá e celebrará o ato.

a) O batismo é um símbolo. É ato externo que representa uma experiência interna e simboliza uma verdade doutrinária espiritual. Sem a experiência individual, ele nada significa e nada simboliza. No simbolismo próximo, no ato de submersão e emersão, o candidato está testemunhando que morreu para o mundo pecador e inimigo de Deus e ressuscita para uma vida nova. Vida nova em relação à Igreja de Cristo, da qual ele passa a fazer parte integrante e ser-lhe um membro como de um corpo. Neste caso, é símbolo de união: com Cristo e com a Igreja. No simbolismo remoto, há uma representação da morte e ressurreição finais. O crente sepultando-se e ressurgindo no dia final para uma vida ainda mais nova, na presença de Deus, onde há de viver para sempre. O batismo começa de novas relações e responsabilidades, de privilégios e direitos, na Igreja de Cristo.

b) O pastor deve fazer com que o ato do batismo se revista de toda solenidade e respeito. Não pode ser celebrado levianamente. O pastor deve dar a impressão, tanto ao candidato como à igreja de Deus e ao mundo, de que está desempenhando uma ordem divina e não de homens; que está em nome da santíssima

Trindade cumprindo um mandato de sua Igreja. Tanto o pastor como o candidato devem estar vestidos decentemente, e precavidos contra qualquer acidente que produza diminuição de valor a um ato tão santo quão belo, assim tornando a cena e o cenário santos e solenes. O ato pode ser ministrado no rio, no mar, num lago ou num batistério (ou tanque batismal), devidamente preparado, contanto que haja água para submergir o corpo inteiro. O crente deve estar sepultado com Cristo pelo batismo (Rm 6.4). Deve o pastor evitar realizar o batismo em lugar não recomendável, como em água suja e pouco higiênica. Todo decoro é necessário para que o nome do Senhor seja louvado. É bom fazer uma prática antes do ato, mesmo de dentro da água, explicando o simbolismo e o ensino da Palavra de Deus.

c) Alguns gostam de fazer certas perguntas ao candidato ao submergi-lo; outros celebram o ato com o mais profundo silêncio, apenas pronunciando a fórmula bíblica: "Segundo a ordem do Senhor Jesus e tua profissão de fé, eu te batizo, em nome do Pai e do Filho e do Espírito Santo". Uns gostam de orar antes de começar o batismo; outros oram depois de realizá-lo. Tudo que concorra para dar impressão solene, traduza o verdadeiro significado e não altere nem prejudique a ordem divina pode ser feito, de acordo com o ambiente.

d) Deve o pastor orar e buscar os meios mais práticos para a celebração do batismo. O melhor meio é deixar o candidato trançar as mãos e colocá-las sobre o peito; então, o pastor segura-as com a sua mão esquerda de modo que evite aos candidatos nervosos abrirem ou baterem os braços, evitando pegar no corpo do candidato, e sim abaixo do pescoço. Segura-o com a mão direita no pescoço no momento de emergi-lo.

5 Da Cerimônia do Batismo nas Águas

O batismo nas águas, obviamente por imersão, deve ser realizado no batistério ou tanque batismal da igreja local, em rio, lagoa ou outro manancial de água limpa. Não cabe aqui discutir a palavra "batismo". No entanto, se não é imersão, deixa de ter o sentido de batismo (do gr. *baptismos*, de *baptizein*, imergir na água).

O ato batismal deve se revestir de características solenes, exigindo certa atenção por parte da igreja e do pastor local ou que presidirá a cerimônia.

a) Deve certificar-se o ministro, acima de tudo, de que os candidatos compreenderam bem o passo que estão dando e que tenham experimentado de fato o novo nascimento.

b) Se possível, deve ser realizada entrevista preparatória com os candidatos, antes mesmo da profissão de fé.

c) Se possível, além da doutrina recebida nos cultos, especialmente nos ensinos nas reuniões de doutrina para a igreja, o pastor deve proporcionar um cursinho para os candidatos novos convertidos, especialmente oriundos de outras religiões.

d) A profissão de fé, que é um testemunho perante a igreja, é muito útil. Deve ser pública.

e) A cerimônia pode ser celebrada a qualquer hora, especialmente na parte da manhã, em culto previamente programado, em domingo ou feriado.

f) A solenidade é de natureza sagrada e na ocasião deve o ato produzir efeitos salutares e edificantes em todos os presentes (candidatos, toda a assembléia, inclusive não crentes visitantes).

g) Haverá, antes, breve mensagem da Palavra de Deus, fazendo-se menção ao ato e sua importância.

h) O pastor poderá entregar o púlpito a outro companheiro e efetuar o batismo, ou batizar juntamente com outros obreiros, ou designar obreiros para o ato batismal. Tudo depende do número de candidatos e de obreiros habilitados para batizar (pastor evangelista ou presbítero).

i) Os candidatos, ao se dirigirem ao local do batismo, já poderão estar prontos, (com roupa apropriada: capa branca, de preferência, além de roupa de baixo). Poderão retirar-se após a mensagem (se forem em pequeno número) e se trocarem. Compareçam perante o ministro, no local indicado.

j) O pastor ou ministrante precisa certificar-se da segurança do ambiente — topografia do terreno, profundidade da água, problemas elétricos, temperatura, etc.

l) Há várias expressões que os ministros usam como interrogação aos candidatos antes de os submergirem nas águas batismais.

Porém o tempo e o número de candidatos pode levá-los a abreviar o interrogatório. No entanto, podem e devem ser dirigidas perguntas como esta: "Você crê que Jesus Cristo é o Salvador?", "Você crê que Jesus Cristo é o Filho de Deus e que é o Salvador?", "Crê que Ele pagou a pena de seus pecados?", "Você se compromete perante Deus e os homens a andar de acordo com a santa vontade de Deus expressa nas Sagradas Escrituras?" Em face das respostas afirmativas do candidato, dirá: "Segundo sua confissão de fé no Senhor Jesus Cristo, eu o batizo em nome do Pai, e do Filho e do Espírito Santo. Amém!" Em seguida, irá submergir o candidato inteiramente.

6 Da Ceia do Senhor

A ceia, como o batismo, não é um sacramento no sentido que a Igreja Católica entende. Como o batismo, a ceia é um símbolo. Há três correntes sacramentalistas: a da transubstanciação, consubstanciação e da presença do Senhor nos elementos como meio de graça. A Bíblia, porém, não ensina o sacramentalismo. O que a Bíblia ensina é que o pão é tomado e comido e o vinho é bebido "em memória de mim", diz o Senhor, "até que ele venha" (o Senhor), ensina Paulo.

— a transubstanciação é doutrina da Igreja Católica Romana;
— a consubstanciação é da Igreja Luterana;
— a corrente da presença do Senhor, de alguns outros ramos protestantes.

Pão e vinho são símbolos de alimento e vida, e simbolizam o corpo e o sangue do Senhor, que é para nós pão e vida. A ceia é um profundo ato de culto e anuncia Jesus Cristo até que Ele venha. Lembra a morte e anuncia a vinda do Salvador.

a) A celebração da ceia não nos deve fazer mudar a fisionomia, e muito menos usar vestes especiais e diferentes das dos outros homens; apenas há necessidade de decência, decoro e ordem.

b) É indiferente a ocasião da ceia. A maioria das igrejas evangélicas no Brasil celebra a Ceia do Senhor no primeiro domingo de cada mês, pela manhã; outras, aos domingos em outros horários, de acordo com a possibilidade do ministro e conveniência da igreja. Entendemos que a ceia não deveria ser celebrada pela manhã, mas à tarde ou à noite, no máximo, pois é esse o tempo de cear.

c) Para o ato, devem ser usadas passagens que se refiram à ceia: Mateus 26.17-30; Marcos 14.22-26; Lucas 22.14-23; 1 Coríntios 11.23-32.

d) Há denominações evangélicas que não oferecem a ceia a membros de outras igrejas. A Convenção Geral das Assembléias de Deus no Brasil permite que membros de outras igrejas evangélicas batizados por imersão (e não sabatistas ou testemunha de Jeová) participem da ceia nas igrejas da Assembléia de Deus.

e) Durante o culto, no horário designado para a celebração da ceia, o ministro (ou outro pastor, evangelista, presbítero, de acordo com o sistema de organização) lerá o texto adequado ao ato. Depois de lavadas as mãos (em lavatório apropriado), será feita oração em ação de graça pelo pão que será em seguida partido e entregue aos diáconos para distribuição. De igual forma, se procederá com o vinho (cálice) que, após a oração, será distribuído. Antes de cada parte deverão ser citadas ou repetidas as palavras do Senhor.

f) Há os que acham melhor que os membros da igreja esperem que o pão seja distribuído a todos para então, sob a ordem: "tomai e comei", todos juntos ou ao mesmo tempo comerem. Há os que acham indiferente isto; cada um vai comendo o pão à medida que lhes é distribuído. De igual maneira, procedem com o vinho — no primeiro caso, só após as palavras: "bebei dele todos". O primeiro é mais sensato. O segundo não é errado. Numa refeição em família não começam todos no mesmo instante.

7 Da Celebração da Ceia do Senhor

Bom é ficar claro que o título correto não é *Santa Ceia*, mas *Ceia do Senhor*, embora esteja implícita a idéia de santa, como aliás o é. A celebração da Ceia do Senhor deve ser presidida pelo pastor da igreja, nunca por um auxiliar, a não ser que o titular esteja impedido por motivo de força maior. A reverência é o ponto mais alto na celebração. Essa cerimônia é muito solene e sagrada. Todos devem estar no mesmo espírito — adoração ao Senhor Deus e comemoração da morte de seu Filho Jesus. Para isto, cooperarão com o pastor celebrante os homens ou as pessoas mais espirituais da igreja: pastores (auxiliares), evangelistas, presbíteros, diáconos, bem como obreiros visitantes.

a) O culto da Ceia do Senhor tem seu início como qualquer culto ao Senhor. A certa altura, conforme a programação, depois de hinos com a igreja, com o coral ou conjuntos, o pastor presidente da reunião pregará mensagem apropriada para a ocasião ou designará um auxiliar ou obreiro visitante para fazê-lo. Naturalmente, é desnecessário dizer que para todos os atos há necessidade de oração fervorosa (antes e depois). Normalmente, após a mensagem e o cântico de um hino a propósito, será designado um obreiro para ler um texto relativo à Ceia do Senhor. Isso pode ser dispensado, se a mensagem for especificamente sobre a ceia. O texto preferido pelos ministros é 1 Coríntios 11.23-26 ou 23-31; opcionalmente, Mateus 26.17-20; 26-29; Marcos 14.12-17, 22-25; Lucas 22.7-20.

b) É oportuno e útil explicar que se trata de culto especial de celebração da Ceia do Senhor, que é a comunhão dos santos. É importante explicar que só devem participar dos elementos (pão e vinho) os crentes batizados, membros da igreja em comunhão (sem restrição nesse mister) e/ou membros em comunhão de outras igrejas evangélicas batizados por imersão.

c) Para dar início à celebração da ceia propriamente dita, o ministrante lerá ou recitará (tem o dever de saber de cor) o texto básico: "... o Senhor Jesus na noite que foi traído, tomou o pão; e, tendo dado graças, o partiu e disse: Isto é o meu corpo, que é dado por vós; fazei isto em memória de mim" (convida-se a igreja para orar). Após a oração, diz: "e, tendo dado graças, o partiu..." Nesse ínterim (partir o pão), o coral ou outro conjunto poderá louvar o Senhor. Findo o ato de partir o pão, o ministrante recitará: "...Tomai, comei; isto é o meu corpo". A essa altura, o ministro entregará as bandejas contendo o pão (partido) aos diáconos, que estarão enfileirados, para distribuição à congregação dos santos. O ministro ou outro por ele designado servirá os diáconos. Em seguida, serão servidos os obreiros do púlpito e por último o presidente da solenidade. Depois, certo de que todos os membros em comunhão participaram do pão, o ministro procederá de igual modo com relação ao elemento vinho, dizendo: "Por semelhante modo, depois de haver ceado, tomou também o cálice, dizendo: Este cálice é a nova aliança no meu sangue; fazei isto, todas as vezes que o beberdes, em memória de mim". Ou ainda: "A seguir, tomou um cálice e, tendo dado graças, o deu aos discípulos, dizendo: Bebei dele todos; porque isto é o meu sangue, o sangue da (nova) aliança, derramado em favor de muitos, para remissão de pecados". Orará. Após a oração, dirá o ministro: "Bebei dele todos". Entregará os cálices ou as bandejas aos diáconos, que à exemplo do caso anterior estarão enfileirados; eles distribuirão ao povo de Deus ali reunido. Um obreiro designado pelo pastor servirá os diáconos e em seguida ao púlpito e o pastor se servirá ou outro lhe servirá o vinho. Poderá haver cânticos de louvor ao Senhor após a cerimônia. O levantamento de ofertas, para as igrejas que fazem publicamente, convém ser efetuado após a solenidade. Terminada a celebração da ceia, é aconselhável oração de agradecimento por toda a igreja, iniciada por um dos obreiros presentes, por iniciativa do pastor ou feita por ele mesmo.

8 Da Admissão de Membros

Naturalmente, a admissão de membros da igreja, hoje, é pelos mesmos motivos que a Igreja Primitiva admitia. Entretanto, essa admissão na igreja local tem motivos vários, embora todos tenham a mesma origem fundamental: filiação à Igreja por meio da aceitação de Jesus Cristo como Salvador e do batismo em nome do Pai, do Filho e do Espírito Santo.

a) É admitido como membro da igreja local alguém que passou pelo batismo nas águas, conforme vimos em linhas anteriores.

b) São aceitos membros de outras igrejas evangélicas, sem novo batismo, se essas igrejas são da mesma denominação.

c) Há igrejas que só aceitam como membros crentes oriundos de outras denominações mediante novo batismo na nova igreja. As explicações para isto são tantas que cansam; mas não encontram nenhum fundamento na Palavra de Deus.

d) São admissíveis membros de outras igrejas que confessem os mesmos princípios de fé e sejam batizados por imersão.

Qualquer que seja a forma de recepção de membro, é indispensável que o candidato aceite todos os princípios doutrinários da igreja a que está se filiando e esteja pronto a seguir fielmente os ensinamentos nela ministrados. Em caso contrário pode-se criar problema sério. Podemos sugerir algumas providências para admissão de candidatos:

a) Da mesma igreja local — apresentação à congregação, após o batismo. Procedimento pouco praticado; mas bonito e útil. Os candidatos se sentem bem.

b) De outras igrejas co-irmãs — mediante carta de mudança ou apresentação. Os candidatos serão apresentados à igreja (sentados ou de pé), podendo eles mesmos falarem ou o pastor falar por eles, explicando a origem do pedido ou perguntando se a assembléia está disposta a recebê-los como membros em comunhão.

c) De outras denominações — trazendo ou não carta, o procedimento é o mesmo, respeitadas as exigências acima indicadas.

d) Apresentados à igreja, o ministro apela para a assembléia, pedindo sua aprovação pelo sistema convencional de votação, que pode ser por aclamação, ficando de pé, permanecendo sentados ou outra forma usual na igreja local.

e) Aprovada a indicação, o pastor cumprimenta os candidatos, agora novos membros em comunhão com a igreja local, antes ou depois de orar ao Senhor para o sucesso deles e da igreja com eles, que, juntos, fazem parte do Corpo de Cristo Jesus, nosso Senhor.

É claro que existem outras maneiras. O que não pode é o ministro aceitar clandestinamente qualquer pessoa como membro da igreja. O nome da igreja precisa ser honrado e ela é representada por seus membros.

9 Da Apresentação de Crianças

O batismo de criança não tem fundamento bíblico, embora seja aceito por algumas igrejas evangélicas, Igreja Católica, Igreja Ortodoxa e outras. A apresentação de crianças não é batismo nem o substitui. Não vemos por que haver uma solenidade à parte do culto. Pode ser realizada durante o culto normal. Se o ministro quiser, poderá ler passagem apropriada, como Marcos 10.13-16 ou Mateus 19.13-15, que provam não ter esse ato nada a ver com batismo infantil, e que já era praticado pelos judeus, no caso dos primogênitos (Lc 2.21-24). Pode convidar a igreja ou conjunto, especialmente infantil, para louvar o Senhor com hino ocasional.

a) O ministro, indo à frente, sem descer do púlpito, encontra os pais que trazem a criança nos braços (se for pequena). Toma-a em seus braços. Faz rápida exposição à igreja, mostrando que aquele ato não é batismo; que o batismo só se dará mediante profissão de fé do próprio candidato (quando crescer). Esclarece o pastor que as crianças são herança do Senhor, e que são entregues aos pais para que cuidem delas como verdadeiros mordomos; que os pais devem, com muita honra, receber essa maravilhosa incumbência de criar o filho na doutrina e no conselho do Senhor. Faz séria exortação aos pais que sirvam sempre de modelo às crianças, para que seus filhos vejam neles a glória de nosso Senhor Jesus Cristo. Se quiser, pode fazer que os pais se comprometam diante da igreja e dos ouvintes a cumprir essa sagrada obrigação. Em seguida, será feita fervorosa oração de dedicação. Após isso, restitui o pastor a criança ou as crianças a seus pais.

10 De outras Cerimônias

Muitas outras cerimônias existem:

a) Dedicação de templos ou inauguração de escolas teológicas ou seculares sob a administração da igreja, de asilos, orfanatos e outras organizações da igreja local ou setorial.

b) Aberturas de convenção geral ou regional, ordenação de ministros, presbíteros ou diáconos, assembléias ordinárias ou extraordinárias da igreja, abertura de congresso ou encontro de mocidade, de círculo de oração, e outros.

Todos esses atos são solenes. Não devem ser celebrados displicentemente, nem realizados em final de reunião, com o povo saindo ou transitando para um lado e para outro. Isso desprestigia os candidatos, os interessados e quebra o caráter solene e a pureza do cerimonial.

29

Do Ministro do Evangelho e seu Gabinete de Trabalho

O gabinete de trabalho do ministro do evangelho é sua oficina. É o gabinete o lugar reservado ao trabalho de meditação, oração, leitura, preparação de sermões, lugar de escrever, de consagração. É o lugar de o ministro dar expediente: receber visitas, tratar de assuntos administrativos, etc.

a) Onde deve ser o gabinete do ministro? É aconselhável ser no próprio templo ou na casa pastoral. Tem ele o direito de instalar seu gabinete no melhor e mais conveniente lugar. O local precisa ser reservado e consagrado a um serviço todo especial. Não é local de despachar com os auxiliares; é privativo a seu trabalho espiritual e intelectual.

b) O local de trabalho eclesiástico propriamente dito é o de expediente ao público, onde o ministro recebe visitas, obreiros, auxiliares, documentos para despacho, consultas, pedidos de conselho ou orientação e outras atividades peculiares ao cargo de pastor. É aí que recebe membros da igreja, homens ou mulheres, donas de casa, moças, queixosos, empresários, funcionários ou gerentes de bancos, membros do ministério ou dirigentes de trabalhos e tantas outras pessoas que sobre os diversos assuntos vão procurá-lo.

c) Nesse local deve haver ajudantes para o ministro. Há casos em que precisa ele de companheiros a seu lado para assessorá-lo.

d) Assim sendo, é conveniente que o pastor tenha, em seu

gabinete, local para expediente e lugar reservado e privativo (inclusive com todas instalações sanitárias necessárias) para estudos, consagração e oração.

1 Do Período Devocional ou de Preparação Especial Diária

O melhor período de estudo é pela manhã. Há razões especiais para isso.

a) É período do dia em que a mente está mais aberta, mais descansada, para melhor aproveitar as leituras, os estudos e conseguir raciocinar com mais clareza e precisão.

b) É o horário em que as visitas pastorais são menos freqüentes. Cada manhã, o pastor deveria recolher-se ao reservado de seu gabinete para aplicar-se a leituras, estudos, oração e consagração. Naturalmente, isso é feito de acordo com a programação de trabalho do pastor. Nem todos têm a igreja estruturada da mesma maneira. Uns são pastores de igrejas grandes; outros de pequenas igrejas. No entanto, como crente que é o ministro do evangelho, a leitura devocional, a oração e meditação devem ser as primeiras atividades do dia, seguidas da consagração. Se tudo isso não for possível durante o dia, que o faça de madrugada, deixando a consagração mais extensa para dias especiais (embora o pastor deva estar sempre em consagração). Precisa ele alimentar sua própria alma para ter de onde tirar alimento para seus sermões, para sua igreja. Se em cada dia, pela manhã, alimentar-se ele da Palavra de Deus e derramar sua alma perante o Senhor em oração, súplica e ações de graças, vigiando depois, será muito bem-sucedido. Convém que o pastor ou ministro tenha um plano sistemático de leitura diária. Ler a Bíblia toda uma vez por biênio é muito bom.

2 Do Dever de Estudar

Não há limite para a cultura do ministro do evangelho ou pregador. Há obras básicas e fundamentais que proporcionam ao pastor conhecimentos e especialização muito úteis para realizar um trabalho eficaz. Há livros indispensáveis ao obreiro ou pregador do evangelho, tais como: concordância bíblica, dicionário ou vocabulário bíblico, comentário da Bíblia, livro de costumes e maneiras dos tempos bíblicos, no mínimo neotestamentários, Bíblia com referência, manuais bíblicos, dicionário de línguas originais, dicionário da língua nacional, dicionário etimológico da língua nacional (no nosso caso, portuguesa), dicionário de sinônimos e antônimos. O pastor deve formar biblioteca com livros bem selecionados. Além dos já indicados, obras de geografia geral, história geral, de doutrina ou teologia tanto bíblica como sistemática, de homilética, hermenêutica, exegese, e tantas outras. Não há limite. Quem lê mais sabe mais.

3 Do Pregador do Evangelho e os Eventos Seculares

O pregador, qualquer que seja seu cargo, deve ser homem atualizado. Deve a si mesmo, a sua igreja e a seu público informações sobre os problemas de sua época, do país onde atua, da cidade onde vive e trabalha. Precisa estar informado do que se passa pelo mundo. É conveniente ser o pastor ou ministro do evangelho assinante ou assíduo leitor de bom jornal e boa revista secular, além do jornal e revistas de sua própria denominação ou igreja, para não dizer até de outras denominações. Limitar os seus conhecimentos é bitolar-se, é estacionar ou até regredir, pois enquanto ele pára, os conhecimentos dos outros e os problemas da humanidade avançam sem destino certo. Já estudamos esse assunto no capítulo *Preparação para o Ministério*. Para ajudar a memória, é bom o pastor ou ministro manter um sistema de arquivo ou fichário, em que poderá controlar assuntos lidos, preparados, pregados, anotados de outros pregadores ou autores, para uso futuro.

4 Da Preparação de Sermões

a) A preparação do sermão deve partir de uma idéia bem fundamentada. A Bíblia é o plano de partida lógica de um sermão. É ela a única fonte autêntica e infalível de revelação.

b) O pregador poderá obter e utilizar-se de idéias eficazes, examinando as necessidades pessoais da comunidade cristã e até de sua cidade.

c) Fazer um plano de atividades programadas para uma semana, um mês ou até para um ano.

d) Selecionar passagens bíblicas para sermões, a fim de usá-las como textos, ilustrações ou sustentação.

e) A preparação do sermão deve apoiar-se em interpretação correta do texto bíblico.

f) Deve o pregador, para interpretar bem o texto, levantar o maior número de dados possível, tendo sempre em vista os objetivos tanto gerais como específicos. Sobre isto, veja-se *O Pregador e o Ministério da Palavra* e *Como Preparar Sermões*, editados pela CPAD.

30

Do Serviço de Visitação Pastoral

O trabalho de visitação pastoral é de real importância para a vida da igreja. Ao lado da pregação da Palavra, da evangelização e administração eclesiástica, a visitação encampa uma série de atividades de valor incalculável para o bom andamento da obra e bem-estar dos crentes. O serviço de visitação não pode ser negligenciado pelo pastor. Sem esse tão promissor trabalho, o obreiro do Senhor perderá muito em seu prestígio, sucesso e influência. Por outro lado, a igreja se ressentirá dos danos causados por essa omissão.

1 Da Prática de Visitação no Antigo Testamento

A visitação aos membros do próprio rebanho ou da família de Deus não é inovação recente nem da igreja neotestamentária. Essa prática vem dos tempos proféticos, pelo menos é o que se vê em Jeremias e Ezequiel. Por meio deles, o Senhor Deus enviou mensagens substanciosas a líderes que Ele escolhera para dirigir a vida do povo, mas que não desempenhavam a contento sua missão. Não estavam cumprindo com fidelidade suas obrigações para com o povo escolhido. Agora, tinham de ouvir severas e enérgicas repreensões do Senhor, por intermédio de seus servos, os profetas. "Ai dos pastores que destroem e dispersam as ovelhas do meu pasto! Diz o Senhor" (Jr 23.1, 2). "... Ai dos pastores de Israel que se apascentam a si mesmos! Não apascentarão os pastores as ovelhas? [...] A fraca não fortalecestes, e a doente não curastes, e a quebrada não ligastes, e a desgarrada não tornastes a trazer, e a perdida não buscastes; mas dominais sobre elas com rigor e dureza. [...] Vós, pois, ó ovelhas minhas, ovelhas do meu pasto; homens sois, mas eu sou o vosso Deus, diz o Senhor JEOVÁ" (Ez 34.2, 4, 31).

2 Da Prática de Visitação no Novo Testamento

O Senhor Jesus Cristo, o Sumo Pastor de nossas almas, observava a orientação dos céus com essa prática. Fazia o papel do profeta e do pastor, ou trabalho pastoral e profético, exortando os que tinham responsabilidade sobre a vida do povo e atendendo o próprio povo em suas necessidades ou solicitudes. Em Lucas, lemos que Jesus "... andava de cidade em cidade e de aldeia em aldeia, pregando e anunciando o evangelho do Reino de Deus; e os doze iam com ele" (Lc 8.1). Os discípulos continuaram com essa prática: "E todos os dias, no templo e nas casas, não cessavam de ensinar e de anunciar a Jesus Cristo" (At 5.42). O trabalho deles era tão intenso que o sumo sacerdote, naqueles dias, reclamou, dizendo: "enchestes Jerusalém dessa vossa doutrina" (At 5.28). O apóstolo Paulo seguia o mesmo costume, levando a mensagem de salvação às casas e famílias. É o que ele mesmo declara aos presbíteros de Éfeso e de Mileto. "Como nada, que útil seja, deixei de vos anunciar e ensinar publicamente e pelas casas" (At 20.17-20). Tiago, irmão de Jesus, ensina-nos: "A religião pura e imaculada para com Deus, o Pai, é esta: visitar os órfãos e as viúvas nas suas tribulações e guardar-se da corrupção do mundo" (Tg 1.27). Lembremos ainda que o Senhor Jesus nos dá maravilhosa lição com o juízo das nações, apontando como bem-aventurados os que visitam (Mt 25.31-46).

3 Do Propósito da Visitação Pastoral

A visita do pastor a um membro da igreja tem como objetivo, antes de tudo, melhor identificação do pastor com a ovelha. O pastor é um condutor de bênçãos. Sua visita tem, portanto, a finalidade de levar a um irmão, a um companheiro, a um novo convertido, a bênção de que é o ministro portador. Não é apenas um gesto social. É mais que isso. É um exercício espiritual, com efeitos espirituais e morais. Por outro lado, é uma boa oportunidade de o pastor levar aos membros da igreja seu apoio, a solidariedade pessoal, conforto moral e bem-estar espiritual. A visita pastoral produz no crente visitado conforto e edificação, além da valorização pessoal que pode o ministro de Deus incutir no espírito da pessoa visitada. Para o pastor, a visitação é um privilégio, pois melhora indivisivelmente o relacionamento dele com os irmãos.

4 Da Motivação do Membro da Igreja

O membro da igreja vive espiritual e moralmente de impulsos do Espírito Santo. É o Espírito de Deus que impulsiona o crente a andar, como o motor impulsiona o veículo. Se, por um lado, o Espírito Santo impulsiona, produzindo vida e ânimo, o pastor, orientado e também movido pelo Santo Espírito, contribui para que o crente tenha motivação para prosseguir na jornada espiritual. Naturalmente, o pastor tem seu trabalho de pregador que, do púlpito da igreja, aponta o caminho a ser trilhado e os meios pelos quais os fiéis chegam ao porto desejado. Entretanto, a visitação é parte complementar essencial a esse trabalho. É a manifestação expressa de amor e carinho que reina no coração do homem de Deus. Ele prega sobre esse amor e pratica-o. Como pode alguém pregar sobre amor ou bem-estar de outrem, se não busca, com interesse, o bem-estar ou sucesso daquele que precisa de apoio? O ministério pastoral não consiste em empregar verdades apenas teóricas, mas praticar as grandes verdades da Bíblia que prega. O pastor precisa pregar o que crê e viver o que prega. O pregador, o ministro de Deus, precisa viver a realidade e ajudar o crente a viver a vida cristã em sua essência espiritual, moral e física.

5 Dos Resultados Esperados

Seria muito bom que o pastor conhecesse todos os membros de sua igreja. Mas como é isso impossível, deve ele procurar conhecer o maior número de congregados e membros, a fim de que possa exercer sobre eles salutar influência. Um cumprimento do pastor, um aperto de mão, um contato pessoal rápido é útil, muito útil, mas insuficiente para revelar o que se passa no íntimo de uma pessoa. Mesmo que se saúdem duas, três, quatro vezes por semana, não dá para o pastor descobrir necessidades pessoais, raras exceções sejam feitas. Necessário é que haja uma conversa descontraída, tranqüila entre pastor e membro da igreja, para que esse irmão tenha oportunidade de abrir o coração e revelar os problemas que o afligem. Há casos que exigem a visita do pastor. Outro não serve. Torna-se ele insubstituível. Às vezes, a alma de um irmão está tão ferida que precisa de um bom samaritano para fazer o curativo adequado e oportuno, com suavidade e amor. Como é importante esse trabalho! É um trabalho divino; está imitando o pastor ao próprio Deus, pois a função consoladora é do Espírito do Senhor. Quão importante é um homem cuidar com carinho e eficiência de corações feridos, magoados, contristados, abatidos, desanimados e decepcionados com os homens e até com a vida! É trabalho divino; é trabalho do pastor. Por outro lado, o lar é ambiente apropriado para aplicação das verdades divinas. A cada membro da igreja, o pastor deve essa cortesia, essa assistência pessoal, individual, pastoral, pois é pastor de almas. Não obstante o incalculável valor da visitação, deve o pastor ter cuidado de:

a) Ser moderado no que diz respeito a instruções particulares, não intrometendo-se em assuntos pessoais sobre os quais não fora consultado ou solicitado;

b) Evitar fazer proibições pessoais aos membros da família, com observações impensadas e constrangedoras. A visitação ajuda o pastor a fazer sondagem do nível espiritual dos membros da igreja.

6 Da Discrição do Pastor

Naturalmente, a visitação é programada. Ao preparar-se para visitar membros da igreja ou novos convertidos, deve o pastor levar em conta alguns fatores indispensáveis para obter êxito em seu trabalho.

a) Quem mais necessita ser visitado? Isto é, qual a prioridade para visitas? Naturalmente, vai ele pensar que primeiramente os enfermos devem ser visitados. Em seguida, vêm os membros fracos, afastados da igreja ou freqüentando pouco os cultos, sujeitos a fracasso ou naufrágio na fé. A seguir, os novos convertidos, que precisam de atenção especial para se firmarem na graça. Os membros da igreja em geral, mesmo estando bem firmes na fé e freqüentando assiduamente os cultos e reuniões, merecem atenção e visitas periódicas do pastor. Sentem-se mais valorizados e fortalecidos. Não devem ser esquecidos aqueles que se mostram amigos da igreja, que são convidados para os cultos, prometem ir e não vão. Podem ser visitados e se achegarem a Cristo. Há crentes que ficam deveras emocionados ao receberem a visita do pastor. Outros recebem bênçãos maravilhosas nessas visitações. Certo crente, membro de uma igreja há muitos anos, chorou de emoção ao receber a visita do pastor, e declarou que nunca tinha recebido uma visita pastoral. Nessas visitas, a família inteira pode ser ganha para Jesus.

b) Uma visita a um lar enlutado, o comparecimento a um funeral, uma chamada ou uma solicitação telefônica para visitar um lar pode abrir grande oportunidade ao pastor. É bom que o pastor registre as visitas, para evitar inconsciente predileção por determinadas pessoas. Não deve haver distinção para visita pastoral.

7 Do Desempenho do Ministro em sua Visitação

Naturalmente, não se pode pensar que o ministro ou pastor só entre numa casa com o objetivo de visitar as pessoas ou os membros da igreja. Há muitos outros motivos pelos quais o pastor poderá entrar numa residência. Entretanto, ao entrar numa casa com esse objetivo, após as saudações normais, o pastor precisa ter o cuidado de conduzir a palestra para o terreno espiritual, a fim de que sua tarefa fique mais fácil. Daí fica prática a passagem para uma verificação sobre o estado espiritual da pessoa (ou pessoas), objeto da visita. Se, contudo, começar a tratar de outros assuntos, terá de mudar, às vezes bruscamente, para o assunto de âmbito espiritual. Bom é que o pastor se revele interessado pelo bem-estar material, espiritual e moral da família ou da pessoa visitada. Ao serem expostos ao ministro problemas ou dificuldades por que está passando alguém ou várias pessoas da família, deve o pastor ouvir paciente e atentamente os relatos, como quem deseja encontrar solução. Não pode o pastor resolver problemas de membros da igreja com seus próprios problemas. Isso pode desanimar os outros. Não deve monopolizar também a conversa, pois isso indica falta de atenção e interesse pelos problemas alheios. O pastor vai visitar, não para trocar informações e soluções de problemas, mas ajudar a encontrar saída para as pessoas que o convidaram, ou que carecem de sua assistência, mesmo que precisem de ajuda e não demonstrem tal necessidade. Portanto, o pastor precisa ouvir pacientemente, com muito amor, as lamúrias, as reclamações, para depois aplicar suas experiências, a Palavra de Deus, o aconselhamento bíblico, exemplificando tudo com fatos bíblicos e ilustrações da vida prática. Deve procurar dar respostas a todas as perguntas que lhe forem formuladas, de maneira que sejam encontradas soluções viáveis a todas as questões. É possível haver necessidade de leitura da Bíblia. Essa leitura não é obrigatória, como fazem alguns. O pastor também sabe citar textos lindos e edificantes da Palavra de Deus. Entretanto, deve ser concluída a visita sempre com oração. É fundamental ser fiel nas confidências. Em nenhuma hipótese alguma revelação confidencial que lhe for feita pode ser passada a outrem; nem mesmo à esposa do pastor visitador.

8 Da Duração da Visita Pastoral

Não tem cabimento querer-se determinar o tempo de duração da visita de um pastor a uma família, a uma pessoa. Há casos que podem ser resolvidos em dez ou vinte minutos. Outros há que exigem duas horas ou mais tempo, e até repetição da visita por duas ou mais vezes. Tudo depende da ocasião, da gravidade do problema, dos assuntos que devem ser abordados, do número de dúvidas que devem ser sanadas. O pastor deve empregar todo o tempo necessário para solucionar o problema. É um serviço divino e social. Está ali para servir à causa do Senhor, confirmando a fé dos crentes.

9 Da Prudência do Ministro

É normal chegar o pastor em uma casa e encontrar pessoas conhecidas suas, e os vários assuntos abordados desvirtuarem o objetivo da visita ou ensejarem perda de tempo e oportunidade. Há pessoas com quem o pastor se sente mais à vontade, seja por laços de amizade, seja por afinidade cultural. O pastor não deve permitir que a atenção merecida pelo irmão ou pela família visitada seja desviada para essas pessoas presentes. Precisa, outrossim, evitar que a visita se transforme em reunião social para deleite do visitante. É bom que o pastor tenha bom ou até excelente relacionamento com os membros da igreja, mas não tome esse relacionamento em intimidades descabidas, para não permitir que daí tirem proveito da confiança que o pastor deposita neles. Deve o pastor cercar-se de muito cuidado com associações indiscretas com membros do sexo oposto. Não deve dar margem a conversinhas, para membros da igreja não perderem a confiança nele depositada. As novidades que não são boas andam muito, e quando envolvem o nome do pastor, são danosas. Constituem uma carnalidade bem mais grave do que se pensa quando envolve o nome do pastor da igreja. Nome de pastor é como roupa branca, qualquer coisa suja. Por outro lado, não permita o ministro de Deus que a prática da visitação se torne mais agradável do que realmente é, e ele passe a só se ocupar disso, negligenciando outras atividades não menos nobres, como estudos particulares, preparação de mensagens, oração e consagração. O homem de Deus deve e precisa ser bem equilibrado em tudo!

31

Da Ética Ministerial

O que é ética? É a ciência moral ou da moral; filosofia moral; estudo dos deveres e obrigações do indivíduo e da sociedade (gr. *etike*; lat. *ethica*). É o ramo do conhecimento que estuda a conduta humana, estabelecendo os conceitos do bem e do mal, em determinada sociedade e época. A ética está, portanto, jungida ao grupo social ou à sociedade e à época. Por isso, Arthur Koestler, em "O Zero e o Infinito" (palavras de *Ivanov*), fala de duas éticas: uma cristã e outra humana. Uma declara que o indivíduo é sagrado e afirma que as regras de aritmética não devem ser aplicadas a unidades humanas. A outra parte do princípio de que um fim coletivo justifica todos os meios, e não somente permite, mas pede que o indivíduo seja de todas as maneiras subordinado e sacrificado à humanidade. Sim, qualquer que seja o conceito, o pastor, o ministro do evangelho está subordinado a ela. Por ser cristão, tem o dever de portar-se dignamente para dar exemplo; por ser pastor, muito mais. Por ser cristão e pastor, a sociedade em que vive exige dele o sacrifício de ser homem de uma vida ou conduta moral tão alta que ele não pode libertar-se desse dever nem abdicar dessa satisfação. Como servo do Senhor Jesus Cristo é um grande prazer; faz parte da santidade devida ao Senhor dos senhores, ao Rei dos reis. Além de outros aspectos, a ética pastoral envolve consideração e cortesia toda especial pelos semelhantes, pelos companheiros, pelos membros da igreja.

O apóstolo Pedro ensina: "... sede todos de igual ânimo, compadecidos, fraternalmente amigos, misericordiosos, humildes" (1 Pe 3.8, ARA). No homem de Deus, há satisfação de ser assim. O salmista Davi diz: "... a tua mansidão me engrandeceu" (Sl 18.35). Nem precisamos dizer que isso estava no caráter do Senhor Jesus Cristo. É fruto do Espírito: "caridade, gozo, paz, longanimidade, benignidade, bondade, fé, mansidão, temperança" (Gl 5.22,23).

1 Do Comportamento do Pastor com relação a seu Antecessor

Ao assumir a direção de uma igreja, o pastor deve honrar sinceramente seu antecessor, qualquer que seja o motivo da saída deste. Cabe-lhe mostrar-se amoroso, cheio de consideração e honra para com seu companheiro. Não deve esquecer que o antecessor é seu irmão na fé, antes de tudo; é seu colega de ministério, e que ele, que agora assume, será antecessor de outro (um dia será substituído). Qualquer referência ou insinuação negativa produzirá efeitos negativos para ambos, e não edifica a igreja. Certamente, o anterior deve ter feito muita coisa boa em seu pastorado. Os erros precisam ser corrigidos por meio de uma sábia e profícua atuação do novo ministro. Além do mais, há pontos discutíveis, e podemos cair naquelas palavras de Paulo: "Quem és tu que julgas o servo alheio?" (Rm 14.4)

a) Ademais, com referência a erros do ministro antecessor, é bom que se lembre o novo pastor de que sempre haverá membros da igreja que amarão de todo o coração o anterior e ressentir-se-ão de críticas formuladas contra ele.

b) As referências, quando necessárias, sejam verdadeiras, sem exageros, sem ironias. Deve haver sinceridade e motivo para tais referências, quando tiverem algum sentido negativo, especialmente. Melhor é silenciar que macular a imagem do antecessor.

c) É também de boa ética que o novo pastor não introduza sérias modificações ou alterações apressadamente nos métodos ou critérios adotados pelo anterior na administração da igreja e dos trabalhos em geral, a menos que essas medidas sejam urgentes e extremamente necessárias. Mudanças de choque constituem um desrespeito ao colega. Deve ter ele em mente que o outro conhecia as necessidades da igreja e que as medidas até ali adotadas tinham sua razão de ser. Além do mais, é de se admitir que outros membros e até competentes auxiliares da igreja tenham participado do planejamento para tais critérios ora revogados ou por revogar. Um pastor precisa de um pouco de tempo para tomar conhecimento das necessidades do trabalho, para averiguar as exigências da situação, para detectar os principais interesses da obra local ou setorial, a fim de tomar medidas seguras e produtivas. Uma vez inteirado da situação; uma vez conquistada inteira confiança da igreja e de seus auxiliares, havendo necessidade de mudança, mude para melhor; não mude por mero capricho. Os conceitos pessoais devem se somar às conclusões de estudos das sugestões de cooperadores ou auxiliares competentes.

d) Deve o pastor ser sempre cortês com seu antecessor, quer pessoalmente, quer em referência a ele. O amor cristão deve estar acima de tudo. Os servos de Deus, especialmente os obreiros, devem honrar-se mutuamente em santo amor e em quaisquer circunstâncias. Todo e qualquer ressentimento deve desaparecer. No céu não entra isso. A caridade, sim; o amor cristão nos acompanha até Deus!

2 Do Comportamento do Pastor com relação a seu Sucessor

Chegará o momento em que o atual pastor será predecessor de algum outro e deverá ser cortês para com o colega. O sucessor precisa e geralmente merece toda a atenção e assistência, a fim de poder tomar pé da situação e assumir com firmeza a liderança do trabalho do Senhor. O pastor predecessor pode contribuir para que o novo líder tenha boa acolhida por parte da igreja. O pastor que se despede deve contribuir para que o sucessor entre ajustando-se com a igreja, que, por sua vez, espera convivência harmoniosa com seu novo pastor. O bem-estar de ambos (igreja e pastor) depende muito desse primeiro encontro (mesmo em se tratando de pastor conhecido da comunidade cristã).

a) Não é conveniente o pastor entregar o trabalho e ficar congregando na mesma igreja (na mesma congregação). Os dois juntos, um pode eclipsar o brilho do outro. Geralmente o que sai leva desvantagem. Em cidade pequena, se a situação permitir (naturalmente, há muitos fatores favoráveis e desfavoráveis), é bom que o ex-pastor da igreja mude de residência para outra cidade; jamais deve ficar morando na casa da igreja. Isso evitará muitos problemas entre os dois ministros do evangelho e membros da igreja.

b) Se membros da igreja procurarem o ex-pastor local para aconselhamento e se o assunto for de competência do pastor atual, deve o predecessor ser leal a seu companheiro. Nunca deve o ex-pastor interferir em negócios da nova administração e muito menos fazer referência desairosa ao novo pastor. Necessário é que os laços de amor e lealdade sejam mantidos.

c) Os laços de amor cristão entre o ex-pastor e a igreja devem continuar os mesmos. Entretanto, sua correspondência com ela deve ser bem limitada. Sempre que possível, essa correspondência deve ser por meio do novo pastor.

d) É antiético o pastor que solicita a membros da igreja que lhe enviem convite para celebração de qualquer cerimônia religiosa. Se esses espontaneamente o convidarem e ele puder atender, que seja com a conivência do novo pastor. Não aceite qualquer pedido de interferência na administração alheia. Aconselhe o crente queixoso a orar e a entender-se com seu pastor. Alegre-se em ouvir falar do sucesso de seu substituto. O homem de Deus não pode ser mesquinho nem invejoso. Se seu sucessor fizer melhor que você, lembre-se de que pode ter sido em conseqüência de ter você deixado bases para isso. Membros da igreja também poderão reconhecer tais méritos.

e) O pastor precisa ter alto nível de compreensão. Não pode pensar que só ele é capaz de resolver esse ou aquele problema. Não deve deixar que sua presunção diga que a obra por ele iniciada vai sofrer só porque é outro que vai assumir o trabalho. Se assim pensa quando deixa o trabalho, foi bom ter deixado mesmo. A obra que exige a presença exclusiva desse ou daquele homem não é sólida, não é de Deus; logo, não pode permanecer. Quem assim pensa está edificando a obra sobre ele mesmo, e a obra do evangelho está edificada, firmada e alicerçada em Jesus Cristo (1 Co 3.11).

f) O povo deve ser ensinado a confiar no Senhor de todo o coração, olhar para Cristo Jesus como Senhor e modelo a ser seguido, confiar na eterna Palavra de Deus e amar seu pastor como servo de Cristo a serviço de sua igreja, mas não como um homem insubstituível e infalível.

g) Sempre que um pastor visite a cidade onde foi pastor de alguma igreja, é bom que procure o pastor atual para visitá-lo cordialmente. Isso ajuda a eliminar sombras de dúvidas que por acaso haja em membros da igreja sobre o relacionamento dos dois.

h) É possível que o ex-pastor da igreja seja convidado a celebrar uma cerimônia (casamento, culto fúnebre) na circunscrição agora de outro. Como já dissemos, só com a anuência do atual. Comunique ao companheiro, combine com ele. Caso encontre resistência, negue-se também a oficiar a cerimônia. Se estiver presente o pastor local, confira-lhe a posição honrosa que lhe é devida, o que é obviamente aceitável tanto por ele, como pelas famílias envolvidas e pela igreja.

3 Das Relações entre Pastor e Evangelista

As relações entre pastores e evangelistas deviam ser definidas e reguladas por um bom código de ética. Ambos são ministros do evangelho, com funções distintas, porém harmônicas. Geralmente, as campanhas evangelísticas são entregues a evangelistas para realizarem, em setores, campos ou circunscrições de pastor em cujos ombros pesa a responsabilidade dos trabalhos administrativos. É altamente prejudicial quando surgem mal-entendidos e atritos entre pastor e evangelista.

a) O pastor deve mostrar-se amável e compreensivo para com o evangelista que dirige campanha ou que para isto está convidado, dispensando-lhe muita consideração e apreço.

b) Não devemos esquecer que o pastor não é superior ao evangelista, nem o evangelista ao pastor, em âmbito ministerial. Exercem, sim, ministérios diferentes.

c) A direção do ministério ou da igreja local, naturalmente, é do pastor, que exerce um cargo maior do que o do evangelista ou pastores auxiliares.

d) Quando um ministro de Deus, em sua função de evangelista, vier a dirigir campanha evangelística ou de avivamento, deve merecer do pastor local ou setorial amplo apoio, inteira liberdade para conduzir os cultos no que diz respeito a programação, matéria de sermões, entrega da mensagem, apelos, orações por enfermos e pessoas que decidem aceitar Jesus como Salvador, e por aqueles que desejam ser batizados com o Espírito Santo. Se não for possível a direção dos cultos, grande parte deles fica a cargo do evangelista, ficando o pastor mais com a direção administrativa que couber ao culto. As atividades cúlticas, nesse caso, devem ser divididas racionalmente entre o pastor e o evangelista, sendo, portanto, a este oferecida toda a facilidade para obtenção de bom êxito.

e) Deve-se esperar, por outro lado, que o evangelista seja homem prudente, sábio segundo a Bíblia, fiel a sua chamada para entregar a mensagem como verdadeiro mensageiro de Deus, porta-voz das verdades divinas. O Espírito do Senhor põe a mensagem no coração e na boca do homem que se submete a Ele para servi-lo, transmitindo as boas novas.

f) Quanto à remuneração do evangelista, isso depende do sistema orgânico da igreja, da natureza do trabalho que vai realizar esse servo de Deus. Se é o evangelista lotado na própria igreja (sede ou setorial), já recebe sua prebenda e ajuda de custos da própria igreja. Se é convidado, deve receber remuneração proporcional ao trabalho realizado com ajudas ou custeios de alimentação, hospedagem e viagens. Se a campanha é fora da igreja a que pertence o evangelista, lembremo-nos de que tem ele família e está longe dela, com despesa dupla, portanto. Se for levantada oferta especial para o evangelista, além de ser generosa, deve ser toda destinada a ele. Entretanto, para evitar injustiça e constrangimento, a meu ver a igreja receberá as ofertas todas e remunerará o evangelista, por meio do pastor ou tesouraria, conforme acerto previamente feito. Se houver alguma oferta particular destinada a ele, essa sim, deve ser-lhe entregue totalmente.

g) É normal, durante campanhas de avivamento ou evangelísticas, consultas e cumprimentos afetuosos ao evangelista. O pastor deve entender. Aceite bem isto.

4 Do Tratamento entre Evangelista e Pastor

O evangelista deve dispensar ao pastor o melhor tratamento possível. Deve ser extremamente leal ao pastor, demonstrando pública e particularmente sua consideração ao outro ministro de Deus, o qual tem obrigação de retribuir tudo com muita fidelidade. Em suas funções evangelísticas, se tiver assumido o evangelista compromisso de série de reuniões ou outro trabalho com o pastor, não deve cancelar o programa abruptamente, mas notificar ao pastor, sempre que possível, em tempo hábil, para que este possa tomar as devidas providências a fim de que o trabalho não sofra as conseqüências. Para que o pastor se previna e dê ao evangelista a melhor possível acolhida, deve este comunicar ao pastor dia e hora (sempre que possível) de sua chegada. Os trabalhos executados pelo evangelista e o pastor devem transcorrer em perfeita harmonia. O amor mútuo e à obra deve prevalecer. Mesmo em caso de dissonância entre os dois, no púlpito ou em público, devem evitar contradizer, fazer críticas (ainda que sejam suaves) ou observações acerca do outro. O respeito pelo companheiro tem grande peso perante a congregação ou o público.

a) Lembremos que há divergências de opiniões entre os vários grupos eclesiásticos e individuais entre si, como há também entre denominações e convenções. Entretanto, o respeito e a consideração são mantidos. Entre dois servos de Deus que trabalham juntos ou estão juntos mesmo ocasionalmente deve haver a maior e mais perfeita harmonia e cooperação.

b) Questões particulares da convenção e até mesmo da denominação devem dar lugar à pregação da Palavra, ao ensino das doutrinas fundamentais, aos avivamentos propostos para obtenção dos resultados almejados.

c) Mesmo que membros da igreja suscitem problemas existentes na comunidade cristã, o evangelista precisa permanecer fiel ao pastor, não lançando qualquer sombra de dúvida ou de censura ao perfil moral e administrativo do pastor que o hospeda, mesmo particularmente.

d) O evangelista pode perfeitamente receber donativos particulares de membros da igreja. Entretanto, é bom levar ao conhecimento do pastor.

e) Todas as atividades entre o evangelista e os membros da igreja, a não ser casas de amizade particular, podem causar desconfiança que poderá chegar ao conhecimento do pastor. Este poderá encarar isso como deslealdade do outro ministro. Se ficar comprovada a intenção maldosa, pratica o evangelista ato indigno e antiético; condenável, portanto.

f) Em campanha de avivamento ou evangelização, sempre que necessário, o evangelista deve buscar o conselho do pastor, pois ele é que tem o povo consigo e sabe melhor como trabalhar com os vários segmentos da igreja local ou setorial. É o pastor que vai colocar o povo à disposição do evangelista. Este, por sua vez, vai cooperar com o pastor e com a igreja a seus cuidados.

5 Do Pastor e Ministros Visitantes

É normal em grandes cultos haver ministros visitantes na igreja, quer da mesma denominação, quer de outras. É dever do pastor reconhecê-los publicamente, com a cortesia que deve ser peculiar a todo servo de Jesus Cristo e homem de bem.

a) Deve convidá-los ao púlpito ou plataforma e apresentá-los à igreja para que esta, com o pastor (ou ministro que dirige o culto), dê-lhes as boas-vindas.

b) Sempre que possível, deve dar ao visitante devidamente credenciado oportunidade de dirigir a oração oficial ou leitura da Palavra de Deus.

c) Não havendo pregador designado para o momento, poderá franquear oportunidade ao visitante. Sabendo o pastor que o outro não prega ou não tem condições para tal naquele momento, deve evitar oferecer-lhe oportunidade.

d) Não convém dar oportunidade para pregar a ministro de outra igreja (mesmo da mesma denominação) que esteja ali freqüentemente, como pessoa desocupada. Igualmente, é desaconselhável oferecer oportunidade a obreiro sem função por motivo de disciplina.

e) Por outro lado, o ministro visitante, da denominação ou não, da igreja local ou de outra, deve ser leal ao pastor da igreja em tudo, chegando mesmo a omitir-se de dar opinião sobre assuntos secundários ou privativos da administração do outro e de sua vida ministerial ou particular. Aquela igreja é do outro, e não dele, que é um visitante. O ministro visitante, sem função local, não deve prevalecer-se da prerrogativa de ser ministro ou pastor para dar opinião em questão alheia, pois ali ele é um pastor e não o pastor; é pouco mais que um membro. Só tem o direito de sentar no púlpito, e isso apenas se for convidado. Em nenhuma hipótese, ele deve criticar o pastor perante os membros da igreja ou dar atenção a críticas formuladas por terceiros. Se possível, aconselhe a pessoa a orar pelo pastor, em vez de criticá-lo.

6 Do Pastor e Colegas de Ministério na Comunidade Cristã

Não há na atividade humana nenhum outro campo que exija tanta responsabilidade de observação de ética como no ministério da Palavra de Deus. A ética ministerial consiste basicamente na relação amável e respeitosa entre o pastor e seus colegas de ministério, especialmente na mesma igreja ou cidade onde exercem suas funções. Muitos são os quesitos, mas citamos alguns apenas.

a) Um pastor não deve praticar o proselitismo com relação aos membros da igreja do outro. Há um ditado que chama tal obreiro de "pescador de aquário". É semelhante ao pastor de gado ou de ovelhas induzir o rebanho do outro a seu pasto, *i.e.*, os membros da igreja do outro para a sua. Jamais deve o pastor convidar abertamente membros de outra igreja a passarem para a sua. Cabe ao membro descontente decidir, orando a Deus especialmente.

b) Um pastor ou pregador pode ser convidado a pregar em igreja de outra denominação. Pregue a Palavra de Deus, sem procurar tirar proveito da ocasião e da denominação. Deixe que o Espírito de Deus o use e produza os efeitos que Ele desejar.

c) É freqüente haver cultos ecumênicos por ocasião de trabalhos especiais como Dia da Bíblia e outros. O pastor escolhido para pregar deve escolher tema ou assunto que tenha acolhida por todas as denominações ali representadas. Isso é muito possível, uma vez que todas as igrejas estão fundamentadas na Palavra de Deus e a têm como regra de fé e norma de conduta.

d) De igual modo, proceda-se em escolas, cultos de formatura e outras solenidades para as quais o pastor é convidado para ser preletor ou orador oficial. Escolha-se assunto de interesse comum e nunca polêmico.

e) Em se tratando de sermões fúnebres, o ministro deve evitar lembrar passado negativo da vida do falecido. Se não for membro de sua igreja ou denominação, deve evitar pontos doutrinários polêmicos ou controvertidos. O sermão deve ser breve, claro, preciso e objetivo. A esperança da salvação e o consolo do Espírito Santo devem ter realce especial.

f) Em sermões públicos, pelo rádio ou televisão, em jornal ou folhetos a serem distribuídos, o ministro deve evitar ataques a outras denominações ou a ministros de outras igrejas de forma identificável.

g) Evite, em sermões públicos, colocar-se como juiz, pois não é o seu papel. Pregue a Palavra; ensine a sã doutrina; ensine as verdades divinas. Não podemos condenar, muito menos aqueles que se consideram cristãos, mas que não seguem a Jesus conosco.

7 De alguns Cuidados Especiais dentro da Ética Pastoral ou Ministerial

Os cuidados citados abaixo são úteis. Se observados, pouparão o pastor de muitos aborrecimentos.

a) O pastor não deve permitir que a lista do rol de membros, completa ou parcial, seja fornecida a vendedor ou representante de qualquer empresa que a solicite, qualquer que seja o objetivo.

b) Não forneça a lista de membros da igreja a político e não comprometa o apoio ou voto da igreja a ninguém.

c) Em trabalhos de visitação ou qualquer outro que relacione o pastor com membros da igreja, o pastor deve ser sempre digno da confiança que lhe for depositada, e não a trairá em hipótese nenhuma.

d) Se alguém fizer doação à igreja e desejar ficar no anonimato, o pastor deve atender tal solicitação.

e) Se alguma pessoa precisar do auxílio da igreja e pedir particularmente ao pastor, este, se achar conveniente atender o pedido, que o faça, sem contudo revelar o nome da pessoa necessitada, para não humilhá-la.

f) Não pratique o pastor o anonimato, mas guarde sigilo. Omita-se de falar, se for o caso, mas seja sincero.

g) Não faça propaganda fantasiosa ou exagerada. Não se promova; não promova ninguém. Dê a cada um a honra devida.

h) Não prometa o que não pode cumprir. Prometa menos e faça mais.

i) Não seja plagiador. Procure o pastor ser autêntico. O que é seu é seu.

j) Não gaste o tempo do culto com o desnecessário. Não faça pequenos sermões entre os hinos no culto.

l) Em oração pública, sempre que possível, evite mencionar nomes de pessoas preeminentes que estão presentes, a menos que haja necessidade disto.

m) Não critique os irmãos na igreja, especialmente em público.

n) Nunca fale mal da igreja. O Espírito Santo se agrada quando falamos bem dos irmãos da igreja.

o) Jamais seja o ministro infiel à sã doutrina, aos padrões doutrinários da igreja e do Novo Testamento. Caso não seja possível continuar de acordo com eles, renuncie às funções, entregue o cargo ao ministério, à convenção ou à igreja.

p) Não entre o pregador deliberadamente em conflito com programação e igreja vizinha que com sua igreja esteja cooperando.

q) Só aceite o pregador convite de grupos de outra igreja para pregar ou ministrar estudos bíblicos ou outros, após certificar-se do apoio do pastor daquela igreja. O mesmo procedimento é válido para celebração de casamento e outros atos.

r) Jamais deve um ministro aceitar proposta de uma igreja para assumir seu pastorado cujo pastor ainda esteja em exercício, e muito menos deve fazer proposta a uma igreja que se encontra nessa situação.

32

Das Festas na Igreja e Fora dela — Participação

A igreja celebra festas religiosas, sociais e cívicas, conforme as necessidades e conveniências.

1 Das Festas na Igreja e Fora dela

O cristianismo é a religião de Jesus Cristo — a única. É religião de vivos, e não de mortos, desamparados, tristonhos, desgostosos ou desanimados. É a religião em que predomina a graça, o amor, a alegria e a certeza do livramento do Senhor, que é a santíssima fé, e que permite a participação de seus membros de tudo que é bom, santo e justo. Na aceitação do evangelho; o pecador perde o gozo efêmero da vida e recebe um eterno, proveniente da alegria da salvação. A vida humana não se restringe apenas ao evangelho, pois este não subtrai o crente do meio ambiente ou grupo humano onde vive em sentido absoluto ou total. A vida do crente em sociedade está vinculada a datas nacionais ou especiais, de acontecimentos comemorativos, heróicos ou festivos, nobres e honrosos. A pureza de vida ou santidade não exclui ou proíbe a participação em solenidades comemorativas cívicas ou nacionais, de gratidão ou solidariedade. A Bíblia registra organização de festas de várias naturezas.

a) Encontramos registrado em Êxodo 23.14-10 a instituição, por ordem de IAHWEH, de três grandes festas que celebravam fatos históricos cívicos, patrióticos e nacionais, sociais e econô-

micos, nestes inserido o caráter religioso. Tais festas integravam-se à vida nacional mediante as leis. Eram elas:
- *Festa dos Pães Asmos* ou *Páscoa*. A primeira festa é celebrada na primavera, no mês de Abide (Êx 23.15; 34.18; Dt 16.1), mais tarde chamado de Nisan, no início da colheita da cevada. Desde o exílio, essa festa está fixada para os dias 14 a 21 desse mês (Ez 45.21; Lv 23.6; Nm 28.18).
- *Festa do Pentecoste* ou da *Sega* ou das *Semanas*. A segunda grande festa era celebrada no momento da sega do trigo (Êx 34.22), após a sega da cevada. Era celebrada em sete semanas — uma semana após o início da sega (Dt 16.9; Nm 28.26).
- *Festa Dos Tabernáculos*. A terceira grande festa parece ser a mais solene celebrada no outono, no momento da colheita (Êx 23.16; Dt 16.13). Como trata da expiação, é festa de IAHWEH por excelência (Jz 21.19; Lv 23.39).

b) No cativeiro babilônico, institui-se mais uma grande festa nos dias 14 e 15 do mês de Adar, que corresponde ao mês de fevereiro — a festa de *Purim*, comemorando a gloriosa vitória contra os intentos do maldoso Amam, secretário de Estado ou ministro de Assuero (Et 9.20-32).

c) A Bíblia nos dá conta de que o Senhor Jesus participou, ou quando nada se fez presente, de festas de caráter patriótico, religioso, social e familiar. Teve participação em algumas como se pode ver em João 2.1-11 (nupcial familiar e social) e em João 7.10-13 (nacional e social). Participou de festa social na casa de Levi, o coletor (Lc 5.29). Jesus não era contra festas e bons costumes. Ele censurava o pecado, os maus costumes, a perversão, a maldade de corações impenitentes, a idolatria, a exploração, a irreverência, a incontinência, a observância de criações humanas como se fossem doutrina do Senhor, como encontramos em várias instituições hoje chamadas cristãs.

d) Não é corrupção de caráter nem mundanismo, tampouco falta de espiritualidade, participar o crente de festas religiosas por suas igrejas criadas ou aprovadas, festas sociais que contribuem para o congraçamento dos fiéis ou inspirem ações de graças. Os crentes devem e precisam participar das festas cívicas ou nacionais que contribuam para a formação do patrimônio histórico nacional e aperfeiçoamento do sentimento cívico e patriótico. Somos cidadãos dos céus pelo evangelho, mas não perdemos o direito de cidadania da cidade em que vivemos ou deveres e direitos cívicos da pátria terrestre que integramos.

e) O crente, servo de Deus, não deve tomar parte de festas que corrompam os bons costumes: idolatria, feitiçaria, bailes, bebidas, encenações de imoralidade, cordões carnavalescos ou similares, representações que firam o decoro e a boa moral, exibições de carnalidade, procissões ou cortejos de idolatria ou de grupos heréticos que exaltem a deuses ou deusas. Os crentes normalmente têm suas próprias festas, suas comemorações, seus aniversários, suas festas de casamento, suas datas ligadas à nação (e não à idolatria da nação). Os trabalhos que recordam fundação de igrejas, inauguração de templos, círculos de oração, encontros ou congressos de mocidade, aniversários diversos na igreja, casamentos, bodas de prata e de ouro, Natal, passagem de ano, tanto ensejam pregação da Palavra de Deus e estudos bíblicos, louvores e apresentação de música sacra do mais alto padrão, como são sobejamente suficientes. Essas festas proporcionam às igrejas e a seus membros em particular excelentes oportunidades para promoção de importantes trabalhos com adultos, jovens e crianças, e de extraordinários efeitos para as vidas. Os resultados são sempre positivos, salutares, educativos, edificantes e de grande enlevo para a alma.

2 Das Instituições de Caráter Social Fora da Igreja ou Denominação

Já tivemos oportunidade de ver que o pastor deve a sua denominação e particularmente a sua igreja a máxima cooperação. Quanto ao interessar-se por cooperar com outras denominações ou organizações não evangélicas, é questão particular. Compete ao pastor examinar até que ponto é conveniente ou necessária sua participação. A decisão é exclusivamente dele. Tendo dúvida, ore a Deus. O Espírito Santo orienta. "... ele vos guiará a toda a verdade" (Jo 16.13). O apóstolo Paulo diz "Todas as cousas me são lícitas, mas nem todas convêm" (1 Co 6.12, ARA).

a) Fora da denominação do pastor, há instituições ou organizações evangélicas, pára-evangélicas e não evangélicas que só interessam aos participantes do grupo. Outras há que, por serem destinadas a fins sociais, culturais, econômicos, educacionais, resultantes do esforço de vários segmentos sociais, se destinam a todos quantos delas quiserem fazer parte. Não cabe enumerar aqui. Basta pensarmos em um templo, uma escola dominical, um hospital, um asilo, um orfanato.

b) Como deve o pastor proceder no caso de um convite ou apelo para participar de atividade numa dessas instituições? Se o convite for extensivo à igreja, como deve agir o pastor? Se a instituição for restrita aos membros da organização, cabe a eles o sustento, o cuidado e a manutenção. Caso destine-se ao público, a situação é outra. Dentro de suas possibilidades, o pastor poderá cooperar. O apóstolo Paulo diz: "E não nos cansemos de fazer o bem, porque a seu tempo ceifaremos, se não houvermos desfalecido. Então, enquanto temos tempo, façamos o bem a todos, mas principalmente aos domésticos da fé" (Gl 6.9-10). Embora tenhamos o dever de fazer o bem a todos, a Palavra de Deus dá prioridade à família da fé, *i.e.*, aos irmãos em Cristo. O ensino das Escrituras é trabalharmos para contribuir para o bem de outros. Paulo exorta-nos dizendo: "Quanto ao mais, irmãos, tudo o que é verdadeiro, tudo o que é honesto, tudo o que é justo, tudo o que é puro, tudo o que é amável, tudo o que é de boa fama, se há alguma virtude, e se há algum louvor, nisso pensai" (Fp 4.8). Tanto o pastor como a igreja podem cooperar, associando-se ou não. Há várias maneiras de participar ou ajudar: em pecúnia, dando apoio moral, interessando-se pela causa, solidarizando-se com o grupo, fazendo propaganda ou anúncios e outros meios, mormente em se tratando de obra de benefício público.

c) Em seu ministério terreno, o Senhor Jesus destacou-se pela eficiente atuação e dedicação ao trabalho. Três importantes aspectos são claramente observados em sua obra de Pregador e Salvador: sua missão principal era anunciar as boas novas de salvação (pregador); curou grande número de enfermos e libertou muitos de seus sofrimentos, ressuscitando alguns mortos (médico); dedicou-se ao ensino das verdades divinas, atendeu a todos que o procuraram, resolveu problemas os mais diversos, para todos tinha preciosas lições de vida e de salvação (professor ou mestre). Entretanto, tudo que fazia estava subordinado aos sublimes objetivos de salvar a raça humana. De igual maneira, deve conduzir-se o ministro do evangelho. Pode e até deve cooperar até onde for possível, sem constrangimento, e que não prejudique sua primordial missão — pregar o evangelho de Jesus Cristo.

d) Em todas as atividades, deve o ministro mostrar-se cheio de amor para com os perdidos, interessando-se por amenizar a dor aos sofredores, contribuindo com sua salutar influência e ajudando de várias maneiras para o bem-estar de todos, sem, contudo, sacrificar seu pastorado ou sua missão de pregador do evangelho, nem comprometer de forma negativa o nome e os ideais cristãos de sua igreja.

e) Sua participação em reuniões, festas, associações pode ser viável e até necessária, contanto que concorra para o bem do grupo e não prejudique a igreja ou denominação do pastor e o próprio ministro.

33

Da Igreja e suas Organizações

Obviamente, nas igrejas modernas, dadas as múltiplas atividades e os inúmeros campos de ação, há necessidade de diversos órgãos para aproveitarem-se melhor as forças e conduzi-las ao trabalho do Senhor. É impossível fixar-se o número de órgãos a serem criados numa igreja local, setorial ou em um grande ministério, visto que isto depende de outros fatores, tais como o número de membros, o número de congregações, as igrejas co-irmãs (da mesma fé e ordem) ligadas à mesma convenção, os recursos existentes, o alcance da obra missionária e evangelística, o nível cultural e tantos outros. Daremos apenas alguns exemplos, a título de sugestão. É costume as igrejas agruparem as senhoras (em sociedade ou em círculo), os senhores, os jovens ou mocidade, as crianças, os rapazes e as moças, com o objetivo de treiná-los para que todos juntos e bem organizados possam produzir mais.

1 Da Sociedade de Jovens ou União de Mocidade

(ou outro título que o pastor ou ministério achar melhor)

a) Geralmente, a mocidade constitui na igreja uma classe que merece do pastor e demais obreiros atenção toda especial. Nenhum pastor sensato e inteligente descuida-se da mocidade de sua igreja. Queira ou não, a juventude, a partir da adolescência, constitui uma classe desligada, operante ou inativa que pode criar sérios problemas para a igreja e o pastor, ou ajudar a solucionar muitos outros.

b) Chamamos mocidade na igreja os filhos de crentes que saem da adolescência e vão entrando na idade varonil, bem como novos convertidos, rapazes e moças, já membros da igreja, na faixa etária de 15 a 25 anos (sem muito rigor).

c) A igreja e o pastor, bem como obreiros de modo geral, não devem deixar os jovens à mercê da sorte ou entregues a seus próprios destinos. Até os 20 anos, *lato sensu*, os jovens têm pensamentos e ideais próprios da juventude sem experiência, por falta de vivência.

d) Nessa faixa etária, a maioria não está profissionalmente encaminhada ou definida. Muitos estão cursando escolas de ensino fundamental e médio, e alguns de nível superior. Alguns fazem cursos profissionais ou profissionalizantes. Uns estão em atividades comerciais, outros só estudam. Alguns prestam serviço militar. A maioria ainda não sabe que rumo dará a suas vidas. Nos namoros, são instáveis, precipitados e volúveis.

e) Nas muitas atividades, nos contatos com os vários segmentos da sociedade, vão eles treinando nas várias ocupações, criando novas mentalidades, aperfeiçoando as já obtidas, mudando comportamentos, adquirindo experiências que lhes ajudam na auto-afirmação e conseqüente estabilidade emocional, comportamental e espiritual. É aí que a igreja pode ajudar: na formação espiritual, moral, de consciência religiosa e no aperfeiçoamento do caráter. Pode a igreja contribuir muito na elevação dos ideais, no sentimento de pureza e de ideais para a vida tanto cotidiana como cristã. O pastor tem papel importante nessa formação.

f) É uma fase difícil para o jovem, para os pais, para a igreja e para o pastor. Ninguém pode facilitar; qualquer descuido pode ser altamente prejudicial ou até fatal para a vida, para o espírito, ou para ambos. A contribuição do pastor e da igreja no sentido de fazer que Jesus Cristo seja o principal alvo na vida da juventude é trabalho árduo, mas promissor.

g) Nessa fase ou época, o jovem pensa muito em como será seu futuro: o que vai ser, quanto vai ganhar, com quem casar-se. O pensamento de arranjar um(a) companheiro(a) é freqüente, mas ele (ela) não tem experiência; precisa de ajuda. Esta ajuda não é arrumar o par, mas orientar mediante sábios conselhos e aproveitar o potencial no jovem existente para conduzi-lo a Cristo e ao futuro.

h) A igreja bem organizada possui obrigatoriamente um órgão destinado a trabalhos especiais com os jovens, apesar de muitos obreiros antigos serem contra. Dizem que jovens são igreja também. Não há dúvida. Queremos dizer que os jovens pertencem à igreja, mas são uma classe especial que, com a igreja apoiando, poderão produzir muito mais do que deixá-los à mercê dos tempos.

i) É uma fase da vida do homem e da mulher que os torna difíceis. Muitos fogem das reuniões, buscam diversões várias, ficam alheios a tudo, desatentos, rebeldes, indiferentes, amuados, cheios de vontade própria e, conseqüentemente, de difícil controle. Nessa faixa de idade, há entre eles e os adultos muitos mal-entendidos, aborrecimentos e choques, quando não escândalos. Necessário é que haja para com eles muita benevolência, simpatia e paciência.

j) O líder, que é o pastor, precisa conhecer tudo isso e mais ainda. Precisa evitar, sempre que possível, tomadas de medidas drásticas nessa ocasião da vida e lembrar-se de que isso é próprio da idade; são manifestações dos "desejos da mocidade" que precisam ser não bem reprimidas, mas guiadas pelo próprio jovem, pela igreja e pelo pastor.

l) Há, nessa época, muita tendência para as coisas mais agradáveis da vida, para as brincadeiras, os desportos, as sociedades, os piqueniques, reuniões recreativas, festas, prazeres, modas, as vaidades, folguedos demasiados. Tudo isso são tendências, são perigos, são aborrecimentos para quem dirige e quer tudo bom e santo.

m) Não podemos negar também que é a idade das oportunidades. É tempo de guiar as aspirações para o bem e para uma vida digna de respeito. Ninguém nega que há muita vantagem, e mesmo necessidade, em que os jovens crentes se encontrem, se amem e se casem no Senhor. É bom que sejam conduzidos a achar seus pares na mesma fé, na mesma igreja. Lembremos que enquanto os jovens são atraídos pela união de mocidade de sua igreja, estão fugindo de outros pontos de contato perniciosos ao caráter e à vida cristã. Os conjuntos musicais ajudam nesse campo.

n) Não podemos negar que há muitas capacidades encobertas nos jovens, e que havendo oportunidades, revelam-se e se cristalizam para Cristo Jesus. João colocava a mocidade num pedestal cristão muito alto; reconhecia num jovem crente grande coragem, fé, poder, força e esperança. Por isso, diz: "Jovens, escrevo-vos, porque vencestes o maligno. Eu vos escrevi, filhos, porque conhecestes o Pai. [...] Eu vos escrevi, jovens, porque sois fortes, e a palavra de Deus está em vós, e já vencestes o maligno" (1 Jo 2.13-16). As várias atividades da igreja ajudam muito.

o) O pastor tem muito o que fazer com sua mocidade: interpretá-la, conduzi-la, guiá-la, saber das suas fraquezas e forças, de seus altos e baixos. Precisa nela confiar, olhar para ela com amor paternal e ajudá-la; ver suas oportunidades e possibilidades na causa de Cristo. Não deve ser pessimista e inimigo dos jovens, mas otimista e amigo. O pastor pode fazer muito pelos jovens de sua igreja.

2 Da Sociedade de Senhoras

Dependendo do tipo de organização da igreja, os nomes dos órgãos variam. Não importa o título, mas as funções. Tais organizações não se encontram no Novo Testamento, mas são úteis para a atividade e o estímulo na obra do Senhor. São organizações extrabíblicas, mas não são antibíblicas. Cristo deu a tarefa de ganhar o mundo, mas não deu os métodos de fazê-lo, além do de pregar. As organizações são os métodos que usamos de acordo com a Bíblia.

a) Deus tem usado maravilhosamente as mulheres em sua obra. São elas uma força considerável naquilo em que põem as mãos. As senhoras são na igreja uma grande força e por isso devem ser organizadas para que esse talento seja dirigido em benefício do Reino de Deus. Entre essas organizações, está a do "Círculo de Oração", de efeitos tão salutares. São muitas as atividades que podem exercer: visitas, oração, aconselhamento, assistência social, evangelização de senhoras (quando impossível ao homem), etc. O pastor que não aproveitar o trabalho das senhoras não sabe quanto está perdendo em seu ministério. Além do mais, exercem grande influência na igreja. A força delas precisa ser guiada! Normalmente constituem maioria na igreja. Também dominam pelas qualidades sentimentais. Por natureza, são muito mais delicadas do que os homens; sacrificam-se mais para assistirem às reuniões, são mais assíduas aos cultos. Revelam mais interesse que os homens nos trabalhos da igreja. Naturalmente, há exceção. Pensemos em o que seria de uma igreja no que diz respeito a sua ornamentação, nos seus cânticos, nas suas reuniões, sem as senhoras! Seria um deserto, um salão sem estética, um corpo sem alma, uma alma sem inspiração e sem alegria e entusiasmo. Muito devem os pastores às senhoras. Deus abençoe as santas mulheres que enchem as nossas igrejas!

3 Do Ministério do Ensino na Igreja

O ministério do ensino tem lugar de destaque na Grande Comissão: "Ide por todo o mundo e pregai o evangelho a toda criatura" (Mc 16.15). "Ide, portanto, fazei discípulos de todas as nações [...] ensinando-os a guardar todas as coisas que vos tenho ordenado" (Mt 28.19,20, ARA). É ordem do Mestre que saiamos a ensinar o povo, antes e depois do batismo.

Os primeiros discípulos obedeceram implicitamente à ordem de ficar em Jerusalém até receberem o batismo do Espírito Santo, para poderem trabalhar revestidos da virtude do alto. A partir daí, "todos os dias, no templo e de casa em casa, não cessavam de ensinar e de pregar Jesus, o Cristo" (At 5.42, ARA). Esse trabalho é registrado em todo o livro de Atos, até o último versículo: "ensinavam os cousas referentes ao Senhor Jesus Cristo" (At 28.31, ARA). Deus estabeleceu, na sua Igreja, apóstolos, profetas e mestres; depois disso, outros dons como o de milagres, curas, auxílios, governos e línguas (Rm 12.7; Ef 4.11). O Senhor proveu dons distintos do Espírito Santo que qualificam e equipam aqueles que Ele nomeou como ensinadores na igreja. Este é o padrão a ser seguido por qualquer igreja local cheia do Espírito do Senhor. É tão vasto o campo do ensino que um homem só não pode, mesmo na igreja local, desempenhá-lo sozinho. O Espírito de Deus é o grande Mestre. O batismo no Espírito Santo é essencial para isso. Compete ao pastor supervisionar o currículo usado nos vários setores de ensino da igreja, de modo a que não haja repetição inútil e sim cuidadosa harmonia entre eles.

4 Da Importância do Treinamento para Professores

O pastor não deve pensar que todos os problemas de ensino estejam resolvidos por escolher professores para todas as classes. Deve haver treinamento cuidadoso e sistemático para professores de escola dominical e obreiros em geral. O conhecimento da Bíblia é a preparação fundamental. As grandes doutrinas das Escrituras devem ser-lhes ensinadas. A distinção de tratamento entre crianças e jovens, nos diversos níveis de idade, é de grande valor para o futuro ensinador. Se possível, deve haver cursos para professores da EBD e série de estudos bíblicos constantes e sistematizados para todos os obreiros e candidatos, além de cursos de formação de obreiros, se a igreja tiver condições (institutos bíblicos, escolas teológicas, etc.).

5 Do Pastor como Professor-mor

Na qualidade de líder e exemplo da equipe de professores da igreja, o pastor figura como professor principal: nos cultos, nas mensagens ou sermões públicos, na Ceia do Senhor, na EBD, no treinamento de obreiros. Se o pastor puder reunir todos os professores uma vez por semana, é bom.

6 Do Modo e Tempo do Ensino

Uns acham que as crianças são pequenas demais para saberem o que fazem. Lemos: "A quem, pois, se ensinaria o conhecimento? E a quem se daria a entender o que se ouviu? Acaso aos desmamados, e aos que foram afastados dos seios maternos?" (Is 28.9). Isso significa que a criança pode ter iniciação educacional a partir de quando deixa o seio materno. É nos joelhos da mamãe, do papai, que as crianças aprendem a conhecer a Deus! Os bebês podem ser instruídos no rol do berço, nas classes dos principiantes. Como? A palavra de Deus diz: "Porque é mandamento sobre mandamento, mandamento e mais mandamento, regra sobre regra, regra e mais regra: um pouco aqui, um pouco ali" (Is 28.9-10). Isso quer dizer que a repetição até mesmo monótona de pequenas porções da verdade bíblica deve ser continuada até que a Palavra crie raízes nos corações infantis.

7 Do Departamento de Escola Dominical

A igreja e a escola dominical estão sob a direção e orientação do pastor. A Casa Publicadora das Assembléias de Deus tem um departamento especializado sobre assuntos da Escola Dominical que assessora bem as igrejas sobre suas atividades: literatura planejada e especializada, cursos de especialização de professores, preparação de professores da EBD, lições para todas as faixas etárias, campanhas de esclarecimentos, até nas capas das revistas ou lições bíblicas. A Escola Dominical não é mais uma organização da igreja, mas uma instituição.

a) A escola dominical dá ao pastor da igreja o primeiro lugar, como não poderia deixar de ser, pois é ele a primeira pessoa humana na igreja.

b) A EBD tem como fim o estudo sistemático da Bíblia, ano após ano, pelo menos em seus pontos vitais, em suas doutrinas fundamentais e caracteres mais essenciais. As lições são preparadas para todos os níveis culturais, até para os mais humildes.

c) Tem por finalidade, ainda, trazer almas a Cristo, pois é por meio dela que muitas pessoas aceitam Jesus Cristo como Salvador.

d) A EBD exige conhecimentos pedagógicos e observação psicológica muito atenta.

e) O pastor deve estar integrado à EBD. Deve ser o seu guia, consultor, diretor, inspirador, o professor dos professores, o professor de qualquer classe e um dos alunos mais dedicados.

f) A escolha do corpo docente deve ser feita com muito cuidado. A eficiência da EBD está no seu corpo docente, que é o grupo de obreiros que se coloca à frente das classes para ensinar aos alunos a Palavra de Deus. Se eles não sabem, não entendem, não impressionam, o trabalho não é profícuo; é quase inútil. Mas se os professores são crentes fervorosos, se estudam as lições, se assistem às classes para professores, caso haja, se têm vida de oração e amam a Cristo e a obra, o trabalho da EBD terá efeito positivo em todos. É esta a questão mais difícil na orientação para a escola dominical. O professor precisa ser assíduo e responsável.

g) Outro problema sério é a assiduidade e freqüência. Os alunos são voluntários, nada pagam, mas são levados pela amor à

Palavra de Deus. Daí serem poucos os alunos assíduos. Alguns deles chegam a vir uma vez no mês e até no trimestre. Além desse descaso, não estudam a lição. A mocidade pouco lê a Bíblia e pouco estuda as lições dominicais, e muito menos as diárias. É um repto ao pastor para conseguir remover a má vontade. Os planos de torneios de prêmios, de quadros de honra, de bandeiras, tudo tem falhado e falha. O ideal é conseguir inspirar dever e amor. Às vezes, isto se torna um pesadelo para o servo de Deus que deseja ver a escola de sua igreja prosperar.

h) Outro problema é a de equipamento. Este leva o obreiro a pensar, planejar para resolver o problema com sabedoria e eficiência. Isto implica finanças, e há casos em que a igreja não suporta mais despesas. Assim, as despesas relativas ao material necessário para os trabalhos didáticos (tais como quadro-mural, flanelógrafos, mimeógrafos, máquina de escrever, copiadora, etc.) vão ficando para trás.

i) Cabe ao pastor da igreja a orientação e coordenação de todas as atividades e organização da EBD, da assiduidade de alunos e professores, mesmo porque há professores que são mais relapsos que os alunos. Quanto maior a igreja, mais problemas tem o pastor, e obviamente com a EBD. Portanto, o pastor tem estes três problemas difíceis para resolver: corpo docente eficiente, equipamento adequado e assiduidade de professores e alunos. O que conseguir estes três quesitos é um vitorioso.

8 Do Departamento Musical

Tanto na educação musical quanto na cristã, um requisito central é a consciência do desenvolvimento físico, cognitivo e emocional do indivíduo, em cada idade. As crianças em idade pré-escolar têm capacidade física apenas limitada de produzir sons, capacidade espacial-temporal limitada de perceber imagens para identificar altura das notas e ritmos, e percepção restrita de si próprias como pessoas e de Deus. As experiências em educação de coros (tanto musical quanto teológica) precisam e devem contribuir para unir capacidade e interesse em cada idade, desde a pré-escolar até à adulta.

Os princípios seguintes se aplicam especialmente à educação musical e precisam ser levados em conta pelo musicista da igreja:

a) Algum aspecto de qualquer coisa que valha a pena saber pode ser ensinada a qualquer idade. No desenvolvimento musical, é prudente começar tão cedo quanto possível, preferencialmente na idade de quatro ou cinco anos.

b) Há uma expectativa lógica de realização em conhecimento musical e da capacidade de execução em cada idade. Todavia, cada nível precisa ser aprendido antes do passo seguinte.

c) Varie a forma de apresentação de atividade para atividade, de ensaio para ensaio.

d) Trabalhe no sentido de conseguir o envolvimento dos pais (e especialmente a sua compreensão) no processo educacional.

e) Faça planos a longo prazo, com antecedência de pelo menos seis meses.

8.1 A idade pré-escolar

A atividade musical na igreja deve começar com crianças de quatro a cinco anos. Na verdade, as crianças não distinguem nesta idade um cântico do ato de falar. A criança começa a desenvolver um senso de ritmo através de pequenas músicas. Tem sido dito que a criança tem duas vozes: uma para falar (e gritar) e outra (muito mais leve) para cantar.

8.2 A idade primária

A criança do primário continua a combinar alturas musicais, porém usando uma gama mais ampla. Depois de experimentarem a organização do ritmo, elas podem aprender a dar-lhe um nome, e até a reconhecer a notação correspondente. Nessa idade, as crianças podem perceber as diferenças de coloração tonal dos vários instrumentos, e isto pode ajudar a apresentá-las à aparência dos instrumentos (como uma flauta, os tímpanos, um órgão ou piano). Esta é uma idade de raciocínio claro.

8.3 A idade júnior

Alguns musicistas da igreja acham que essa faixa etária, dos 9 aos 11 anos, é a mais empolgante de se trabalhar. Elas não são mais criancinhas, mas meninos e meninas. Os juniores são capazes de experimentar uma adoração pessoal a Deus. Por isso, e porque seu potencial musical está crescendo tão rapidamente, eles ocasionalmente podem guiar a congregação em uma breve experiência musical de adoração como "Coro Júnior". Isto sugere que eles podem e devem ter consciência da função da música na adoração. As crianças desta idade podem começar a cantar os hinos históricos; o líder deve explicar apenas a mensagem básica da letra, sabendo que particularidades podem ser fornecidas posteriormente.

Musicalmente, os juniores têm aumentado seu potencial de execução. Eles podem distinguir e reproduzir alturas musicais que são razoavelmente afinadas; eles conseguem cantar melodias.

A voz infantil pode alcançar a sua melhor forma nesta idade. Ela pode cobrir uma ampla gama de alturas tonais com muitos contrastes dinâmicos, desde que o volume não seja forçado. Esta idade pode aprender que a respiração e a postura corretas podem contribuir para as condições que propiciam boa entonação e afinação.

8.4 Os adolescentes

Faz-se mister que nesta idade a experiência musical seja positiva, a fim de que a criança seja aproveitada para o programa coral e para a igreja. Os problemas encontrados neste período de transição entre a infância e a maturidade são físicos. Coisas estranhas e maravilhosas estão acontecendo ao corpo, e particularmente à voz. Embora tanto meninos como meninas tenham uma "mudança de voz", a experiência dos meninos é mais traumática. De repente, ele não pode controlar o seu cântico, e os seus esforços resultam em uma voz que parece de falsete. Pode ser que o fato de muitos homens não cantarem na igreja seja o resultado do seu embaraço em tentar cantar quando estavam na puberdade. É imprescindível que o rapazote entenda que este é um fenômeno inteiramente normal, e que a sua nova voz pode ser mais rica e mais plena do que a anterior. Hoje, grande parte dos peritos concorda que ele deve ser encorajado a cantar durante toda a mudança da voz. Na verdade, esse período será curto, e pode parecer mudar de uma semana para outra. Grande parte da música cantada por essa faixa etária compõe-se de uma, duas ou três partes; na terceira parte, a "voz mutante" pode passar para o contralto ou o barítono (tenor).

O adolescente é também inteligente e esperto na assimilação de melodias. Os seus ouvidos musicais são afiados e a sua capacidade de duplicar tons complicados é fantástica. Eles se cansam com facilidade, tanto em relação à voz quanto ao corpo. Eles devem ser encorajados a cantar sem forçar, usando vocalizações que aumentem o alcance e sua escala musical pouco a pouco.

Este grupo pode entender plenamente a função da música na adoração e deve contribuir para os cultos com seu cântico.

8.5 Os jovens

Se o grupo de adolescentes é o que apresenta mais desafios e dificuldades para o trabalho, o dos jovens pode ser o mais recompensador. Mentalmente, esses moços estão no apogeu. Vocalmente, eles estão quase adultos. Se os ministros de música lhes derem a oportunidade de cantar com voz um pouco mais leve do que as pessoas inteiramente adultas, usando música que seja um pouco menos exigente em termos de variação tonal (tanto de tons altos como baixos), esta idade pode ter um desempenho verdadeiramente empolgante e artístico.

Agora que o corpo está plenamente desenvolvido e a coordenação física está em seu mais alto nível, os jovens podem aprender ritmos bem complicados.

Os interesses musicais desta faixa etária são amplos. Os jovens gostam muito de participar e tocar toda sorte de instrumentos (orquestrais, populares — como guitarras, bateria e outros instrumentos de percussão), dirigir o cântico, ou serem auxiliares do regente do coro, orquestra, banda musical, etc.

8.6 Os adultos

A educação musical da igreja não pára na mocidade. Se há validade nas atividades dos departamentos musicais da igreja, da escola, do conservatório, obviamente muita coisa mais deverá ser aprendida pelos adultos no coro da igreja. O desenvolvimento vocal — boa entonação produzida por uma fonação e um apoio adequados — continua. A musicalidade — entonação, ritmo, articulação em contraposição com o cântico "legato" (ligado), o controle dinâmico, dicção, fraseologia — é o alvo constante do coro adulto.

O coro principal também pode precisar de renovação em termos de motivação. Muitos adultos jovens saem do programa do coro, embora estivessem ativos quando crianças e jovens. Alguns continuam a participar, mas se esqueceram, ou possivelmente jamais aprenderam qual é o significado do seu serviço à igreja e cantam simplesmente porque gostam de fazê-la. O chamado para desenvolver os nossos dons musicais a Deus (são na forma imperfeita em que os recebemos, mas desenvolvidos e refinados) é uma vocação que precisa ser sempre relembrada no coro de adultos e em outros segmentos musicais da igreja.

9 O Poder da Música

Muitas são as argumentações para se substituir os hinos realmente inspirados por músicas que mexem mais com o corpo do que com o espírito, que exaltam mais os músicos do que a Deus. Tais músicas criam no culto um ambiente próprio de salão de baile.

Costuma-se dizer que toda música é divina, e que Satanás se tem utilizado atrevidamente dela para alcançar seus fins. Podemos afirmar, pelas Escrituras, que Lúcifer possui sua própria capacidade musical, usando-a para inspirar as músicas que o mundo canta.

Quanto à origem satânica, a questão é: o príncipe das trevas, Lúcifer, entende de música? A Bíblia diz claramente que ele vivia numa posição ímpar diante de Deus. "Estavas no Éden, jardim de Deus [...] a obra dos teus tambores e dos teus pífaros estava em ti; no dia em que foste criado foram preparados" (Ez 28.13). Temos portanto, dados que mostram que Lúcifer vivia em meio à música, e que os tambores e pífaros foram preparados para ele. Isso nos leva a concluir que Satanás pode se utilizar de algo de que entende muito bem, como a música, para atrair muitos adeptos a si; que ele pode ser, também, a fonte de inspiração de muita música que é tocada hoje no mundo e nos chega através dos meios de comunicação; e que está utilizando sua sabedoria musical para confundir os cristãos na adoração a Deus.

É certo que, quando o povo de Deus levar mais a sério a responsabilidade de viver uma vida na plenitude do Espírito, as fantasias das músicas de configuração profana, com teor exibicionista e de caráter mercantilista serão substituídas pelos hinos de louvor a Deus e cânticos espirituais.

Nem todo cântico é hino, mas todo cântico no culto deve ser espiritual. Isto requer zelo tanto na composição quanto na escolha adequada para o momento do culto. Esta é uma exigência bíblica: "Que farei, pois? [...] cantarei com o espírito, mas também cantarei com o entendimento" (1 Co 14.15). Quando isto acontecer, só Deus receberá a glória.

A música é parte importante na vida do pastor ou pregador do evangelho. É parte de sua missão. É importante que o pastor saiba um pouco de música.

a) Quão bom é que o pastor saiba música e saiba cantar! Se ele não sabe, e não tem facilidade de cantar com disciplina, encontra sempre uma barreira em suas atividades cúlticas. Se é desentoado, é muito pior. É ruim o ministro anunciar o hino e ele mesmo não ter noção nenhuma de música! Ele mesmo destrói a beleza da harmonia do cântico. A coisa se agrava mais quando o sistema de som da igreja propaga mais os desvios além do volume irritante de voz.

b) É conveniente que o pregador, pastor ou pessoa que dirige culto, não sabendo música ou não tendo o dom de cantar relativamente bem, escolha sempre no culto pessoa que entoe bem os hinos, que comece o cântico de cada hino para guiar a congregação a cantar com entusiasmo e fervor. Deus sempre supre nossas necessidades, levantando na igreja irmãos que gostam e querem cantar para completar a deficiência que por acaso tenhamos. Melhor é que a igreja possua órgão, piano, orquestra ou banda, com pessoas altamente habilitadas para tocar e fazer parte do mesmo departamento de música.

10 A Música Instrumental

As formas tradicionais de se usar o órgão ou piano na adoração evangélica são estas:

a) Dirigir o cântico da congregação;

b) Acompanhar o coro, conjuntos e solos;
c) Tocar interlúdios ou "música de fundo"; e
d) Tocar música instrumental ou peças de solo, ou em conjunto com outros instrumentos.

11 A Música e o Louvor

A música e o louvor produzidos e executados sob a direção do Espírito de Deus são uma poderosa arma de nossa milícia espiritual (2 Co 10.4). Josafá, ao entrar em guerra contra os filhos de Amom, Moabe e os das montanhas de Seir, colocou à frente de seus exércitos cantores que verdadeiramente cantavam e louvavam ao Senhor. O povo de Deus recebeu esta grande vitória cantando e louvando seu grande e poderoso nome (2 Cr 20.20-22).

Temos de trazer ao Senhor um louvor cheio de gratidão vindo dos nossos corações (Cl 3.16). Não podemos apresentar-nos perante o Senhor com fogo estranho, como fizeram Nadabe e Abiú (Lv 10.1-3). Deus não aceita culto que não tenha a sua Presença.

12 Da Música na Igreja

A música faz parte do sistema de adoração na igreja do Senhor Jesus Cristo. O cântico congregacional, o coro, números vocais especiais, orquestra, banda de música, conjuntos, números instrumentais, quartetos sob orientação dos respectivos maestros, ou outras pessoas para isso capacitadas, são atividades muito importantes na vida da igreja local. Dependendo do tamanho da igreja, poderá ser criado um departamento coordenador dessas atividades. Se a igreja for grande, de preferência um professor de música ou maestro, bem crente, de vida consagrada, compreensivo e submisso ao ministério e à vontade de Deus, deve dirigir esse departamento. O ministério musical é tão santo quanto qualquer outro. O cântico dos lábios agrada a Deus quando vem de um coração puro.

Digno é o Senhor de todo o louvor.

13 Do Cântico Congregacional

Se o cântico congregacional é a única música eclesiástica indispensável, segue-se que dirigir esse cântico é uma atividade musical muito importante. Estou convencido de que isso é feito melhor por uma execução apropriada de órgão ou piano. Não é possível a congregação ficar olhando constantemente para um dirigente de cânticos, e ao mesmo tempo ler a letra dos hinos e dar a devida atenção ao seu significado. Embora o coro também dirija os hinos, na maioria das igrejas esse grupo é tão pequeno (e a acústica é tão imprópria) que ele não pode ser ouvido quando a congregação está cantando. Por essa razão, creio que deve-se permitir que o órgão ou piano cumpra a sua função histórica: tocar de maneira a propiciar o impulso de altura e ritmo suficiente, de forma que a congregação se sinta "levada" em seu cântico. O primeiro requisito é um bom instrumento, adequadamente instalado em um bom ambiente acústico. O segundo é um(a) competente organista ou pianista que use os registros e articulações adequadas e empregue técnicas válidas para controlar o tempo, a dinâmica e o ritmo.

Normalmente, todas as melodias de hinos "padrão" devem ser tocadas sem flutuação de tempo, e a introdução deve estabelecer claramente o ritmo a ser seguido. A estrofe final de um hino pode ser tocada com um ritmo um pouquinho mais lento, e a última frase deve provavelmente ter uma cadência marcante, diminuindo.

14 Da Relação da Música com a Profecia

Talvez muita gente fique surpreendida ao notar que Davi e os capitães separaram para o culto aqueles que soubessem profetizar com a harpa, com o alaúde e com címbalos (1 Cr 25.1). O dom de profecia sempre esteve associado às palavras de edificação, exortação e consolo (1 Co 14.3). As línguas estranhas e sua interpretação equivalem à profecia (1 Co 14.5). O dom de profecia aparece com grande freqüência nas narrativas do Antigo Testamento, bem como na Igreja. A Palavra nos ensina que o uso dos instrumentos pode ser tanto inspirativo que a elevaria ao próprio nível da profecia. Como pode tornar-se importante a música instrumental! Quanto perdem as igrejas que eliminam do culto toda a música instrumental!

Enquanto são executados os números musicais, embora sem palavras, mas sugeridas pela melodia e harmonia, podem produzir louvor e adoração nos corações. Leiam-se 1 Crônicas 16.4-6 e 2 Crônicas 5.12-14.

15 Do Coro ou Coral

O coro é formado pelo seu regente, um assistente, um professor de técnica vocal, uma organista e/ou uma pianista, das pessoas masculinas nas vozes de tenor, barítono, baixo (do agudo para o grave) e femininas: soprano, meio-soprano e contralto (do agudo para o grave).

Ninguém deve pensar que é arbitrária e antibíblica a existência de coro na igreja. Ao contrário, Davi organizou o coro do Templo (1 Cr 16.4), procurando especialistas para aperfeiçoá-lo (2 Cr 5.12-14). Há precedente até para a uniformização e a cor branca.

É outra importante relação do pastor com o cântico. Trata-se de uma organização. O coro na igreja cria dois problemas: o dirigente e o papel do coro no culto. A questão de direção não é fácil. O pastor não pode ser violento nem imprudente. Precisa ter psicologia e paciência. Por outro lado, o dirigente tem motivos para aborrecimentos e contrariedades. Pode ser isto por falta de constância de assiduidade e competência dos coristas. E isto reflete na ordem moral. O coro está ligado ao pastor; é órgão auxiliar do pastor. Para desempenhar bom papel na igreja, precisa ir bem e possuir bom dirigente. Se o pastor achar, parabéns!

a) É difícil o pastor achar um bom maestro para o coro. Tem de ser crente!

b) Outro problema é o coro como tal. Os componentes, o tempo para ensaios, a natureza dos hinos, as ocasiões de cantar, a ordem, o respeito, a reverência nos cultos, a boa vontade, o zelo, o sacrifício, tudo merece estudo e acerto. Feliz é a igreja e o pastor que conseguirem resolver tais problemas.

c) O coro tem um lugar de honra e de destaque no culto e no louvor a Deus, bem como na pregação. O coro inspira a congregação, anima o pregador, desperta sentimentos nobres e sublimes no culto cristão quando tudo se faz sob a orientação do Espírito de Deus e para glória do Senhor. A atividade do coro no louvor traz almas aos pés de Cristo, pois ao entoar um hino parece abrir o céu aos nossos ouvidos. Portanto, seus membros devem ser crentes, com dirigente crente consagrado que se empenhe na beleza do culto e na pregação. O coro e o maestro devem ter como preocupação principal louvar a Deus. Vida santa e pura deve ser o padrão de cada corista. O corista deve portar-se no culto com muita reverência, não saindo durante o culto, ou pregação (muito menos), nem conversando em nenhum momento. Coral não é para exibição de voz mas para exaltação do Senhor Deus e seu Filho Jesus.

16 Técnica Vocal

O regente deve saber usar sua voz e conhecer as possibilidades vocais para que saiba exatamente o que pedir, o que corrigir numa emissão errônea, e que sons extrair de seu grupo.

17 De Hinos Especiais

No que respeita a hinos especiais, o mais especial de todos é aquele mencionado em 1 Coríntios 14.15: "...cantarei com o espírito", referindo-se aos dons do Espírito Santo, principalmente línguas estranhas, interpretação e profecia. O cantar com o espírito, nesse caso, é uma manifestação nitidamente sobrenatural. Que maravilha! Nosso Deus tem o direito de receber de nós o que há de melhor! Que aqueles que cantam hinos especiais considerem essa oportunidade como uma importante e maravilhosa ocasião de representar a congregação inteira nos louvores a Deus. É norma geral em todas as igrejas evangélicas que o cantor incrédulo não possa levantar sua voz para mostrar seu talento no culto. Diz Isaías: "...purificai-vos, os que levais os utensílios do Senhor" (Is 52.11). Devem figurar com hinos especiais, também, os não-oficiais ou avulsos.

18 Da Execução de Acompanhamentos

Quando os organistas ou pianistas acompanham um coro, em certo sentido também o estão "regendo". Sem dúvida, as decisões musicais são feitas pelo regente, mas um(a) organista ou pianista perito, pelo uso de registros apropriados, articulação, dinâmica e ritmo devidos pode ajudar o maestro a controlar a reação do coro. Sobretudo, os registros do órgão e o piano devem complementar o grupo ou os solistas, dando apoio suficiente e assumindo o seu devido papel no conjunto.

Alguns músicos se esquecem de que tocar alto demais não é o único pecado do acompanhador; tocar baixo demais é igualmente errado!

19 Acompanhamentos Orquestrais Gravados

Mais um assunto precisa ser mencionado. Nos últimos anos, tem se tornado costume de os publicadores fornecerem uma gravação totalmente profissional dos novos musicais, e até de antenas, com objetivos promocionais. Além disso, o acompanhamento orquestrado é posto à venda em uma "trilha sonora" em fita play-back e pode ser usada para acompanhar o grupo que canta em apresentações públicas.

Do lado positivo, precisa ser dito que a qualidade de execução dessas fitas de acompanhamento é bastante elevada; podem estabelecer um padrão para uma melhor execução instrumental para os jovens músicos da igreja.

Ao mesmo tempo, precisamos perguntar se esse costume ajuda a verdadeira adoração dos crentes-sacerdotes individualmente, ou se ele contribui para lisonjear o espectadorismo.

O próximo passo pode ser o culto todo vídeo-gravado com pregação e cântico mais talentosos! Mas é claro que isto já está sendo feito, e parte da congregação fica em casa para assistir o "desempenho" resultante da "igreja eletrônica" na televisão!

Insisto em que não é bom usar acompanhamentos gravados em fita, se há o mesmo talento à disposição da congregação ou da comunidade. Mesmo quando se concorda geralmente em que eles prestam uma contribuição digna, o seu uso deve ser cuidadosamente controlado. De outra forma, haverá pouco incentivo para o desenvolvimento de musicistas que toquem instrumentos na igreja.

20 Da Modéstia do Ministro

Paulo diz: "Porque não pregamos a nós mesmos, mas a Cristo Jesus como Senhor" (2 Co 4.5). Se não nos cabe pregarmos a nós mesmos, também não devemos nos exibir no talento da pregação. Não devemos ter nenhum tipo de exibicionismo no cântico sagrado ou em qualquer outra atitude no culto, na adoração ou pregação. Tudo deve ser feito para glória de Deus.

21 Do Pastor e as Crianças

As crianças estão ligadas à igreja não pelo batismo, mas pelo laço de família; não são membros, mas estão debaixo de seu cuidado e responsabilidade. Há fases das crianças na escola dominical, o departamento próprio de ensinar a Palavra de Deus, e assim as crianças são instruídas no caminho da vida. Sendo o pastor o líder da igreja e da EBD, é ele o guia neste caso, para promover tudo que contribui para que o estudo e o ensino sejam eficientes e convenientes, quer pelo provimento de equipamento para as classes, quer escolhendo os professores das crianças.

a) As crianças podem ser organizadas em termos de sociedade. Isto as prepara para os trabalhos da igreja e sua missão, pois essas sociedades se ocupam com missões e contribuições, e as crianças se identificam e podem ser treinadas na obra da comunidade. As crianças podem ser treinadas em âmbito de tesouraria, secretaria (dependendo de idade), direção de grupos de visitas e evangelização, no falar em público e cantar em auditório. Além de ser uma atração constante, faz com que a criança crie amor pela igreja e isto suscita a noção do dever.

b) Temos de considerar ainda o trabalho espiritual, o interesse na salvação das crianças pela fé em Jesus. Neste caso o pastor tem relação muito íntima com elas; é o seu dever orar por elas, falar-lhes de Cristo e da salvação, pregar-lhes o evangelho, e levá-las a pensar em aceitar o Salvador Jesus o mais cedo possível de sua vida.

c) O pastor precisa conquistar a simpatia e confiança das crianças. É tão grande essa influência que quando elas gostam e respeitam o pastor, refletem isso em seus brinquedos. Querem pregar como ele, querem andar como ele, algumas se dizem o pastor e fazem sua congregação. O pastor está na mente e no coração delas. Quando ele as visita, elas se sentem felizes, são as que mais correm para avisar a mamãe de que o pastor está ai. Tem havido casos de pastores serem tão rudes com as crianças que levam essas, em idade tão tenra, a aprender a falar mal do pastor, criticar seus modos, seus sermões. Mais tarde, vão criticar o ordenado que a igreja dá ao pastor e tantas outras coisas malévolas.

d) Os pais devem ser orientados, ensinados pela Palavra de Deus a não falarem mal do pastor. Além de ser pecado, é péssimo costume e reflete mal perante os filhos, que vão aprender o mau exemplo. Os filhos que ouvem os pais falarem mal do pastor, chegam a dizer que é melhor ser tudo no mundo, menos pastor. Com isso, os pais estão impedindo que os filhos sejam no futuro pregadores do evangelho, bem como estão prejudicando a difusão do evangelho de nosso Senhor Jesus Cristo.

É possível se propor plano de organização para trabalho com crianças (até 13 anos):

- oferecer programa de treinamento cristão para os meninos;
- oferecer um sistema interessante de postos, pelo qual os meninos podem crescer no conhecimento da Bíblia e das missões;
- oferecer aos meninos durante a semana atividades recreativas sadias e morais; e
- oferecer nas férias um programa de visitas a zoológicos, museus, obras de arte ou excursão com programa recreativo e educativo.

34

Da Igreja como Templo de Adoração

1 Da Presença de Deus entre os Homens

Desde o princípio, Deus tem desejado descer e habitar entre os homens. Na viração do dia, o Senhor vinha ao jardim para comunicar-se com Adão e Eva, a fim de que pudessem gozar da comunhão com Ele. O Senhor também apareceu a Abraão no calor do dia, revelando seu propósito a respeito de Sodoma e Gomorra.

Quando os filhos de Israel saíram do Egito e se acamparam no monte Sinai, Deus lhes disse por intermédio de Moisés: "E me farão um santuário, e habitarei no meio deles" (Êx 25.8). Construído o santuário, o Senhor o encheu de sua glória.

Semelhantemente, quando o Templo de Salomão foi dedicado como lugar onde o Senhor podia habitar entre o seu povo, a glória do Senhor brilhou de tal modo que os sacerdotes nem podiam entrar. Em um dos dias da Festa do Pentecostes, os discípulos permitiram que seus corpos se tornassem santuários do Espírito Santo, e a glória de Deus desceu com tal esplendor que houve manifestações sobrenaturais que acompanharam a sua vinda.

Finalmente, quando a história toda da Bíblia for relatada e o plano divino consumado, uma grande voz saída dos céus, dirá: "Eis aqui o tabernáculo de Deus com os homens, pois com eles habitará, e eles serão o seu povo, e o mesmo Deus estará com eles e será o seu Deus" (Ap 21.3). Essa presença de Deus merece e exige respeito.

Quando fumegava o monte Sinai e Deus descia para entrevistar-se com Moisés (Êx 19.18), Ele não queria que pessoa ou animal tocasse no monte, sob pena de ser morto. Desse modo, nada de familiaridades e irreverências! Deus advertiu repetidamente os israelitas por meio de Moisés que deveriam reverenciar o seu santuário (Lv 19.30; 26.2). "Deus deve ser em extremo tremendo na assembléia dos santos e grandemente reverenciado por todos os que o cercam" (Sl 89.7). Salomão declara: "Guarda ao teu pé, quando entrares na Casa de Deus; e inclina-te mais a ouvir do que a oferecer sacrifícios de tolos, pois não sabem que fazem mal. Não te precipites com a tua boca, nem o teu coração se apresse a pronunciar palavra alguma diante de Deus; porque Deus está nos céus, e tu estás sobre a terra; pelo que sejam poucas as tuas palavras" (Ec 5.1, 2). O templo é casa de oração (Is 56.7; Mt 21.13).

2 Do Perigo do Formalismo

Existem extremos na atitude de reverência que faríamos bem em observar. Um deles consiste em substituir a reverência pelo emocionalismo na adoração. Outro consiste em cair no lado oposto, a irreverência, devido à total falta de respeito. Devemos evitar a capa de piedade. Valem pouco o cerimonialismo e o ritualismo. Não é isto que Deus exige da religião cristã. Tal formalismo é reprovado no Novo Testamento, que é o modelo ao nosso dispor. No entanto, a reação contra esse formalismo, que consiste na adoração orientada pelo Espírito Santo, sem atitudes formais e inflexíveis, em alguns casos tem sido extremada, a ponto de introduzirem o desrespeito e a irreverência na casa de Deus. As conversas de pé-de-ouvido durante o culto, as gargalhadas e conversas antes do culto e depois da bênção final são desrespeitosas à reverência que devemos manter na casa de Deus. O mesmo se diga da permissão de as crianças brincarem enquanto se realiza o culto. Isso é de responsabilidade não só dos pais como também do pastor.

3 Da Qualificação da Casa de Deus

O Salmista diz "Servi ao SENHOR com alegria e apresentai-vos a ele com canto" (Sl 100.2). O mandamento do Senhor é que devemos elevar nossas vozes em louvor (67.5; 92.1; 95.1,2). "Falando entre vós com salmos, e hinos, e cânticos espirituais, cantando e salmodiando ao Senhor no vosso coração" (Ef 5.18-21). Todos os reavivamentos foram assinalados por um vivo e majestoso cântico de todo o povo. Mas, à proporção que a igreja se torna morna e formal, o cântico geral vai sendo absorvido pelo coro, enquanto a congregação relativamente faz silêncio. Que alguém ou o próprio pastor se dedique intensamente à tarefa de inspirar o povo a que cante de modo vivo e espiritual.

4 Da Adoração em Espírito

Já se disse que a adoração é uma arte esquecida e não consiste em estar temeroso da divindade. O respeito pela casa de Deus também não é necessariamente adoração. A adoração é a vibração da alma e o sentir das mais profundas emoções para com Deus, que está no alto e entre nós. É algo pessoal, real, cheio de calor. É esquecer-se de tudo em redor e só depender do amor de Deus. É a certeza da presença de Deus e a reação desse fato que procede do coração, como expressão mais íntima da alma. Jesus ensina à mulher samaritana: "... os verdadeiros adoradores adorarão o Pai em espírito e em verdade; porque o pai procura a tais que assim o adorem" (Jo 4.23). Lembremos do ensino do apóstolo Paulo: "Não extingais o Espírito" (1 Ts 5.19). Quantos crentes e até igrejas têm sufocado a adoração e banido a liberdade ao trabalho do Espírito! As igrejas pentecostais cheias do Espírito muito têm feito nos últimos tempos para recuperar essa arte esquecida. Essas igrejas têm tomado consciência da verdade bíblica: "... onde está o Espírito do Senhor aí há liberdade" (2 Co 3.17). É muito fácil alguém realizar um ritual superficial, repleto de cerimônias religiosas. Não é o que o Senhor quer. O Espírito Santo deve ter a mais completa liberdade de transmitir a bênção aos crentes. Ao povo devem-se dar tempo e condições suficientes para repousar no Senhor e abrir o coração em adoração. O pastor deve ser voz do Espírito Santo ao dirigir o povo em adoração genuína ao Senhor.

5 Do Testemunho Público

As reuniões em classes nas quais as pessoas participam com testemunhos e exortação têm muito valor e se aplicam muito a nossos cultos. Nessas reuniões, dá-se ao povo liberdade para expressar, em poucas palavras, o que o Senhor tem feito em seu favor. É comportamento perfeitamente bíblico. "Digam-no os remidos do Senhor, os que ele resgatou da mão do inimigo" (Sl 107.2, ARA). "Eles, pois, o venceram por causa do sangue do Cordeiro e por causa da palavra do testemunho que deram" (Ap 12.11, ARA). Jesus diz: "Em verdade, em verdade te digo que nós dizemos o que sabemos e testificamos o que temos visto" (Jo 3.11, ARA). São muitos os benefícios advindos do testemunho público, que consiste em confissão com os lábios daquilo que provém da fé e do coração (Rm 10.9,10), conduzindo a pessoa à salvação. O testemunho provê grande encorajamento e inspiração àqueles que o ouvem. O testemunho de um simples irmão ratifica que aquilo que o pregador pregou ou está anunciando é realizável na vida cotidiana. O testemunho pessoal é um dos importantes aspectos do trabalho.

6 Do Exercício dos Dons Espirituais

A assembléia dos santos ou culto público é o lugar apropriado para o exercício dos dons do Espírito. Paulo escreveu aos crentes de Tessalônica: "Não extingais o Espírito. Não desprezeis as profecias" (1 Ts 5.19,20). Aos de Corinto escreveu: "... procurai com zelo o dom de profetizar, e não proibais o falar em outras línguas. Tudo, porém, seja feito com decência e ordem" (1 Co 14.39,40, ARA). "Segui a caridade e procurai com zelo os dons espirituais, mas principalmente o de profetizar" (1 Co 14.1). O exercício desses dons na Igreja de nossos dias faz parte da vontade de Deus tanto quanto em qualquer outra época. A perda desses dons pela Igreja jamais foi desejada por Deus e abriu grande lacuna. Estamos na Dispensação da Graça, *i.e.*, do Espírito Santo ou da Igreja. A Igreja foi inaugurada no dia de Pentecostes e dotada dos maravilhosos dons do Espírito Santo, que continuarão enquanto ela estiver na terra. Deve o pastor zelar por esses dons para que sejam "reavivados" (2 Tm 1.6). Os dons do Espírito Santo são outorgados sempre para fins proveitosos (1 Co 2.7), mas devem ser controlados: "Assim, também vós, como desejais dons espirituais, procurai sobejar neles, para edificação da igreja" (1 Co 14.12). Os dons que visam à edificação da igreja são justamente os que devem manifestar-se no culto. O dom da profecia é destacado como aquele que deve ser desejado acima dos demais (1 Co 14.1-4), mas as línguas e sua devida interpretação equivalem à profecia, conforme é declarado em 1 Coríntios 14.5. Não esqueçamos que o inimigo procura criar, de uma ou de outra maneira, reações a todos os dons. Por outro lado, não há necessidade de qualquer excesso de manifestação de dons nos cultos. Um estudo simples, mas sério, de 1 Coríntios 12, 13 e 14 e observância cuidadosa de seu conteúdo levarão à sã e bela operação dos dons, e contribuirão para a glória de Deus.

7 Da Leitura das Escrituras

É normal nas igrejas evangélicas a leitura pública das Escrituras Sagradas. O pastor lerá sozinho ou fará leitura responsiva. Na opinião de muitos, isso está associado de alguma maneira à formalidade que prevalece em algumas denominações. No entanto, a leitura das Escrituras jamais produzirá formalismo. A leitura da Palavra de Deus, feita com expressão, sentido e reverência, só poderá produzir um saudável benefício espiritual e moral entre os crentes. Era costume em Israel ler a lei na presença do povo (Dt 31.11,12). Jesus procedeu assim na sinagoga (Lc 4.14-22). A prática continuou entre os judeus, conforme lemos em Atos 13.15,27 e 15.21. Uma bênção é invocada para os que lerem o livro de Apocalipse (Ap 1.3). Estão certas as igrejas evangélicas. Só se requer daquele que lê as Escrituras que o faça de toda alma, interpretando o pensamento de modo claro e com sentimento. Faça as Escrituras falarem enquanto as lê e os crentes que ouvem serão abençoados.

8 Da Adoração mediante Dízimos e Ofertas

O recolhimento de dízimos que pertencem a Deus e de ofertas dos crentes faz parte da adoração cristã. Reter os dízimos é correr o risco de tornar-se avarento. Os dízimos devem ser trazidos a Deus regulamente. Nossas ofertas serão aquelas contribuições voluntárias dos nove décimos. Deus os instrui especificamente: "Trazei todos os dízimos à casa do tesouro, para que haja mantimento na minha casa, e depois fazei prova de mim, diz o SENHOR dos Exércitos, se eu não vos abrir as janelas do céu e não derramar sobre vós uma bênção tal, que dela vos advenha a maior abastança" (Ml 3.10). Salomão diz: "Honra ao Senhor com a tua fazenda, e com as primícias de toda a tua renda" (Pv 3.9). Isso é um ato de fé e adoração! Assim como o Senhor Jesus se assentou para observar como o povo lançava suas ofertas, também podemos estar certos de que, ainda hoje, Ele observa não apenas a quantia que depositamos, mas principalmente o espírito com que o fazemos (2 Co 9.7).

9 Da Importância da Pregação no Culto

A vontade de Deus é que, pela loucura da pregação, Ele salve aqueles que crêem (1 Co 1.21). Esse é o principal método pelo qual Deus torna a sua voz conhecida. Quão extremamente importante e santo é o momento e a oportunidade de proclamarmos a sua Palavra. Para esse momento é que toda a vida do pastor esteve em preparação. Está no dever de falar com a autoridade de Deus e do Espírito de Jesus Cristo. Pela pregação da Palavra, o povo é conduzido até a antecâmara do próprio trono de Deus e receberá a plenitude da bênção almejada na reunião, a saber, a própria mensagem de Deus aos seus corações.

10 Dos Resultados da Pregação

Concluído o sermão no dia de Pentecostes, os homens perguntaram a Pedro o que lhes convinha fazer. Instruiu-os o apóstolo a que se arrependessem, e fossem batizados, e receberiam o dom do Espírito Santo. Esse parece ser o precedente divino para a prática que prevalece entre nós, de procurar levar os ouvintes do evangelho à decisão depois de ouvirem a mensagem. Isso é particularidade dos cultos evangélicos. Como Josué desafiou os filhos de Israel: "escolhei hoje a quem sirvais" (Js 24.15) e como Elias exigiu, no monte Carmelo, que o povo deixasse de claudicar entre duas opiniões (1 Rs 18.21), cabe ao pregador de nossos dias desafiar os ouvintes a que se decidam pelo lado de Deus. O procedimento atual consiste simplesmente em convidar os pecadores a levantarem a mão em sinal de aceitação ou a virem à frente, junto ao púlpito, onde cada um confessa seus pecados a Cristo. A palavra "altar", ocasionalmente usada, vem da tradição israelita, onde o altar do sacrifício era o lugar em que se oferecia a vítima, depois de o pecador haver lhe imposto as mãos transferindo seus pecados a seu substituto. Cristo, a nossa páscoa, foi sacrificado por nós. Isto dá ao pecador oportunidade de confessar publicamente que precisa de Jesus Cristo. Possibilita igualmente a santa assistência espiritual que os remidos fervorosos tanto anelam prestar aos carentes que buscam ao Senhor. O altar não é só para pecadores que se decidem. É também lugar para crentes e novos convertidos se prestarem para que sejam cheios do Espírito Santo e curados das enfermidades. É lugar de renovação espiritual e solução de problemas mediante oração da fé. Um período de espera pública e coletiva no Senhor, em oração e louvor, será sempre de grande benefício espiritual para o povo de Deus. Os resultados são excelentes.

11 Dos Anúncios

É comum nas igrejas evangélicas serem dedicados alguns momentos para chamar a atenção do povo para os trabalhos da semana ou do dia. Tais anúncios devem ser incisivos, claros e breves. Devem-se evitar as exortações nesse momento. Algumas igrejas costumam fazer avisos por meio de boletins. Não se deve cansar o povo.

Apêndice

DIREITOS E OBRIGAÇÕES DO MINISTRO DO EVANGELHO

Direitos dos Ministros do Evangelho de nosso Senhor Jesus Cristo

1) Fiscalizar a obra e seu funcionamento;
2) Ser líder de seus cooperadores ou auxiliares e membros da igreja;
3) Estar sempre à frente de todas as atividades da igreja;
4) Ter cultura condizente com sua posição;
5) Não ser analfabeto;
6) Ter cultura específica boa;
7) Dirigir os cultos de sua igreja regularmente;
8) Participar de todas as reuniões oficiais e outras, quando necessário;
9) Promover reuniões de oração, consagração, doutrina, ensino, avivamento e outras;
10) Participar das convenções de que fizer parte;
11) Relacionar-se bem com ministros e obreiros do ministério geral ou local;
12) Relacionar-se bem com ministros e igrejas de outras denominações;
13) Ter bom relacionamento com o corpo de presbíteros, diáconos e cooperadores local e geral;

14) Ter estado civil regular de sua escolha (solteiro, casado, viúvo);
15) Relacionar-se bem com as autoridades federal, estadual ou municipal;
16) Ir e vir e expressão;
17) Formar cooperadores;
18) Promover a preparação de auxiliares;
19) Promover substituição imediata de cooperadores para evitar males maiores à obra;
20) Apurar acuradamente todos os casos de disciplina em sua igreja;
21) Promover cursos bíblicos de férias;
22) Promover escolas bíblicas, se a igreja tiver condições;
23) Incentivar todos à freqüência aos cultos e atividades da igreja;
24) Destinar dias especiais para doutrina semanal e mensal;
25) Destinar dia especial para celebração da ceia do Senhor;
26) Destinar reuniões periódicas para obreiros da igreja;
27) Não aceitar acusação infundada;
28) Não aceitar falatórios levianos contra companheiros, auxiliares ou membros da igreja;
29) Organizar calendário anual de atividades da igreja;
30) Cuidar bem da própria saúde e dos seus;
31) Não exigir demais do próprio corpo ou da mente;
32) Orientar auxiliares sobre os cuidados pessoais e familiares;
33) Inviolabilidade de seu lar;
34) Respeito pessoal, funcional e à família;
35) Entrar em contato com as autoridades locais em passagem ou assunção de cargos;
36) Comunicar às autoridades locais a assunção ao pastorado da igreja;
37) Orientar auxiliares e membros da igreja sobre assuntos cívicos;
38) Não permitir discussão de membros de outras igrejas no templo;
39) Celebrar solenidades religiosas em sua circunscrição;
40) Orar por enfermos ou ungir doentes que assim desejarem;

41) Promover atividades de assistência social;
42) Convocar auxiliares para as reuniões de cooperadores;
43) Promover trabalhos especiais com crianças, jovens e senhores;
44) Promover trabalhos especiais com as irmãs do Círculo de Oração;
45) Promover encontro ou congresso com a mocidade local ou setorial;
46) Presidir reuniões ou assembléias da igreja;
47) Promover trabalhos de reconciliação;
48) Promover trabalhos de evangelização ou a favor de desviados;
49) Difundir a boa literatura e incentivar a cultura;
50) Orientar os crentes no sentido de observarem os preceitos legais;
51) Manter secretaria, tesouraria, arquivo e biblioteca da igreja;
52) Criar e manter tantos departamentos quantos sejam necessários na igreja;
53) Prover biblioteca e meios de comunicação para o gabinete pastoral;
54) Prover sistema de segurança para a igreja (contra furto, incêndio e inundação);
55) Prover sistema de segurança a veículos, especialmente da igreja;
56) Prover assistência médica durante os cultos;
57) Prover sistema de expediente diário, e plantão fora do expediente;
58) Fiscalizar o cumprimento das normas e compromissos da igreja;
59) Prover assistência jurídica para a igreja;
60) Fiscalizar e controlar arquivamento de documentos patrimoniais da igreja;
61) Criar sistema de auxílio a ministros e famílias de ministros;
62) Manter um sistema de comissão de compras e de construção;
63) Orientar ministros sob sua jurisdição a contribuírem para a Previdência;
64) Não admitir como pastor o ministro que não tenha um sistema previdenciário;

65) Organizar um código, estatuto ou regimento interno sobre conduta;
66) Nomear comissão altamente qualificada para resolver problemas de obreiros;
67) Manter cadastro dos obreiros da igreja;
68) Manter endereço das igrejas de seu campo, da denominação e de outras;
69) Preparar, separar, reconhecer obreiros com a igreja, ministério ou presbitério;
70) Não declinar de sua autoridade de ministro do evangelho;
71) Impor-se pela moral e pela vida digna;
72) Cooperar e incentivar a cooperação com a SBB, e convenções;
73) Cooperar para o crescimento da editora da denominação;
74) Dar assistência espiritual, moral e financeira a auxiliares;
75) Dar assistência a obreiros em serviço nas missões;
76) Manter controle de móveis, utensílios e equipamentos da igreja;
77) Manter rigoroso controle sobre instrumentos da igreja;
78) Manter permanente trabalho de evangelização;
79) Manter, dentro das possibilidades da igreja, evangelização por rádio, televisão ou outros sistemas de comunicação;
80) Manter distribuição de literatura evangélica;
81) Não permitir que sua família ou de companheiros venham se imiscuir em assuntos do ministério ou de obreiros (a menos que sejam obreiros também);
82) Não aceitar candidato ao ministério pelo fato de ser parente influente;
83) Não rejeitar candidato por ser parente seu ou de companheiro;
84) Não permitir perseguição;
85) Só aplicar disciplina punitiva quando o fato o exigir;
86) Orar pelos elementos da Ceia do Senhor sempre que o achar conveniente;
87) Emitir credencial para obreiros;
88) Dar carta de mudança ou recomendação a obreiros ou membros da igreja;
89) Dar carta-autorização a visitantes evangelizadores de hospitais, cadeias, etc.;

90) Ser apolítico;
91) Não permitir o uso do altar para promoção política ou outra de quem quer que seja;
92) Apoiar qualquer um, conforme sua consciência cristã.

Deveres dos Ministros do Evangelho de nosso Senhor Jesus Cristo

Os n°s 1, 2, 3, 4, 5, 9, 10, 11, 12, 13, 14, 15, 17, 18, 19, 20, 23, 25, 27, 28, 30, 34, 38, 39, 40, 41, 42, 46, 54, 58, 66, 71, 72, 74, 75, 76, 77, 78, 81, 82, 83, 84, 85, 86, 87, 88, 91 são DIREITOS e OBRIGAÇÕES, podemos mencionar ainda como deveres, além de outros:

1) Ser fiel a sua chamada;
2) Ser fiel a Deus;
3) Santificar sua vida;
4) Ser homem de oração;
5) Se for casado, ser bom pai e bom esposo;
6) Ser dedicado aos estudos e à leitura da Palavra de Deus;
7) Ser dedicado ao ensino da Palavra de Deus;
8) Ser dedicado à obra;
9) Ser fiel à igreja;
10) Ser leal para com os companheiros;
11) Ser leal para com os membros da igreja;
12) Ser fiel nas confidências;
13) Ser dedicado aos estudos das disciplinas eclesiásticas em geral;
14) Ser vigilante;
15) Ser amigo de todos;
16) Ser imparcial;
17) Ser enérgico e polido ao mesmo tempo;
18) Ser corajoso;
19) Não fazer distinção de cor, classe social, raça, sexo, ou ideologias;
20) Não se imiscuir em negócios alheios;
21) Ser discreto;
22) Sentir profundo amor pelo Senhor Deus;
23) Viver sob o controle do Espírito Santo;
24) Amar ardentemente a Igreja do Senhor e aos irmãos em particular;

25) Sentir grande amor pelas almas;
26) Ser contribuinte para a obra (dizimista);
27) Saber governar bem sua casa;
28) Não ser cobiçoso;
29) Não ter vício de nenhuma espécie;
30) Ser fiel cumpridor de seus deveres sociais, comerciais e políticos;
31) Ter bom nome na sociedade;
32) Ser bom administrador de seus próprios bens;
33) Ser limpo e asseado;
34) Andar de sapatos limpos, sempre barbeado e com cabelos aparados;
35) Não ser murmurador;
36) Ser pacificador;
37) Ser assíduo nos cultos e reuniões da igreja;
38) Ser atencioso para com todos;
39) Ser educado;
40) Ter firmeza na doutrina;
41) Ser transigente, quando necessário;
42) Ser paciente;
43) Ser homem de fé;
44) Ser manso;
45) Ser temperado (ter domínio próprio);
46) Ser homem de uma só palavra;
47) Ser hospitaleiro;
48) Ser amoroso;
49) Saber colocar o Senhor Deus em primeiro plano em sua vida:
50) Não usar o dinheiro da igreja em benefício próprio nem dos seus;
51) Ter vida planejada, inclusive as atividades eclesiásticas;
52) Ser zeloso pelo patrimônio da igreja;
53) Ter bom testemunho junto aos de fora;
54) Não possuir defeitos físicos graves;
55) Ser sincero;
56) Ser bom pregador e dominador;
57) Ser fiel na preparação e entrega da mensagem;

58) Ser misericordioso;
59) Não usar ilustrações falsas ou falsos milagres como ilustração;
60) Ser homem de visão;
61) Não se deixar levar por fuxicos;
62) Ter vida disciplinada e sóbria;
63) Não ser relapso em suas obrigações;
64) Dirigir os cultos de sua igreja regularmente;
65) Delegar atribuições, sempre que forem delegáveis;
66) Ser submisso ao ministério geral ou a normas convencionais;
67) Ser prudente em tudo;
68) Ser cauteloso no trato com o sexo oposto;
69) Não ter voz ou gestos afetados;
70) Ser autêntico (político o menos possível);
71) Não ser plagiador;
72) Ser original o mais possível;
73) Ser cheio do Espírito Santo e viver sob sua santa orientação;
74) Ter relacionamento com o Pai, o Filho e o Espírito Santo;
75) Não levar vida de promiscuidade;
76) Portar-se decentemente, e no púlpito especialmente;
77) Não ter maus hábitos;
78) Vestir-se decentemente;
79) Ser modesto;
80) Não ter problemas com a polícia ou justiça;
81) Saber preparar obreiros para a causa;
82) Saber observar o surgimento de novos valores na igreja local;
83) Não fazer más referências de colegas a quem quer que seja;
84) Honrar sempre o companheiro que sai ou que o substitui;
85) Ter sentimento de justiça;
86) Promover ou auxiliar no trabalho de evangelização;
87) Promover trabalho missionário ou ajudar o existente na denominação;
88) Ajudar outros companheiros em suas necessidades, sempre que possível;

89) Não permitir, dentro de suas possibilidades, que companheiros passem necessidade;
90) Dar retaguarda a auxiliares nas congregações ou em outras atividades;
91) Saber reconhecer o trabalho de auxiliares ou outros obreiros;
92) Ser agradecido ao Senhor Deus e aos irmãos;
93) Não praticar injustiça, especialmente na vida disciplinar;
94) Ser assíduo à escola dominical e a cultos especiais;
95) Não se prender a costumes que prejudiquem as atividades da igreja;
96) Não ser vaidoso;
97) Ser humilde;
98) Ser respeitador;
99) Saber ouvir os outros;
100) Ser afetuoso;
101) Não criar casos pessoais com quem quer que seja;
102) Não participar de levantes de qualquer natureza;
103) Ser fervoroso em espírito;
104) Saber controlar o tempo de atividade;
105) Saber distribuir o tempo em suas atividades diárias e semanais;
106) Saber programar atividades e repouso;
107) Saber programar leituras, estudos e oração;
108) Não ser motivo para escândalo;
109) Fiscalizar, por meio de diáconos, o ingresso de promotores de desordem no templo;
110) Ser dedicado ao trabalho de conselho;
111) Freqüentar as reuniões do ministério local, setorial ou geral;
112) Resolver problemas e questões entre membros da igreja;
113) Fazer que o pastor tenha regularizada sua vida com a Previdência;
114) Ter vida exemplar;
115) Não se deixar subornar;
116) Ser perdoador;
117) Ser submisso às leis do país;

118) Respeitar seus companheiros de ministério;
119) Cuidar bem dos seus, especialmente de sua família;
120) Não ser violento ou espancador;
121) Não induzir ninguém a erro;
122) Não freqüentar lugar incompatível com o decoro de sua função.